KB075634

따라하며 배우는 DevOps | MLOps

Azure, AWS, GCP 가이드

김도경 · 김수현 · 이은민 | 지음

목차

베타 리더의 후기

입사 초기에 이 책이 있었다면 시행착오를 배로 줄일 수 있었을 텐데 아쉽습니다. 코드와 예제를 순서대로 따라 하기만 해도 쉽게 이해하며 실습할 수 있습니다. 특히 클라우드 서비스의 3 대장인 Azure, AWS, GCP 각각의 상세한 설명으로 다양한 환경에서의 활용법을 익힐 수 있다는 것이 큰 장점입니다.

- J, 2 년차 머신 러닝 엔지니어

첫 인상이 굉장히 친절합니다. GitHub 을 사용하면서 간과하는 부분이나 발생할 수 있는 오류를 상세히 언급하여 매우 읽기 편합니다. 풍부한 사진과 설명은 MLOps 나 DevOps 를 처음 접하는 독자에게 굉장히 반가울 것입니다. 마치 라이브 코딩쇼를 보듯이 MLOps 랑 한결 친해질 수 있습니다.

- K, 3 년차 AI 개발자

충분한 스크린샷 자료를 통해 처음부터 따라가며 직접 실습해보기에 아주 좋습니다. 질문이 생겼을 때 찾아볼 수 있는 자세한 인덱스가 있어 막히는 부분을 쉽게 해결할 수 있습니다. 이론과 함께 실제로 어떻게 적용하는지 배울 수 있어 시작하는 사람들에게 추천합니다.

- 김지훈, 프론트엔드 개발자

주니어 개발자에게 어려운 구간 중 하나는 개발의 시작점인 '환경 구성'입니다. 이 책은 여러 운영 체제 별로 설치 및 DevOps 환경 구성에 대해 상세히 설명합니다. GitHub 프로젝트 관리 명령어도 다루어 별도의 추가 검색 없이 책 한권으로 해결할 수 있습니다. DevOps 와 MLOps 를 공부해보고자 하는 모든 분들에게 추천합니다.

- 김보영, 3 년차 주니어 개발자

문서를 그대로 따라하기만 하면 충분할 정도로 훌륭한 가이드 책입니다. 책 제목처럼 잘 작성된 하나의 레퍼런스입니다.

- 권오동, 백엔드 개발자

Azure 를 사용하여 서비스를 개발해보았다면 상대적으로 부족한 한글 자료로 인해 간단한 트러블슈팅에도 시간을 많이 소요한 경험이 있을 것입니다. 이 책은 초보자들이 흔히 겪는 시간 낭비를 줄여줄 수 있는 훌륭한 가이드가 되어줍니다.

- 익명

인프라 엔지니어로서 인프라 취약점을 찾아 조치하고 새로운 시스템의 성능 테스트를 지원하다 보면 콘솔을 접하는 시간이 부족할 때가 있습니다. 이 책은 실제 콘솔에서 중요한 부분을 함께 살펴보며 어렵지 않게 DevOps 와 MLOps 프로젝트의 흐름을 알려줍니다. 또한 대중적인 클라우드를 다루며 친절한 설명을 곁들이는 점 또한 이 책의 매력입니다.

- 조성동, 3 년차 인프라 엔지니어

작가의 말

김도경

어떻게 해야 할지 모르는 분들을 위하여

안녕하세요. 저는 파이썬 웹 애플리케이션과 GitHub, GCP DevOps, MLOps 파트의 저자 김도경입니다. 이 책은 오픈 소스 컨트리뷰션에 참가하면서 얻은 경험을 바탕으로 협업을 어떻게 진행하는지, DevOps 및 MLOps 에 대한 지식을 쌓고 싶은데 무엇을 봐야 할지 막연하게 느끼는 분들에게 책을 따라가면서 흐름을 배울 수 있도록 최소한의 가이드라인을 제공하고자 쓰였습니다.

첫 번째 파트에서는 FastAPI 를 사용하여 간단한 웹 애플리케이션을 만들며 Git 의 기본적인 개념을 배우고 GitHub 를 통해 협업하는 방법을 익히게 됩니다. 두 번째 파트에서는 Azure, AWS 및 GCP 와 같은 클라우드 플랫폼을 활용하여 DevOps 를 구축하고 실습합니다. 마지막으로 세 번째 파트에서는 클라우드 환경에서의 머신러닝 모델 관리와 최적화에 대해 배우게 됩니다.

그리고 단순히 이론을 전달하는 것을 넘어서 실습하며 경험을 쌓는 과정을 제공합니다. 실제로 각자가 경험한 초보자들이 접할 법한 오류들도 내용에 포함되어 있습니다.

DevOps 와 MLOps 의 중요성

"DevOps"는 개발과 운영을 잘 합쳐서 하나로 만들어주는 특별한 방법입니다. 큰 틀은 자동화로, 자동화된 배포와 테스트, 모니터링, 복구 기능을 통해 빠르게 개발하고 업데이트하여 더 잘 작동할 수 있게 도와줍니다.

"MLOps"는 머신러닝 모델을 잘 관리하는 방법입니다. MLOps 를 사용하면 머신러닝 모델을 계속해서 업데이트하고 관리할 수 있습니다. 이를 통해 모델이 항상 최신이고 정확하게 작동할 수 있게 도와줍니다. 특히, AI 와 같은 기술과 함께 성장할 때 더욱 효율적으로 사용할 수 있게 될 것입니다. 예를 들어 자기 학습을 통해 자동화를 더욱더 발전시켜 튜닝, 스케일링, 장애 처리 같은 영역에 적용될 수 있을 것입니다. 또한, 자동화된 모델 선택 및 최적화를 할 수 있을 것입니다.

요약하자면 더 나은 소프트웨어와 머신러닝 모델을 만들고 관리하기 위해서 DevOps 와 MLOps 를 알아야 합니다.

가이드를 시작하며

저는 이 책을 통해 여러분이 다양한 플랫폼에서 새로운 기술과 개념을 이해하고, 실제로 구현해 보며 스스로 성장하는 과정을 경험할 수 있기를 바랍니다. 마지막으로, 이 책을 가능하게 해준 김대우 멘토님과 함께한 김수현, 이은민님에게 감사의 말씀을 전합니다. 여러분의 노력과 조언이 이 책을 완성하는 데 큰 도움이 되었습니다.

이제 여러분과 함께 DevOps 와 MLOps 의 세계로 여행을 떠나봅시다.

김수현

DevOps, MLOps 세계로의 초대

반갑습니다. 저는 AWS DevOps 파트의 저자 김수현입니다. 이 책은 어렵게만 보이는 DevOps, MLOps의 세계에 첫 걸음을 내딛을 수 있도록 도와주는 안내서입니다. 오픈소스 컨트리뷰션 아카데미 과정을 진행하면서 습득한 지식을 바탕으로 다양한 클라우드를 통해 실습을 진행하며, 실습을 통해 초보자도 쉽게 따라할 수 있도록 구성되어 있습니다.

자동화 그리고 DevOps, MLOps

이 책에서는 DevOps 와 MLOps 가 어떻게 반복적이고 기계적인 작업을 최소화하면서 소프트웨어 개발 및 운영의 효율성을 극대화하는지를 중점적으로 다룹니다. 자동화를 통해 소프트웨어 개발의 신속성과 정확성을 향상시키고, 보다 안정적인 배포 프로세스를 구현하는 방법을 설명합니다.

AI의 시대

AI 기술이 복잡해지고 적용 범위가 확대됨에 따라, 모델의 개발, 배포, 유지 관리를 효과적으로 수행하기 위한 체계적인 접근법이 필요해졌습니다. 이러한 배경으로 MLOps 의 중요성이 점점 커지고 있습니다.

전통적인 소프트웨어 개발의 발전이 DevOps를 필요로 했던 것처럼, AI 기술의 지속적인 발전 역시 MLOps의 필요성을 강조하고 있습니다. AI가 우리 삶에서 뗄 수 없는 존재가 된 것처럼, MLOps도 AI와 떼려야 뗄 수 없는 존재가 될 것으로 생각됩니다.

당신의 여정을 응원하며

새로운 기술을 배울 때 모든 부분을 처음부터 꼼꼼히 이해하려 하면 금방 지칠 수 있습니다. 그래서 이 책은 먼저 DevOps 와 MLOps 의 전체적인 흐름을 파악하도록 하고, 세부 사항은 독자가 스스로 학습할 수 있도록 유도합니다. DevOps 와 MLOps, 클라우드에 대한 사전 지식이 없더라도, 이 책의 실습을 "따라하며" 기본 개념을 익히고, 궁금한 부분을 추가로 학습한다면, 어느 순간 DevOps와 MLOps의 세계로 빠져들게 될 것입니다.

저 또한 CI/CD 를 처음 구현할 때 어디서부터 시작해야 할지 몰랐습니다. 하지만 단계별로 천천히 진행하며 전체 과정을 완성한 후, 지나온 과정을 돌아보며 각 단계의 의미를 이해할 수 있었던 것 같습니다. 여러분도 이 책을 통해 CI/CD를 직접 구현해보며 DevOps와 MLOps 세계를 체험하고, 이 과정에서 얻은 통찰이 여러분의 여정에 값진 이정표가 되기를 희망합니다.

마지막으로 이 책을 시작하고 내용 및 집필 방향 설정에 큰 도움을 주신 Microsoft 소프트웨어 엔지니어 김대우 멘토님, 그리고 이 책이 세상에 나올 수 있도록 노력해주신 공동 저자 김도경, 이은민님께도 감사의 말씀을 전합니다.

새로운 도전의 첫걸음은 언제나 가장 어렵지만 가장 가치 있는 단계입니다. 이 책이 여러분의 첫걸음에 도움이 되기를 바랍니다.

이은민

누구나 처음이 있다

안녕하세요. Azure DevOps, MLOps 파트 집필을 맡은 이은민입니다. 이 책은 처음으로 DevOps 와 MLOps 의 세계에 발을 들이는 분들을 위한 안내서 역할을 하기 위해 탄생했습니다. 새로운 기술을 접할 때 코딩 스킬이나 해당 기술에 대해 지식은 조금 있지만 "어디서부터 시작해야 할지", "실제로 어떻게 적용해야 할지" 막막하게 느껴질 때가 있습니다. 저 또한 그러했고 이 책은 저와 같이 그러한 어려움을 느꼈던 모든 기술 분야의 주니어를 대상으로 합니다.

"일단 따라하면서 배워보자!"는 이 책의 핵심 모토입니다. 그에 따라 복잡해 보이는 DevOps 와 MLOps 의 개념도 실제로 손에 잡히는 작업을 통해 접근할 수 있도록 의도했습니다. 여러분이 기술적인 배경이 많지 않더라도 이 책을 따라 한 단계씩 진행하다 보면 자연스럽게 이해의 폭이 넓어지고 실제 프로젝트에 적용할 수 있는 능력을 키울 수 있을 겁니다.

저 역시 처음 시작할 때 많은 어려움을 겪었습니다. 그 경험을 바탕으로 이 책을 통해 제가 배운 교훈과 팁을 여러분과 공유하고자 합니다. 이 책이 여러분이 DevOps 와 MLOps 의 세계에서 자신감을 가지고 첫걸음을 내딛는 데 도움이 되었으면 좋겠습니다.

우리가 지금 DevOps, MLOps 를 배워야 하는 이유

1. **인프라를 친구처럼 알게 됩니다**: DevOps 와 MLOps 를 탐험하면서, 클라우드 서비스부터 서버, 그리고 네트워킹까지 - 마치 숨은 보물 찾기처럼 다양한 인프라 구성요소들을 만나보게 될 거예요. 이 모든 것을 배우는 과정을 통해 여러분은 시스템 전반을 이해하게 되고, 마치 퍼즐 조각을 맞추듯 더 효율적이고 안정적인 솔루션을 설계할 수 있는 능력을 키우게 됩니다.

2. **자동화 마법사가 됩니다**: DevOps 와 MLOps 의 세계에서 자동화는 마법 같은 역할을 합니다. 반복되는 일들을 마법처럼 자동으로 처리하게 해주죠. 배포부터 테스트, 인프라 관리까지 모든 것을 자동으로 해결합니다. 이 마법을 통해 실수를 줄이고, 여러분의 소중한 시간을 더 의미 있는 일에 쓸 수 있게 해줍니다.

3. **함께하는 힘, 협업**: DevOps 와 MLOps 는 마치 팀워크의 힘을 믿는 축구팀 같습니다. 개발자와 운영팀, 데이터 과학자들이 서로의 경계를 넘어 긴밀하게 협업하면서, 프로젝트가 더 투명해지고 모두가 서로를 더 잘 이해하게 됩니다. 마치 한 배를 탄 선원들처럼 말이죠.

이 모든 것들은 여러분이 DevOps 와 MLOps 를 배우면서 자연스럽게 체득하게 될 것입니다. 그러다 보면 알게 모르게 여러분도 이 멋진 분야의 일원이 되어 있을 거라고 믿습니다.

멀티 클라우드 여정을 시작하며

Azure 를 활용한 DevOps, MLOps 파트는 Microsoft 의 Azure 공식 문서와 자료를 참고로 합니다. 또한 Azure 에서 제공하는 다양한 서비스와 툴의 사용 방법에 대한 실질적인 가이드와 부연 설명을 제공하기 위해 노력했습니다. 학습 중 궁금한 점이 생긴다면 언제든지 MLOPs Labs GitHub 저장소[1]에 이슈를 남겨주세요.

이 책은 단 한 클라우드 서비스 제공업체에만 집중하지 않습니다. 오늘날 클라우드 컴퓨팅의 삼 대장, Azure, AWS, GCP 를 아우르며 각 플랫폼의 특성을 이해하고 다양한 클라우드 환경에서 유연하게 뛰어놀 수 있는 능력을 키우는 데 중점을 두고 있습니다. 이 책을 통해 DevOps 와 MLOps 의 기본을 다지고 여러분의 여정을 자신 있게 시작할 수 있기를 바랍니다. 여러분이 이 책을 통해 그 첫발을 단단히 딛는다면 더할 나위 없이 기쁠 것 같습니다.

마지막으로 이 책이 세상에 나올 수 있는 기반을 마련해주시고 방향을 제시해주신 Azure 소프트웨어 엔지니어 김대우 멘토님께 진심으로 감사의 말씀을 전합니다. 멘토님의 가이드 없이 이 여정을 시작하는 것이 훨씬 더 어려웠을 것입니다. 또한 집필 와중에 함께 어려움을 고민해주신 공동 저자 동료분들께도 감사의 말씀 전합니다. 이 책을 통해 얻은 지식과 통찰을 여러분과 나누며, 저와 여러분 모두 함께 성장해 나갈 수 있는 기회가 되기를 바랍니다.

---

[1] "MLOps Labs GitHub 저장소" https://github.com/orgs/mlops-labs/repositories

PART Ⅰ

파이썬 웹 애플리케이션과 GitHub

Chapter 1. 개발 환경 구축

실습에 앞서 파이썬 개발환경을 준비해야 합니다. 이 책에서는 아나콘다(Anaconda)와 VS Code(Visual Studio Code)를 통한 파이썬 개발 환경을 구축하겠습니다.

1. 아나콘다로 파이썬 환경 구축하기

아나콘다는 파이썬 및 데이터 과학, 머신 러닝에 필요한 다양한 라이브러리와 패키지를 포함하는 오픈 소스 플랫폼입니다. 이를 통해 사용자는 복잡한 환경 설정 과정 없이 바로 파이썬을 활용할 수 있게 됩니다. 또한, 프로젝트별로 독립된 가상 환경을 만들어 여러 프로젝트에서 서로 다른 버전의 라이브러리를 사용할 수 있게 해줍니다.

아나콘다 설치 위해 아나콘다 다운로드 페이지[2]에 접속하여 각 OS 에 맞는 설치 파일을 다운로드 합니다.

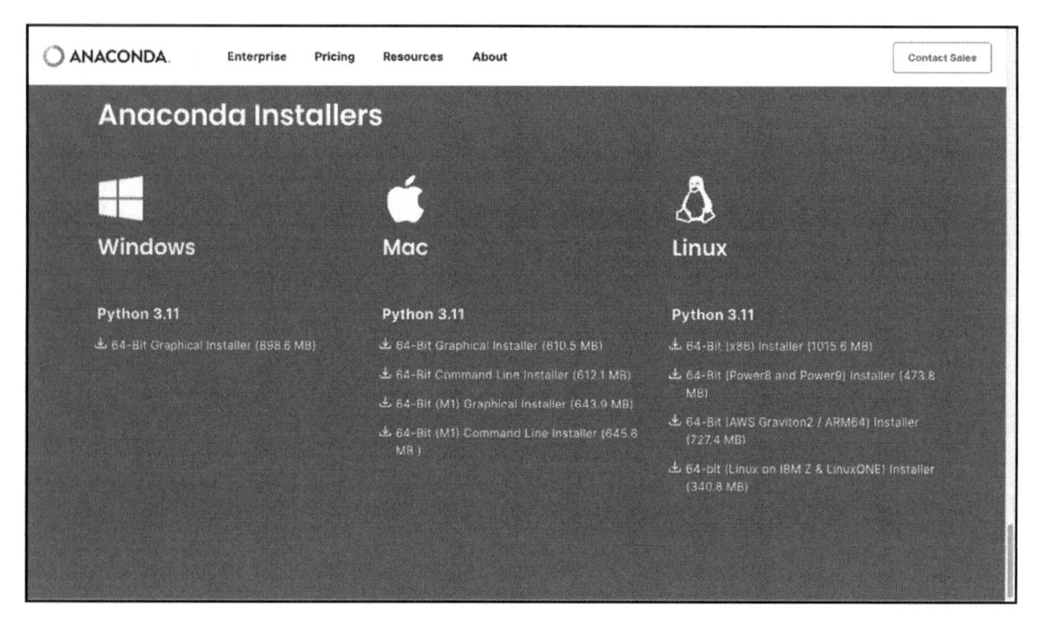

다운로드한 설치 파일을 실행해 설치를 진행합니다.

[2] https://www.anaconda.com/download

1.1. Windows

1. 설치 파일을 실행하여 설치를 진행합니다.

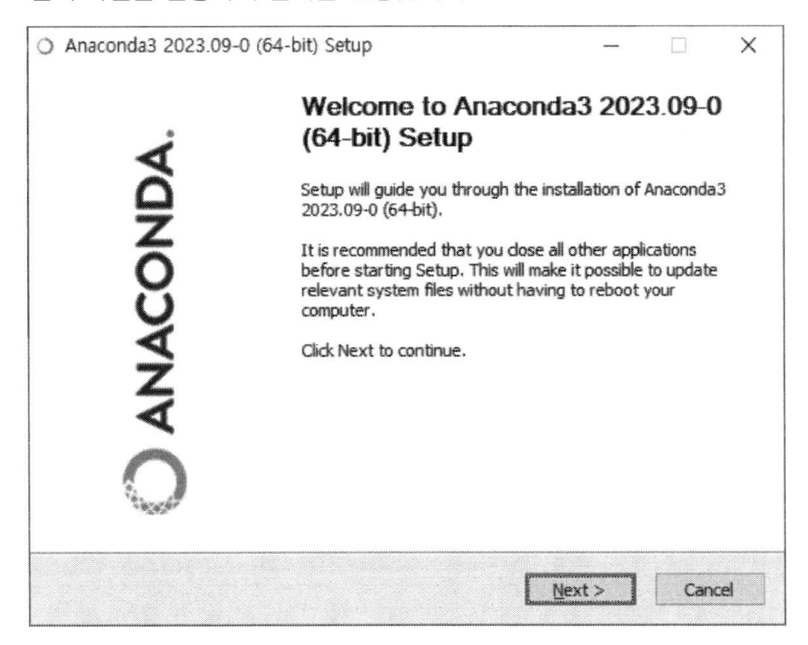

2. 라이선스를 확인한 후 "I Agree" 버튼을 클릭합니다.

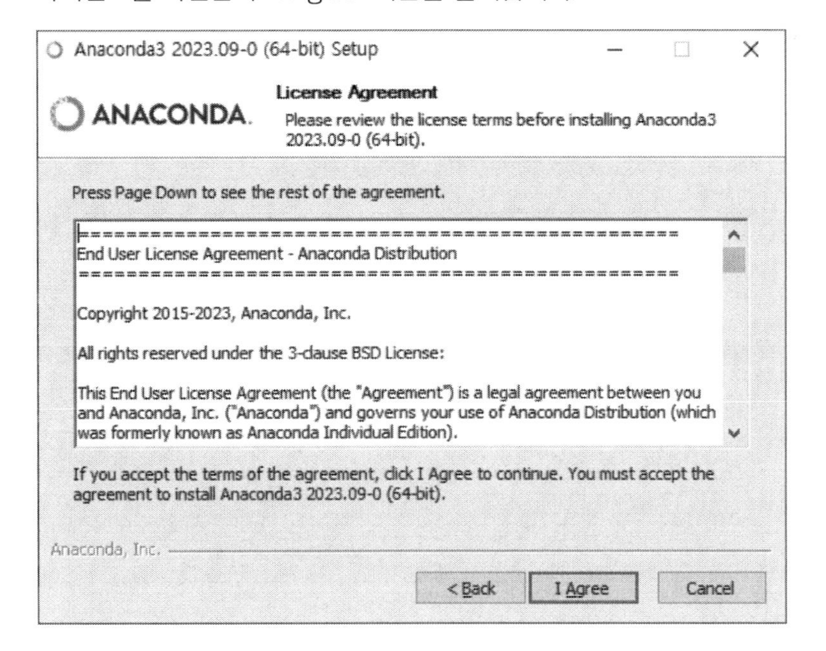

3. 설치 유형에서 "All Users"를 체크한 후 'Next' 버튼을 클릭하고, 사용자 계정 컨트롤 창에 보안 경고가 뜨면 '예' 버튼을 클릭합니다.

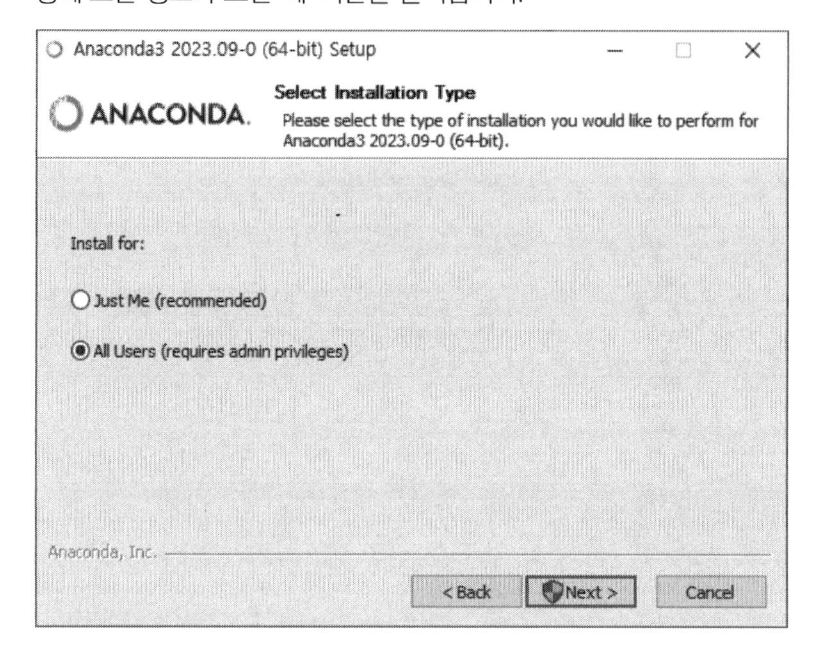

4. 설치 경로를 확인하고 "Next" 버튼을 클릭합니다.

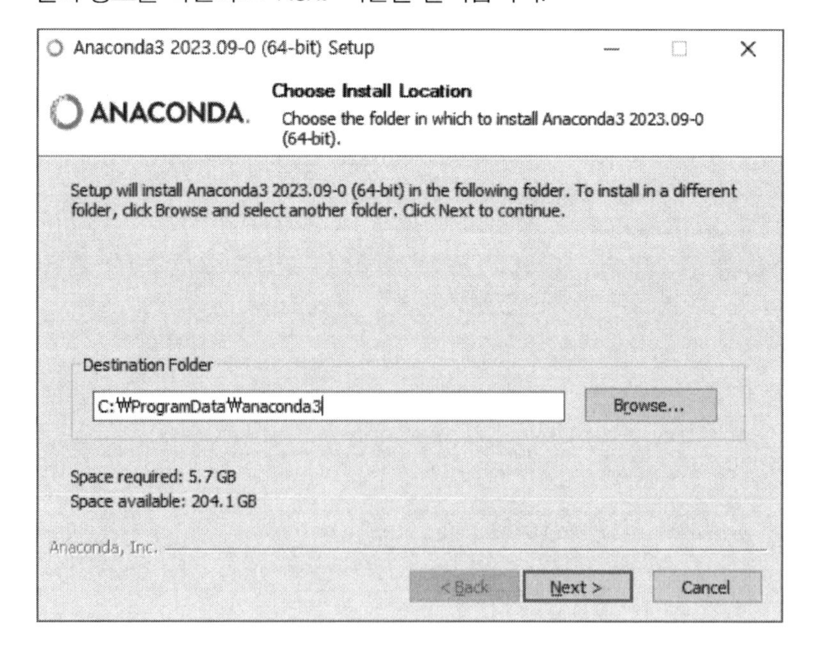

5. "Install" 버튼을 클릭하여 설치를 시작합니다.

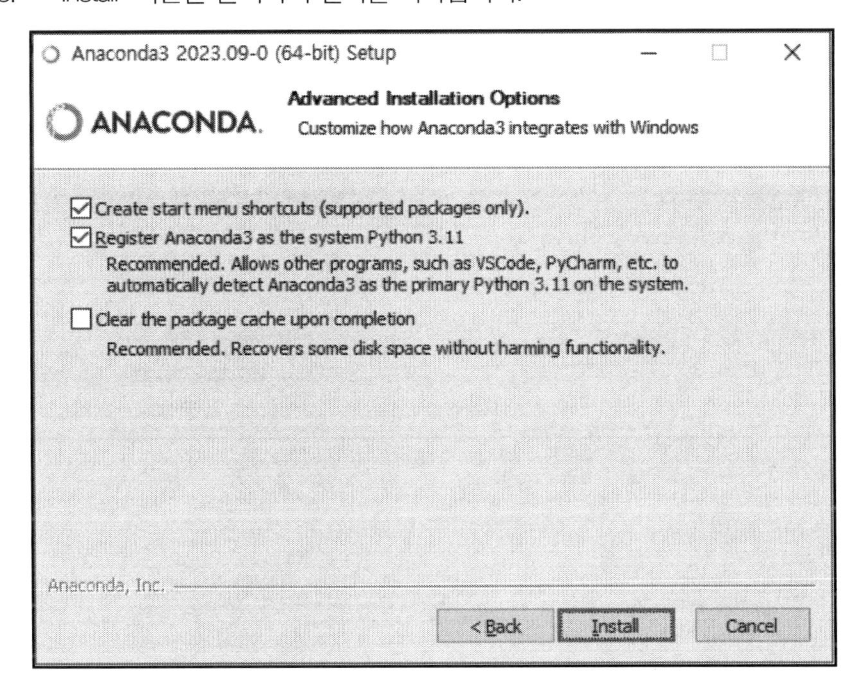

6. 설치가 완료되면 "Next" 버튼을 클릭합니다.

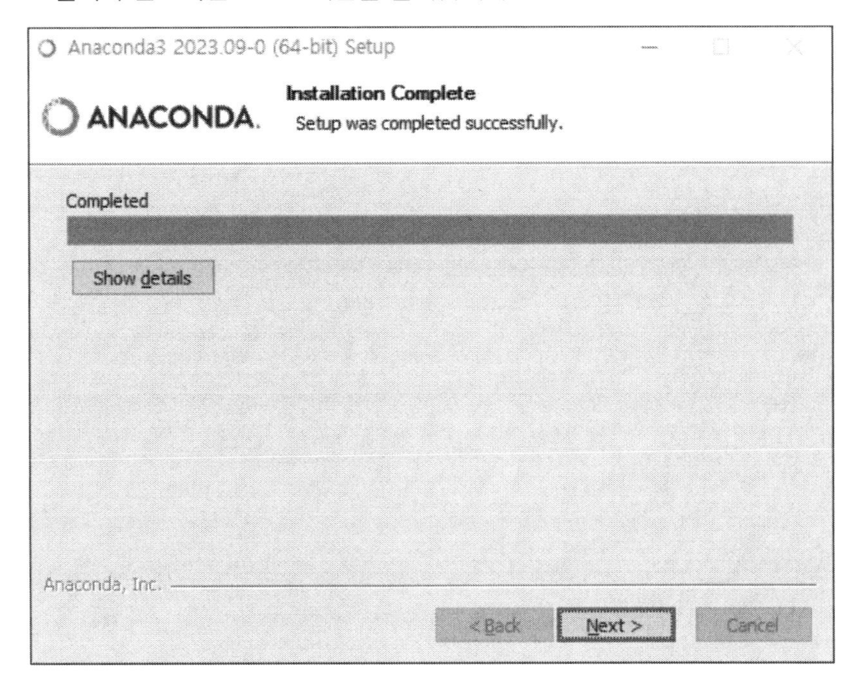

7. 추가 사항을 확인한 후 "Next" 버튼을 클릭합니다.

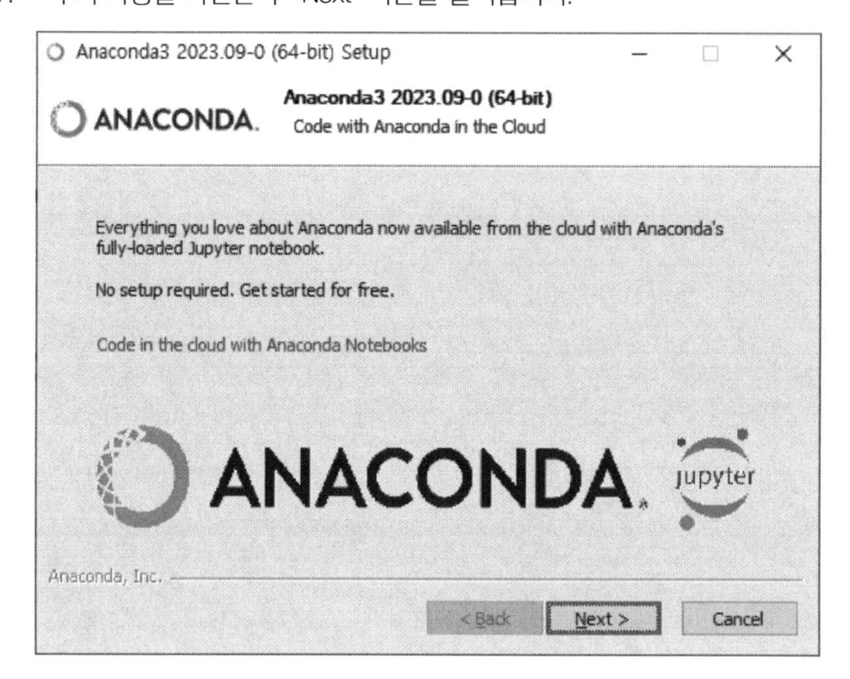

8. 설치 완료 메시지를 확인한 후 "Finish" 버튼을 눌러 설치를 종료합니다.

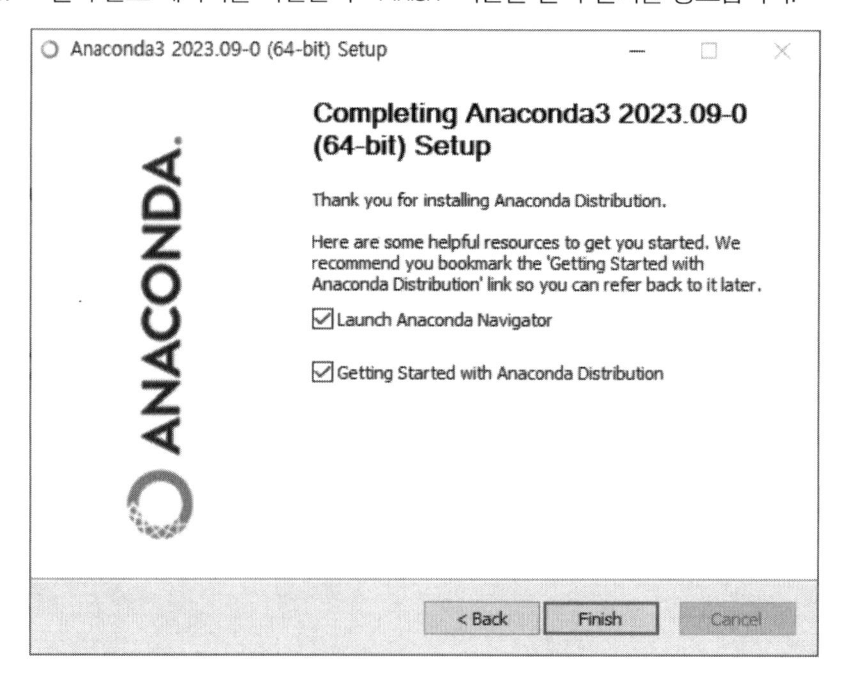

9. “Anaconda Prompt”를 실행하여 “conda -version”을 입력한 후 출력을 확인합니다.

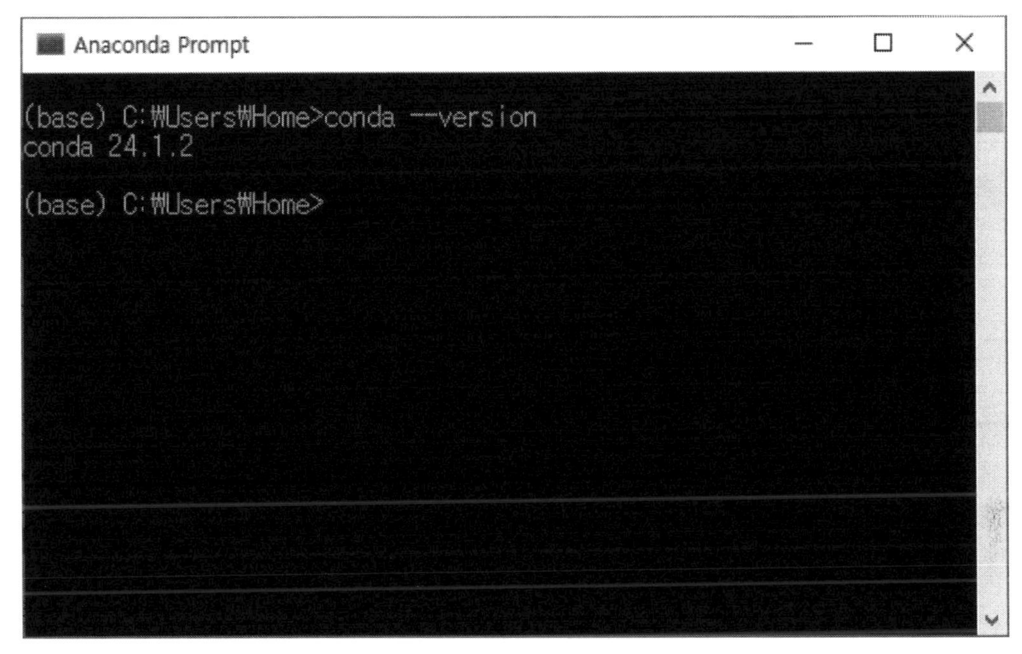

설치한 버전이 출력된다면 아나콘다의 설치가 정상적으로 완료된 것입니다.

⚠ 명령 프롬프트에서 conda 사용하는 방법

“Anaconda Prompt”가 아닌 “명령 프롬프트”나 “Windows PowerShell”에서도 Conda 명령어를 편리하게 사용하기 위해서는 Anaconda 가 설치된 경로를 시스템의 환경 변수에 추가하는 과정이 필요합니다. 이를 통해 어느 위치에서든 Conda 명령어를 직접 호출할 수 있게 됩니다.

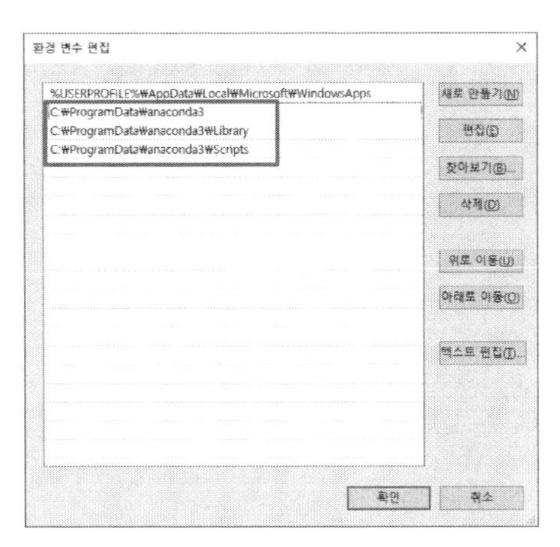

1.2. Mac OS

1. 설치 파일을 실행하여 설치를 진행합니다.

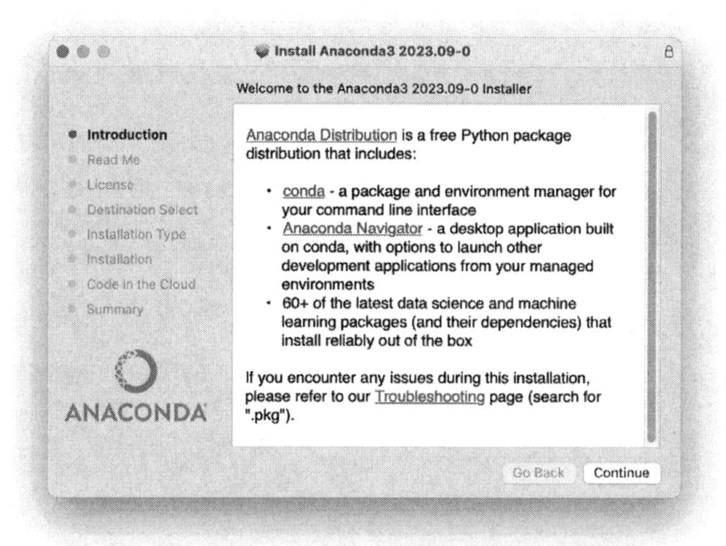

2. 정보를 확인하고 "Continue" 버튼을 클릭합니다.

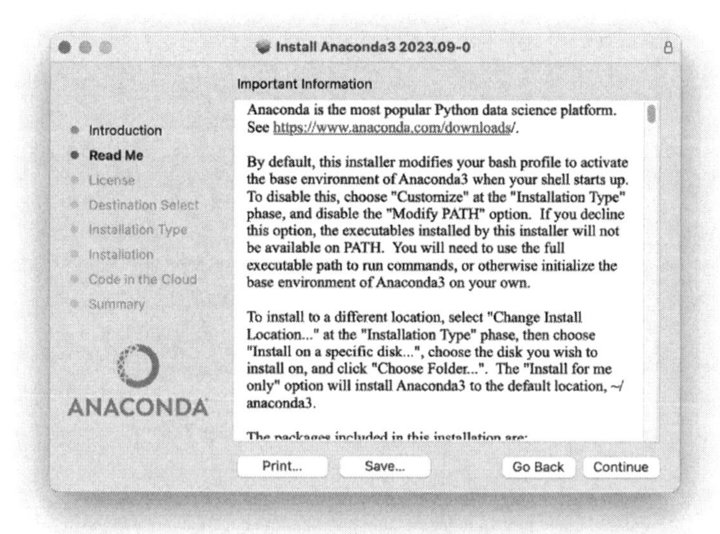

3. 라이선스를 확인한 후 "Continue" 버튼을 클릭합니다.

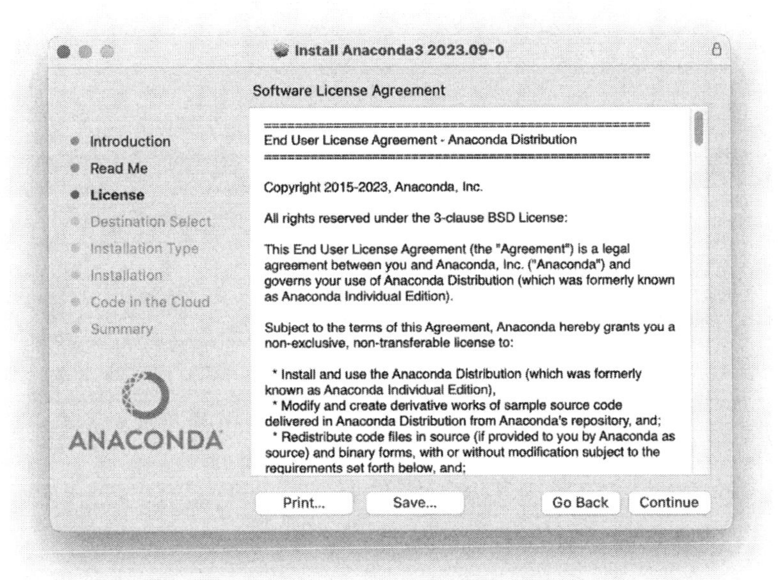

4. 라이선스 동의 팝업을 확인한 후 "I Agree" 버튼을 클릭합니다.

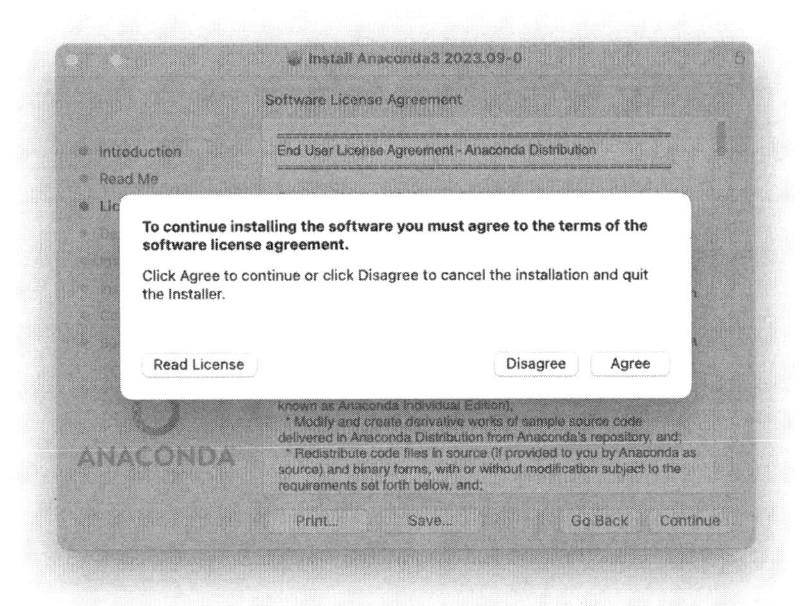

5. 설치 위치를 확인한 후 "Continue" 버튼을 클릭합니다.

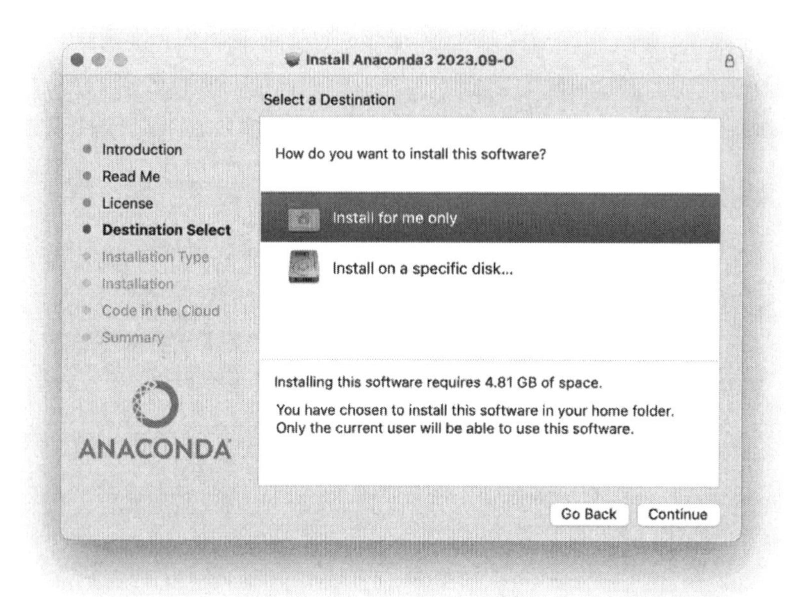

6. 설치 위치의 잔여 용량을 확인한 후 "Install" 버튼을 클릭합니다.

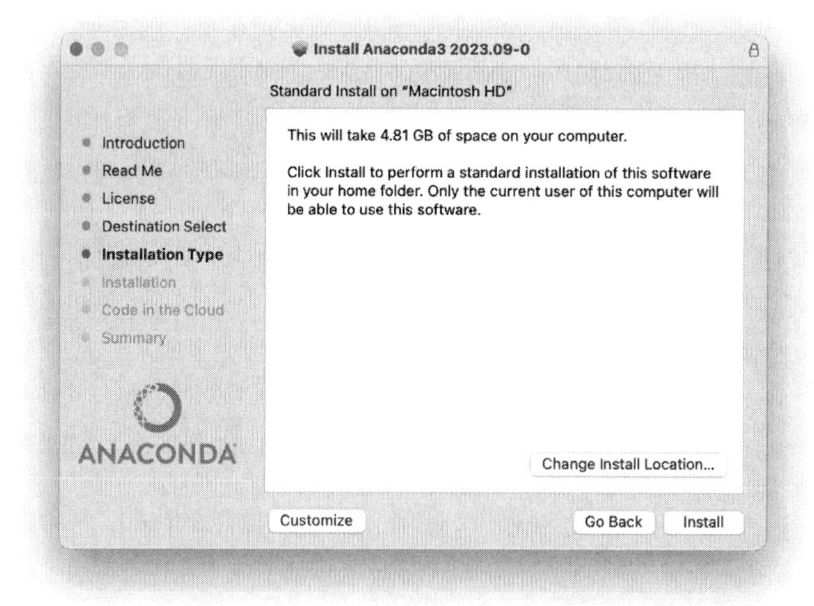

7. 추가 사항을 확인한 후 'Continue' 버튼을 클릭합니다.

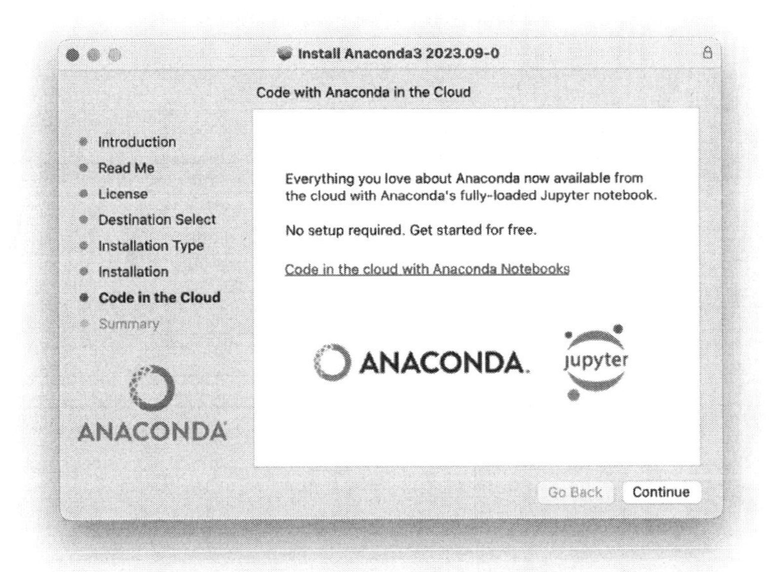

8. 설치가 완료되면 "Close" 버튼을 클릭하여 설치 마법사를 종료합니다.

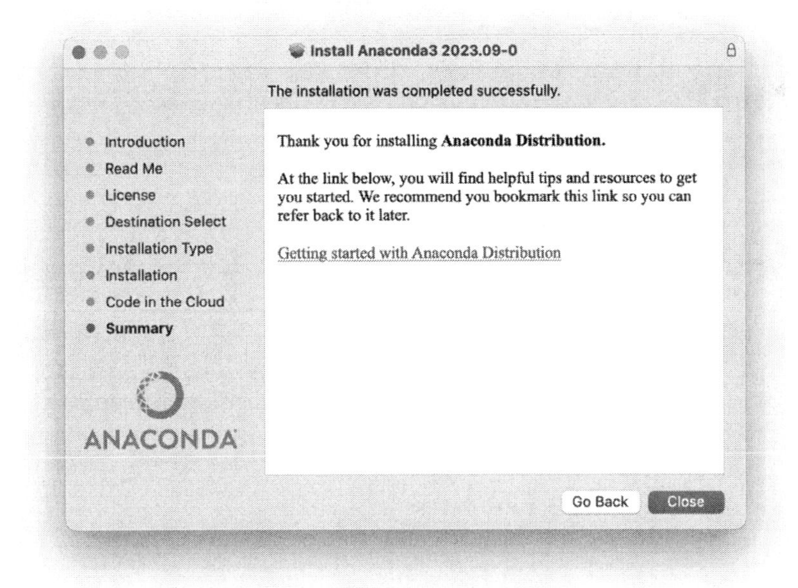

9. 설치가 완료됐다면 터미널을 실행하여 아래 명령어를 입력한 후 출력을 확인합니다.

```
(base) <사용자명>@<컴퓨터이름> ~ % conda --version
conda 23.7.4
```

설치한 버전이 출력된다면 아나콘다의 설치가 정상적으로 완료된 것입니다.

⚠ Brew를 이용한 설치

Brew 패키지 관리자를 사용하는 맥 OS 사용자라면 brew 명령어를 통해 설치가 가능합니다.

1. brew 명령어를 통해 anaconda를 설치합니다.

```
brew install --cask anaconda
```

2. brew 설치 과정이 끝나면 아래 명령어를 통해 콘다 환경 변수 경로를 설정한 뒤, 터미널을 재시작합니다.

```
export PATH="/opt/homebrew/anaconda3/bin:$PATH"
```

3. 터미널에 "conda"를 입력합니다. 아래와 같은 화면이 출력된다면 설치가 완료된 것입니다.

```
→  ~ conda
usage: conda [-h] [--no-plugins] [-V] COMMAND ...

conda is a tool for managing and deploying applications, environments and packages.

options:
  -h, --help          Show this help message and exit.
  --no-plugins        Disable all plugins that are not built into conda.
  -V, --version       Show the conda version number and exit.

commands:
  The following built-in and plugins subcommands are available.

  COMMAND
    build             Build conda packages from a conda recipe.
    clean             Remove unused packages and caches.
    compare           Compare packages between conda environments.
    config            Modify configuration values in .condarc.
    content-trust     Signing and verification tools for Conda
    convert           Convert pure Python packages to other platforms (a.k.a.,
                      subdirs).
    create            Create a new conda environment from a list of specified
                      packages.
```

2. Visual Studio Code 환경 구축

VSCode(Visual Studio Code)는 개발자에게 코드 편집 및 관리 도구를 제공하는 오픈 소스 텍스트 에디터입니다. 다양한 프로그래밍 언어를 지원하며, 특히 확장 프로그램을 통해 다양한 개발 환경을 쉽게 구축할 수 있습니다. 파이썬 개발을 비롯해 웹 개발, 애플리케이션 개발 등 다양한 프로젝트에 적합합니다.

VSCode 설치를 위해 VScode 다운로드 페이지[3]에 접속하여 각 OS 에 맞는 설치파일을 다운로드 합니다.

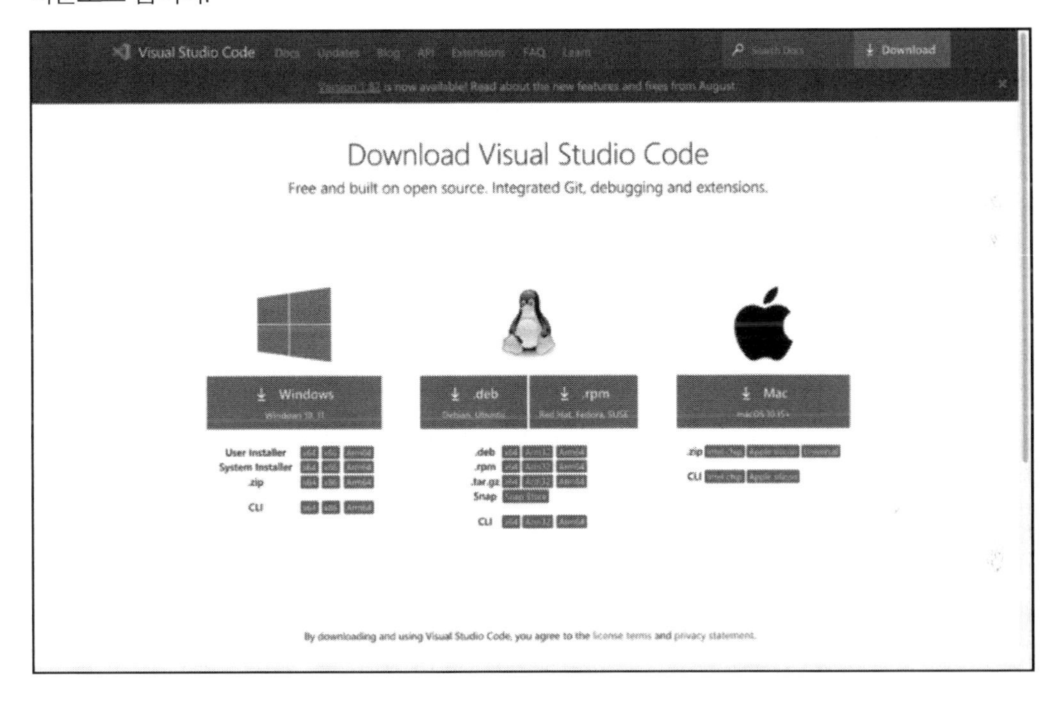

[3] https://code.visualstudio.com/Download

2.1. Windows

1. 다운로드한 설치 파일을 실행한 후 라이선스에 동의합니다.

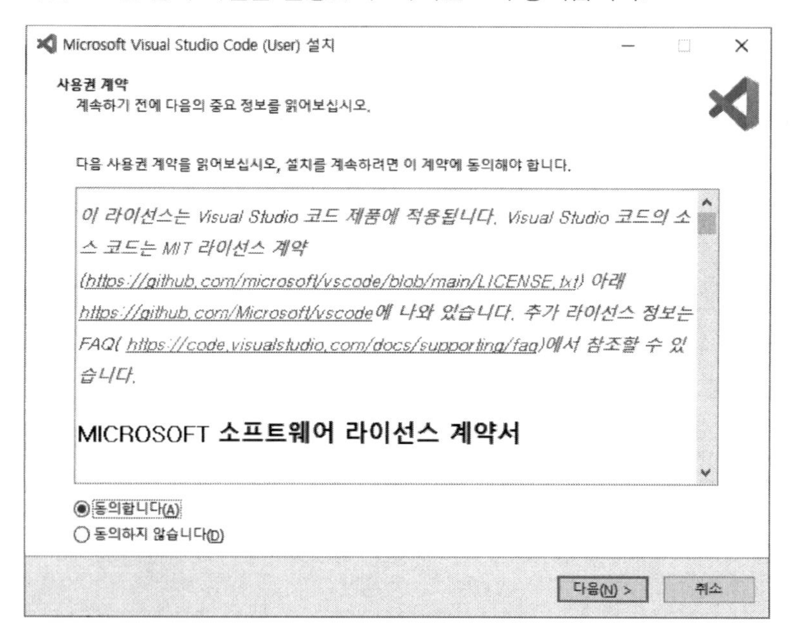

2. 설치 위치를 확인한 후 '다음(N)' 버튼을 클릭합니다.

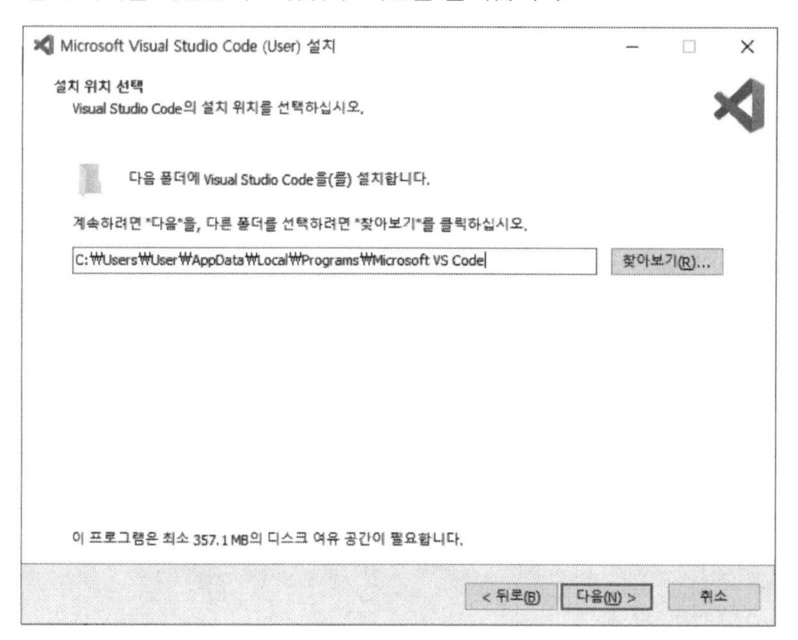

3. 바로가기 추가 내용을 확인한 후 '다음(N)' 버튼을 클릭합니다.

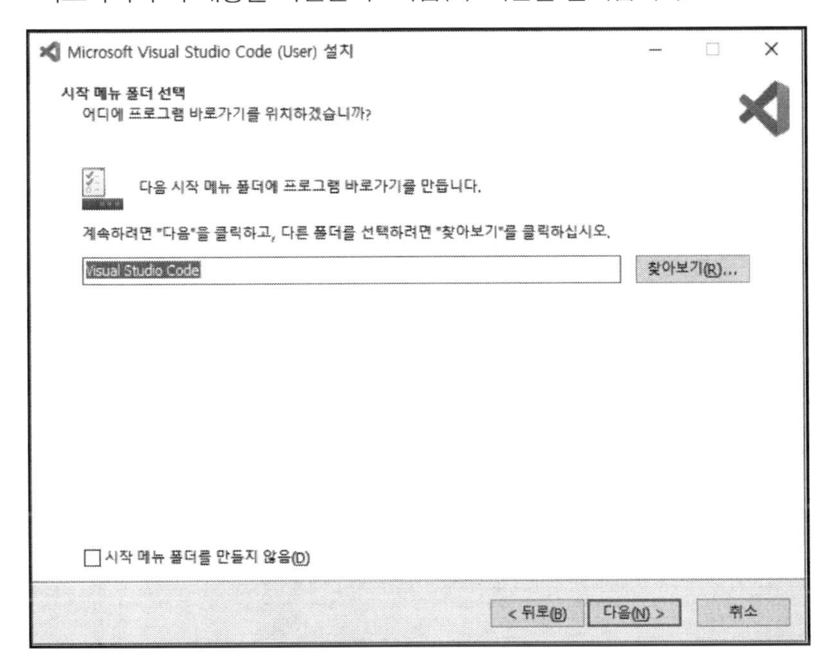

4. 추가 작업을 확인한 후 '다음(N)' 버튼을 클릭합니다.

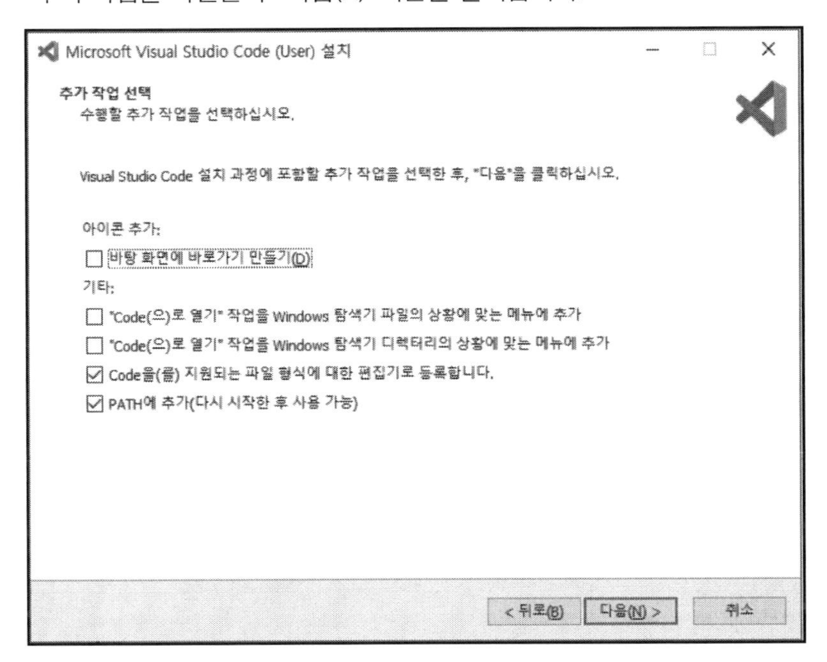

5. '설치(I)' 버튼을 클릭해 설치를 진행합니다.

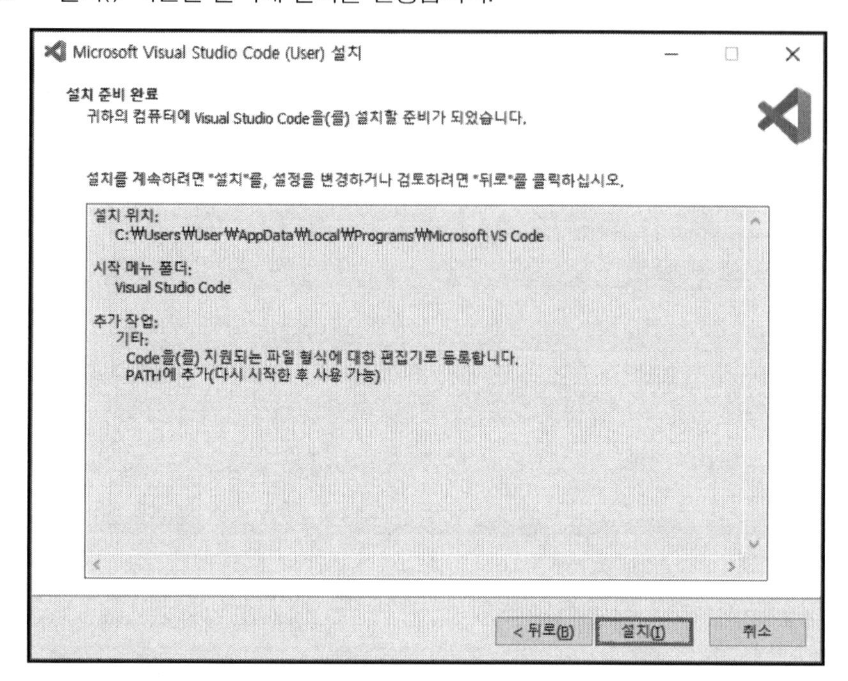

6. 설치가 완료되면 '종료(F)' 버튼을 클릭해 설치 마법사를 종료합니다.

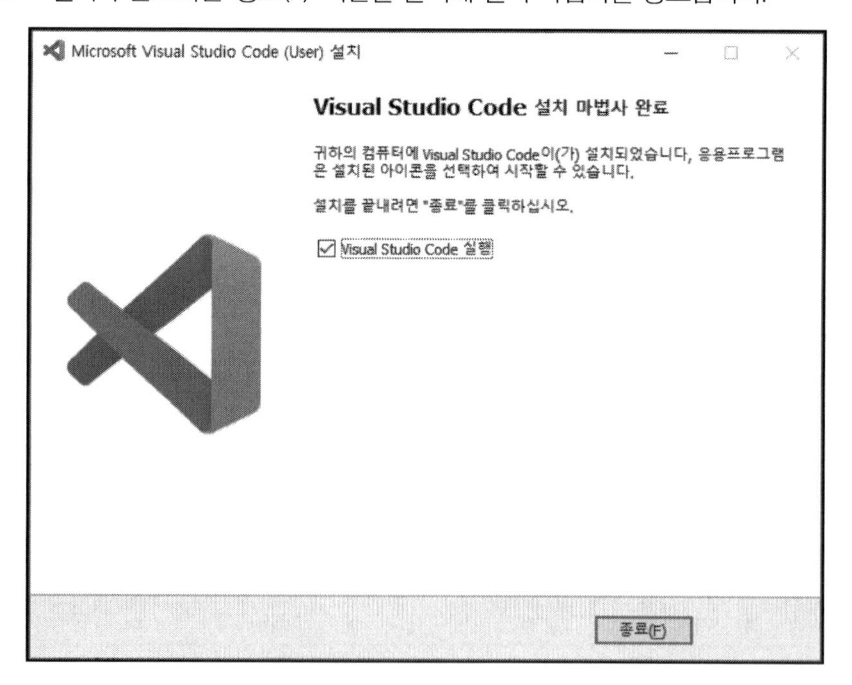

7. Visual Studio Code 의 실행을 확인합니다.

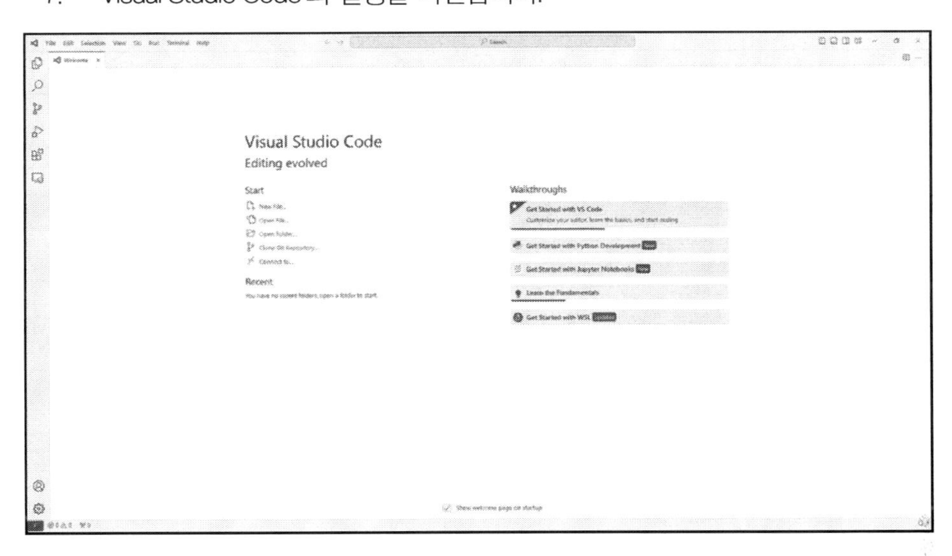

2.2. Mac OS

1. 다운로드한 압축파일의 압축을 해제합니다.

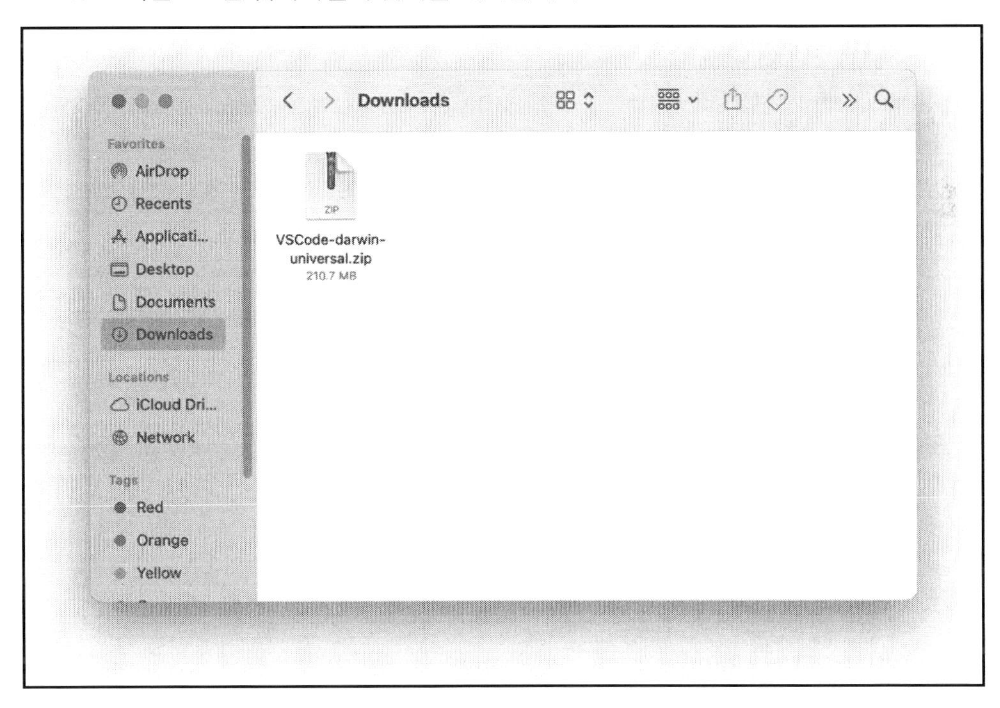

2. 'Visual Studio Code'를 실행합니다.

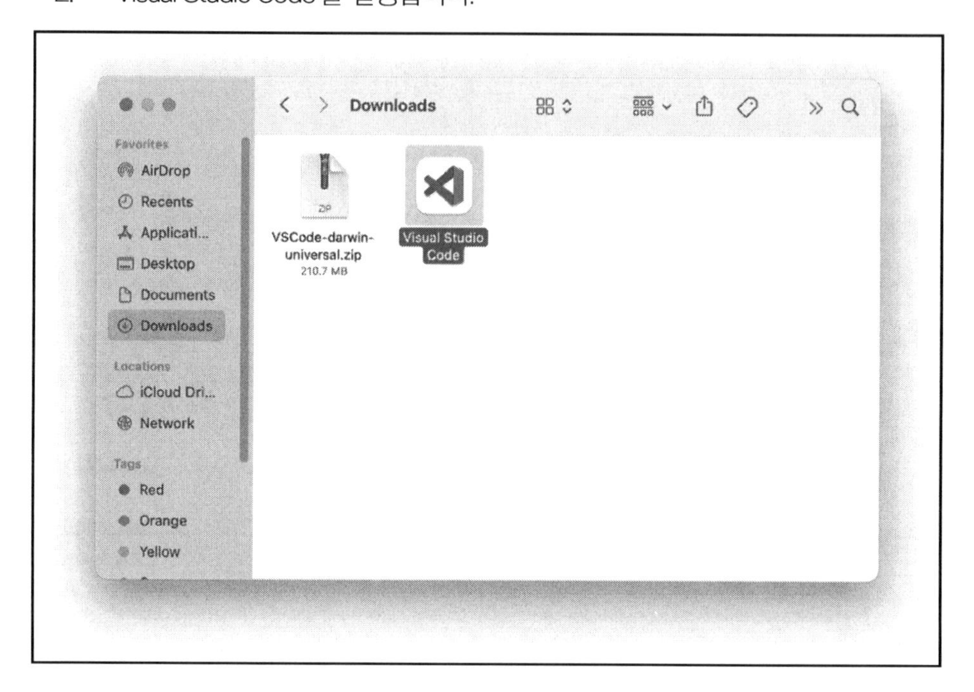

3. Visual Studio Code가 정상적으로 실행되는지 확인합니다.

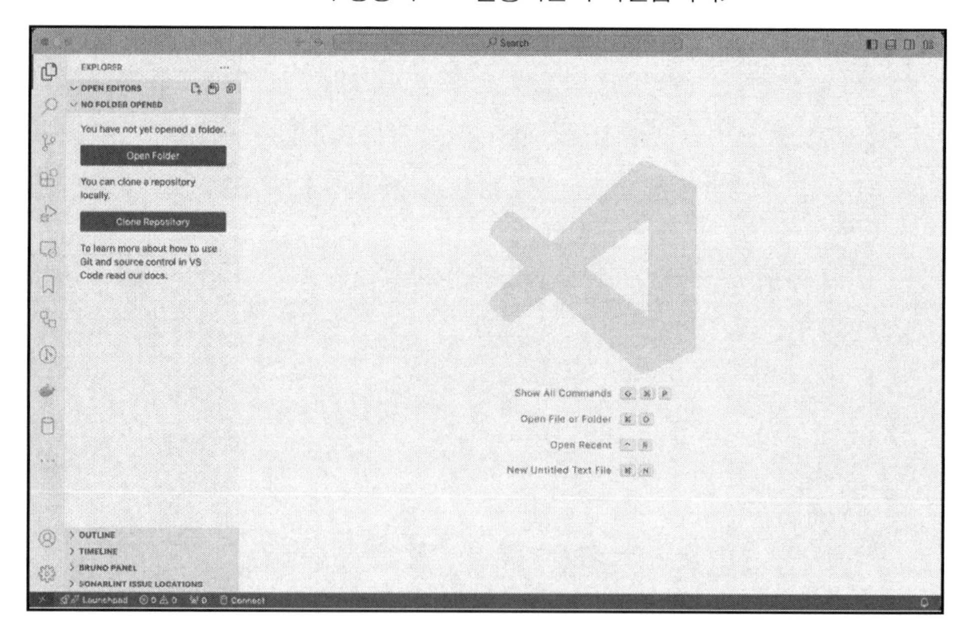

3. Git 설치하기

3.1. Windows

1. Git for Windows 다운로드 페이지[4]에 접속하여 설치파일을 다운로드 합니다.

2. 설치에 앞서 관련된 정보를 확인하고, "Next" 버튼을 클릭합니다.

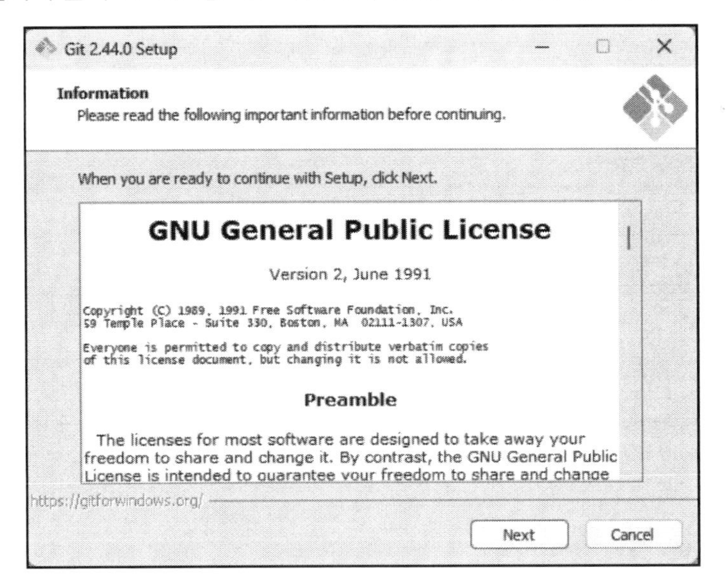

4 https://gitforwindows.org

3. 경로를 확인하고, "Next" 버튼을 클릭합니다.

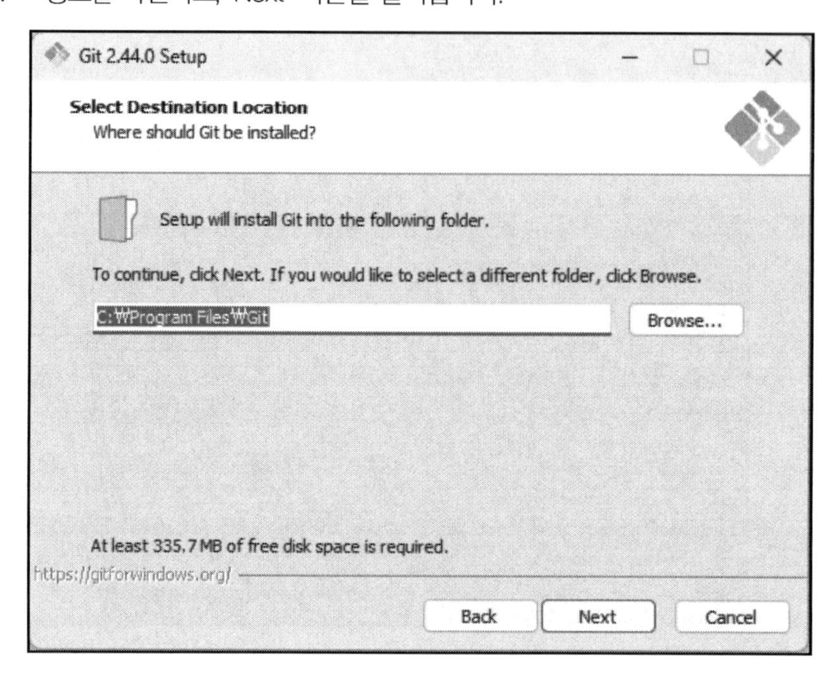

4. Git 설치 중 선택할 수 있는 구성요소들입니다. 추가적으로 바탕화면에 등록하려면 On the Desktop 옵션도 설정하면 됩니다. 선택 후 "Next" 버튼을 클릭합니다.

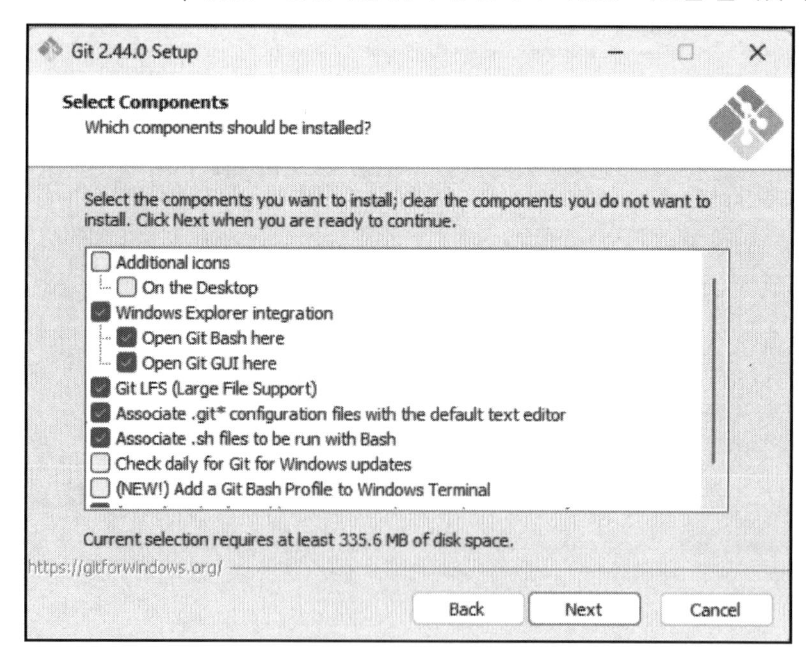

5. 폴더명을 확인하고, "Next" 버튼을 클릭합니다.

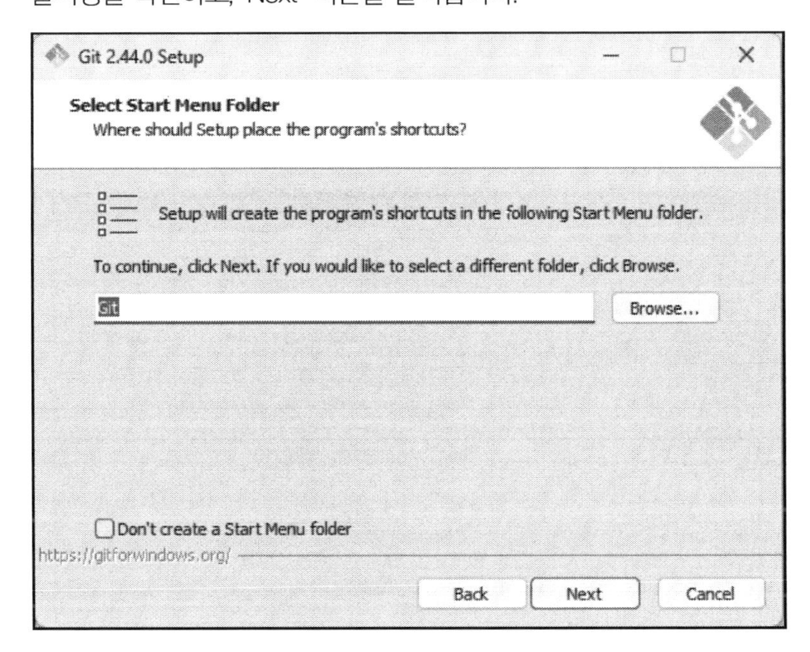

6. Git 에서 사용하는 에디터를 설정하는 내용입니다. Visual Studio Code 로 변경하고 "Next" 버튼을 클릭합니다.

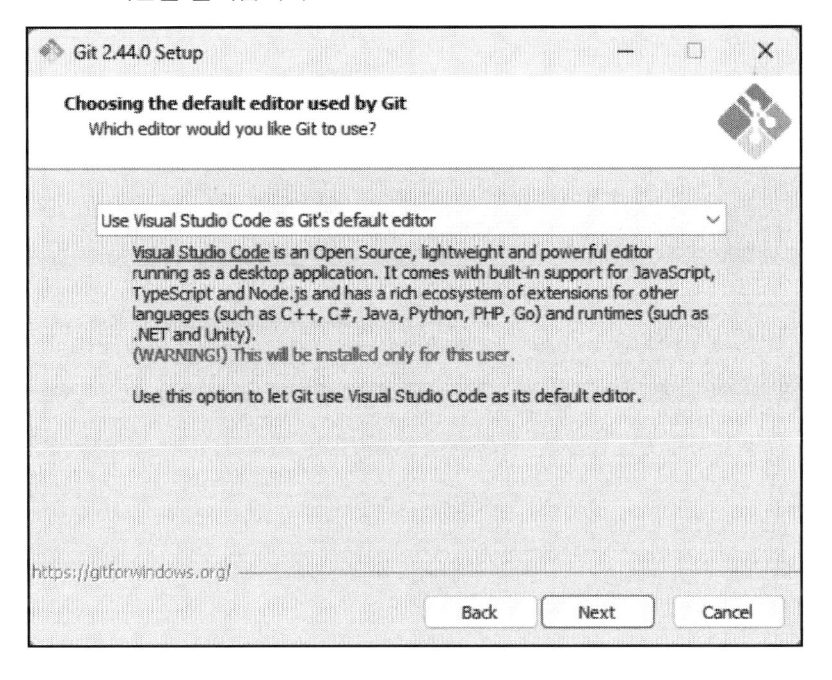

7. 리포지토리의 브랜치 기본이름을 "master"로 설정하는 내용입니다. 선택 후 "Next" 버튼을 클릭합니다.

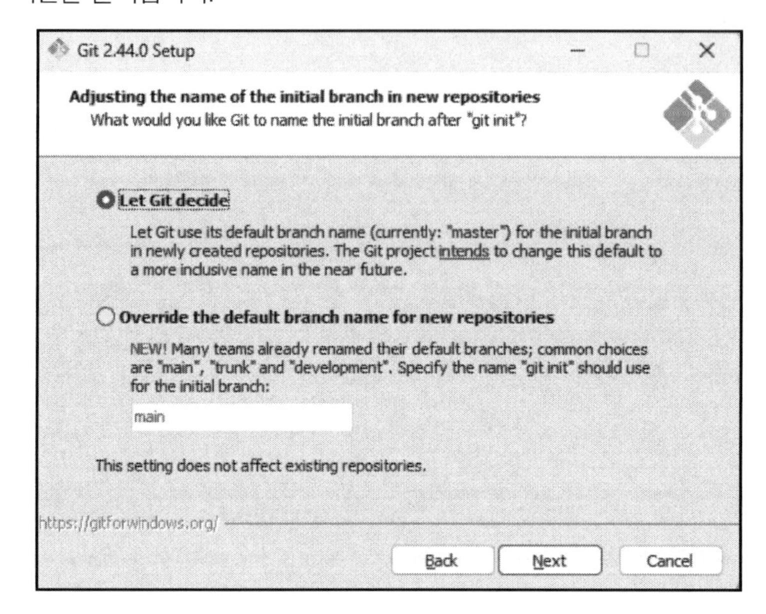

8. Git 을 PATH 에서 찾는 써드파티 소프트웨어에서도 사용할 수 있게 설정하는 내용입니다. 선택 후 "Next" 버튼을 클릭합니다.

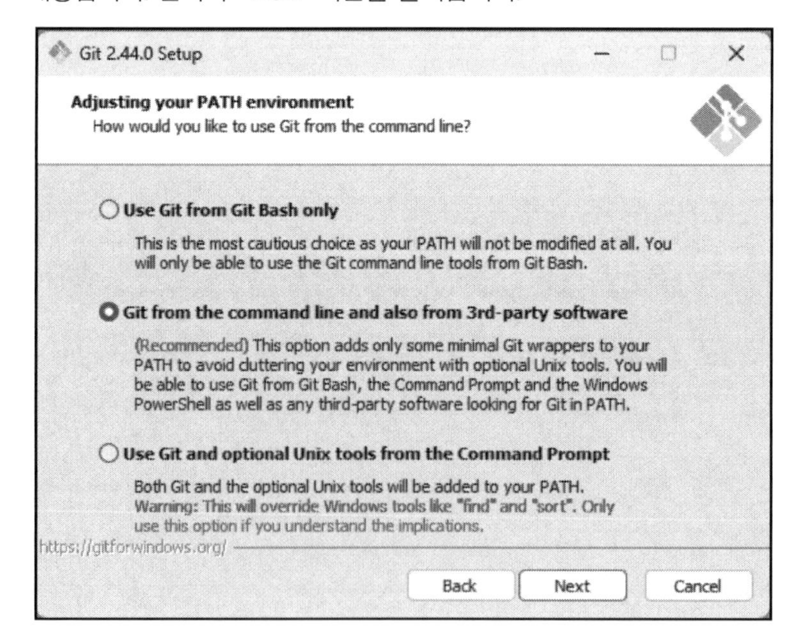

9. Git 설치와 함께 제공되는 OpenSSH 클라이언트를 사용하여 SSH 연결을 하여, Open SSH 를 설치하지 않고도 Git 에서 SSH 를 사용할 수 있게 설정하는 내용입니다. 선택 후 "Next" 버튼을 클릭합니다.

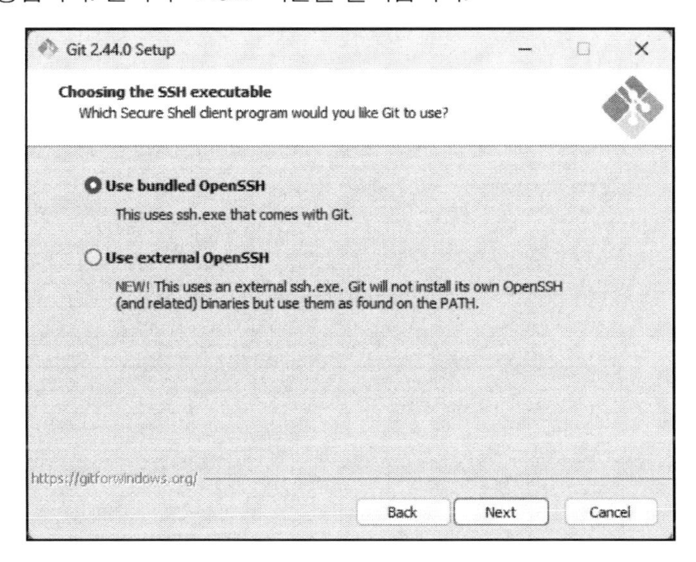

10. OpenSSL 라이브러리를 사용하도록 설정하는 내용입니다. OpenSSL 은 네트워크 통신에서 보안을 제공하는 데 사용되며, 이 옵션을 통해 Git 이 HTTPS 프로토콜을 통해 서버와 안전하게 통신할 수 있도록 해줍니다. 선택 후 "Next" 버튼을 클릭합니다.

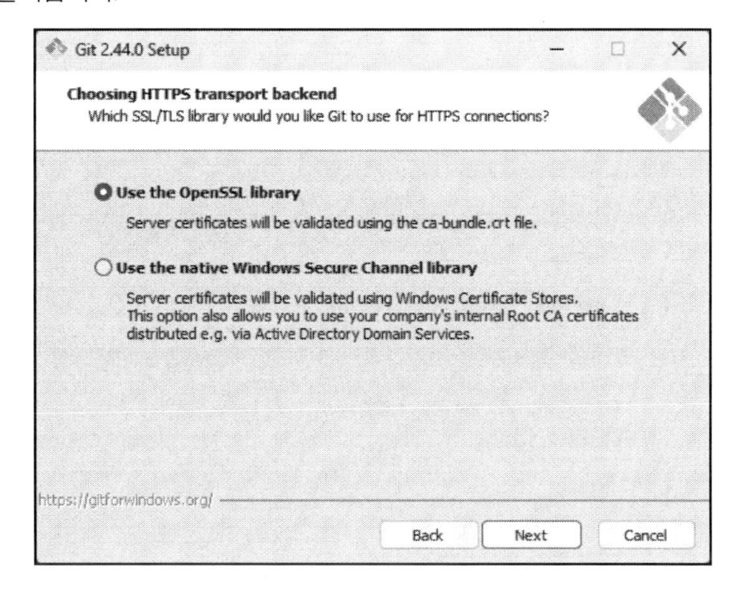

11. Git 이 텍스트 파일의 개행 문자를 어떻게 처리할지를 설정하는 것입니다. 파일을 체크 아웃할 때 Windows 스타일의 줄 끝 (CRLF)으로 변환하고, 커밋할 때는 Unix 스타일의 줄 끝 (LF)으로 변환하는 내용입니다. 선택 후 "Next" 버튼을 클릭합니다.

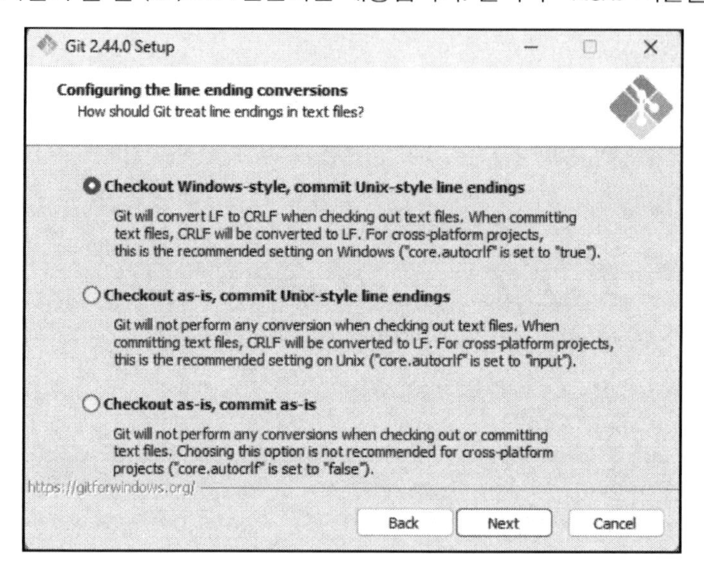

12. Git Bash 와 함께 사용할 터미널 에뮬레이터를 설정하는 내용입니다. MinTTY 는 기본적으로 Git Bash 와 함께 제공되며, 유연성과 다양한 기능을 제공하여 텍스트 기반의 작업을 효율적으로 수행할 수 있습니다. 선택 후 "Next" 버튼을 클릭합니다.

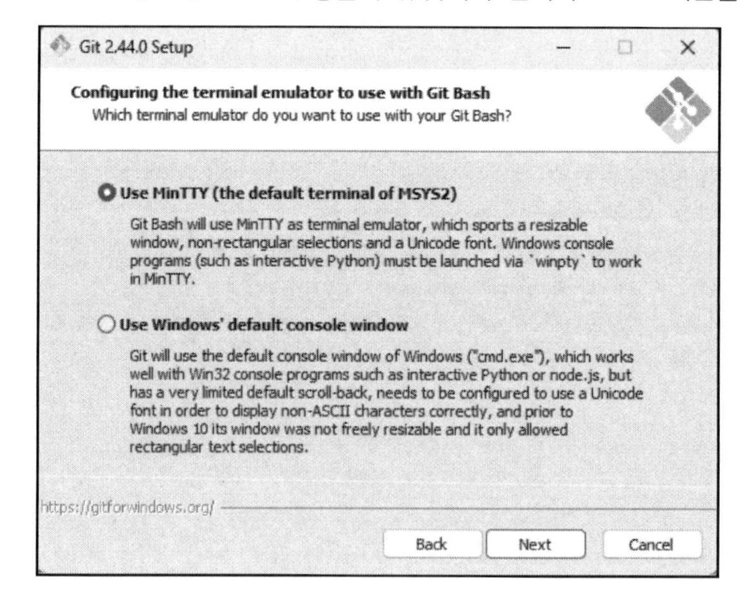

13. git pull 을 실행할 때, 병합하는 방법을 설정합니다. 가능하다면 fast-forward 를 시도하고, fast-forward 가 불가능한 경우에는 병합(Merge)을 수행합니다. fast-forward 는 원격 저장소의 최신 변경 사항과 같은 경우에는 별도의 병합 커밋 없이도 빠르게 로컬 브랜치를 원격 저장소의 상태로 업데이트할 수 있습니다. 선택 후 "Next" 버튼을 클릭합니다.

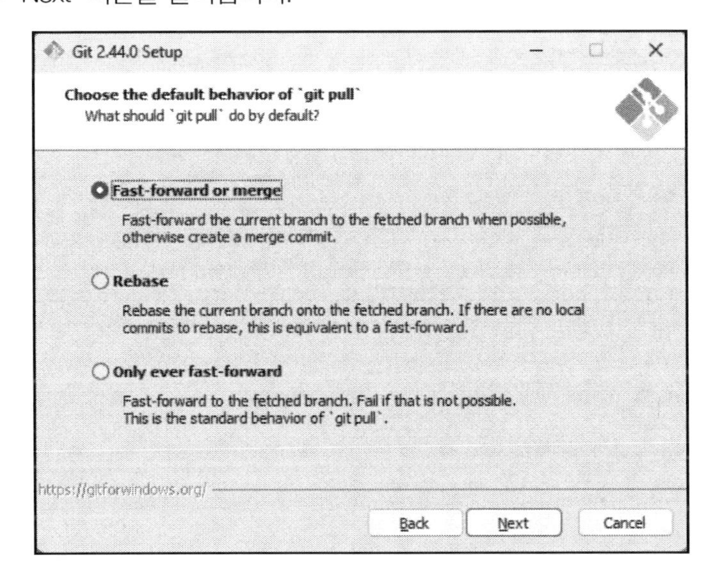

14. Git 이 원격 저장소에 연결할 때 사용자의 자격 증명을 관리하는 방법을 선택합니다. Git Credential Manager Core 는 Windows 및 macOS 와 같은 플랫폼에 기본으로 포함된 Git 자격 증명 관리자입니다. 선택 후 "Next" 버튼을 클릭합니다.

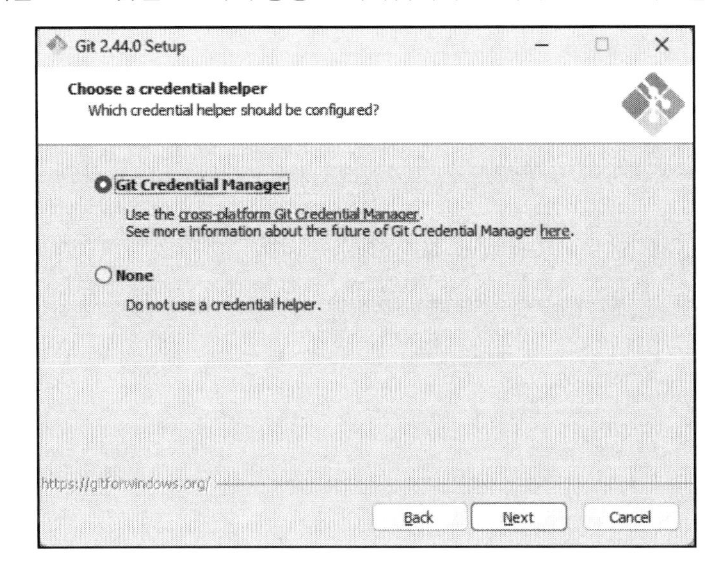

15. 파일 시스템 캐싱을 활성화하는 것을 설정합니다. 활성화하면 Git 이 더 빠르게 작업을 수행할 수 있으며, 따라서 개발자는 더 효율적으로 작업할 수 있습니다. 선택 후 "Next" 버튼을 클릭합니다.

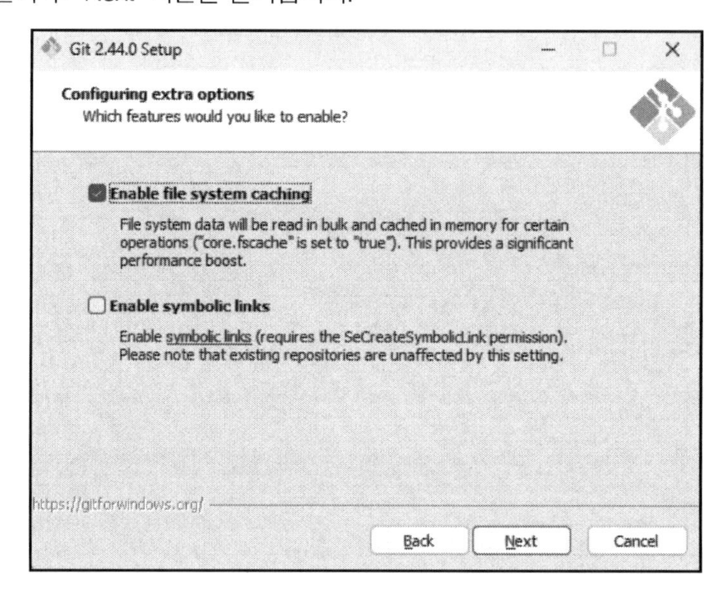

16. 현재 개발 중이거나 실험 중인 기능을 활성화하는 것을 설정합니다. 일반적으로 실험적 기능은 예상치 못한 오류를 발생시키므로 아무것도 선택하지 않고 "Install" 버튼을 클릭합니다.

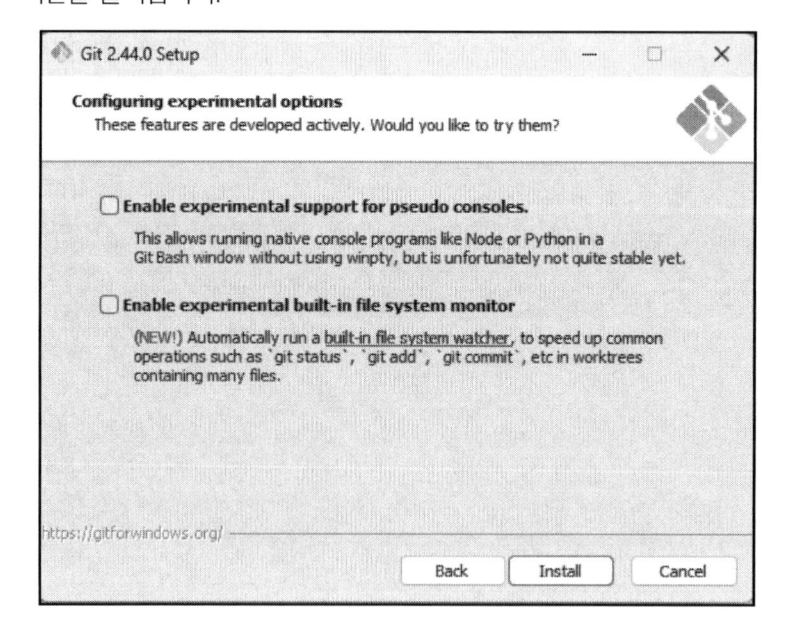

17. 설치가 완료되면 “Finish” 버튼을 클릭하여 종료합니다.

18. “시작>모든 앱>Git Bash”를 클릭하여 실행하여 콘솔창을 엽니다.

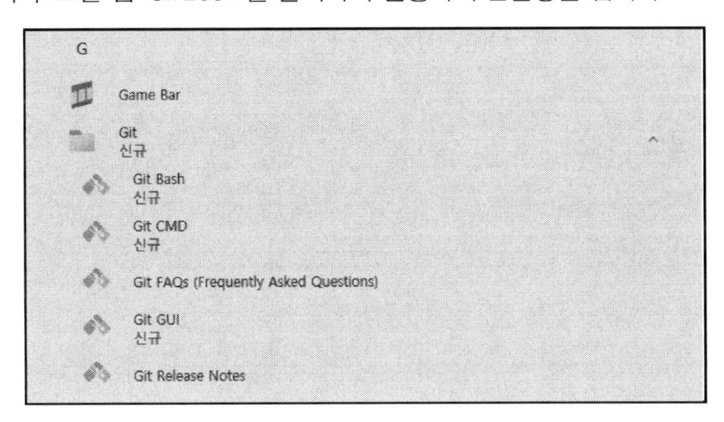

Git Bash 설정

먼저 GitHub와 연결시키기 위한 SSH 키등록을 진행합니다.

1. SSH 키를 생성합니다. 메일 주소는 GitHub 계정에 등록된 이메일 주소여야 합니다.

```
$ ssh-keygen -t ed25519 -C <"GitHub 이메일 주소">
```

2. SSH 에이전트를 시작합니다.

```
$ eval "$(ssh-agent -s)"
```

3. 생성한 SSH 키를 SSH 에이전트에 추가합니다.

```
$ ssh-add ~/.ssh/id_ed25519
```

4. 생성한 SSH 키를 클립보드에 복사합니다.

```
$ ssh-add ~/.ssh/id_ed25519
```

GitHub 설정

1. Settings > SSH and GPG keys 에서 "New SSH key" 를 클릭합니다

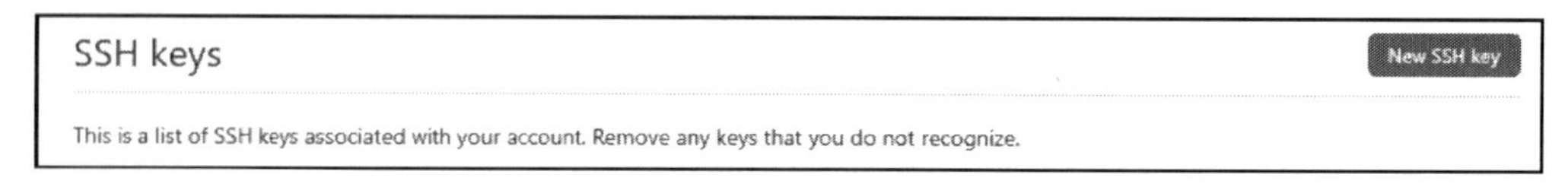

2. 식별할 타이틀 명을 설정합니다. 그리고 아까 복사한 SSH key 값을 붙여 넣고 "Add SSH key" 버튼을 클릭합니다.

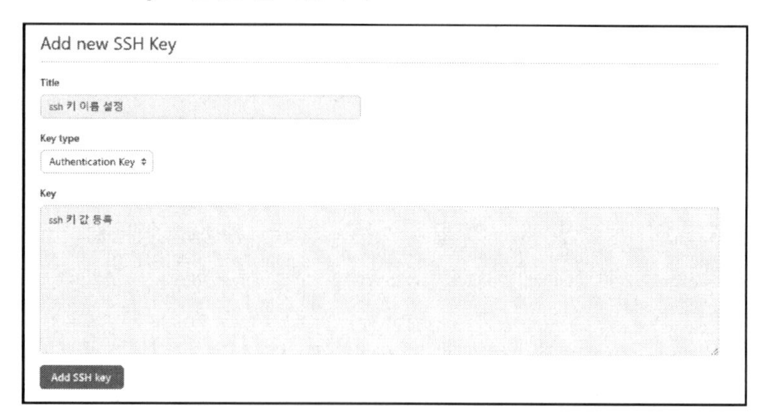

Windows 에서 Git 설정은 끝났습니다. Git Bash 콘솔을 열어서 Git 관련 작업을 진행할 수 있습니다.

3.2. Linux with Ubuntu

1. 터미널을 열고 명령어를 실행하여 git 을 설치합니다.

```
$ sudo apt update
$ sudo apt install git
```

2. SSH 키를 생성합니다. 메일 주소는 GitHub 계정에 등록된 이메일 주소여야 합니다.

```
$ ssh-keygen -t rsa -b 4096 -C <"GitHub 이메일 주소">
```

3. 공개 키를 복사합니다. cat 명령어로 공개키가 표시됩니다. 표시된 SSH key 를 복사하여 저장합니다.

```
$ cat ~/.ssh/id_rsa.pub
```

4. GitHub 에 SSH key 를 등록합니다. 앞서 Windows-GitHub 설정과 동일한 과정입니다.

Ubuntu 에서 Git 설정이 끝났습니다. 터미널을 열고 Git 관련 작업을 진행할 수 있습니다.

SSH 란?

SSH(보안 쉘 또는 Secure Shell)는 네트워크 프로토콜 중 하나로, 컴퓨터와 네트워크 장치 간에 안전하게 통신할 수 있도록 하는 프로토콜입니다.

SSH 는 클라이언트와 서버 간의 통신을 안전하게 보호합니다. 클라이언트가 서버에 연결할 때, 클라이언트는 비밀 키와 공개 키 쌍을 생성하고, 공개 키를 서버에 등록합니다.

서버는 클라이언트에게 자신의 공개 키를 제공하여 클라이언트가 신원을 확인하고 통신을 암호화합니다. 이 과정에서는 공개 키를 사용하여 서버의 신원을 확인하는 절차가 이루어집니다.

간단하게 말하자면, 클라이언트는 서버의 공개 키를 사용하여 서버의 신원을 확인하고, 서버는 클라이언트가 공개 키로 개인 키를 가지고 있는 정상적인 클라이언트인지 확인하는 절차입니다.

Chapter 2. Python 웹 앱 제작하기

1. 웹 서비스 / FastAPI 웹 앱 이해

이번 과정에서는 Python 을 사용하여 웹 서비스를 개발하기 위한 주요 웹 프레임워크를 비교하고, 그 중 FastAPI를 활용하여 간단한 웹 애플리케이션을 개발하는 과정을 진행합니다.

웹 서비스란?

웹 서비스는 네트워크를 통해 다른 컴퓨터나 장치에 정보나 기능을 제공하는 소프트웨어 시스템입니다. 주로 HTTP 와 같은 표준 프로토콜을 사용하여 데이터를 교환하며, 다른 애플리케이션 또는 서비스와 상호 작용할 수 있습니다. 웹 서비스는 다른 애플리케이션과 데이터를 공유하거나 기능을 제공하기 위해 사용됩니다.

웹 프레임워크란?

웹 프레임워크는 웹 서비스 개발을 더 쉽고 효율적으로 만들기 위한 소프트웨어 도구와 라이브러리의 모음입니다. 개발자에게 웹 애플리케이션의 구조, 패턴, 보안 및 기타 공통적인 작업을 추상화하고 제공함으로써 개발을 단순화합니다.

2. Python 웹 프레임워크 소개

	장점	단점
Django	풀 스택 웹 프레임워크 강력한 커뮤니티 방대한 문서 안정성과 확장성 용이	부담스러운 구조의 Size 와 속도
Flask	필수 기능만 갖춘 마이크로 프레임워크 간단한 웹 앱을 쉽고 빠르게 구축 확장 용이	필수 기능 외에 다른 기능들을 직접 구현 대용량 트래픽 처리가 느림
FastAPI	빠른 파이썬 웹 프레임워크 중 하나 비동기 처리 수행 Pydantic 을 사용하여 데이터 모델을 정의하고 안정성을 향상 API 문서화 용이 코드 자동 완성을 지원	패키지가 상대적으로 빈약 광범위한 기능을 내장하고 있지 않음

이 책에서는 개발을 쉽고 빠르게 할 수 있는 특징을 가진 FastAPI 를 사용하여 진행합니다.

참고: Python 웹 프레임워크 표준 인터페이스 WSGI, ASGI

WSGI 란?

WSGI 는 Web Server Gateway Interface 웹 서버와 통신하기 위한 표준 인터페이스입니다.

WSGI 를 설명하기 앞서 CGI 의 이해가 필요합니다. CGI(Common Gateway Interface)는 웹서버가 처리할 수 없는 정보를 처리하기 위해 웹서버와 외부프로그램을 연결해주는 표준화된 프로토콜입니다. CGI 는 클라이언트 요청 때 마다 프로세스를 생성하고 삭제하여 성능저하의 원인이 됩니다.

Python 에서는 CGI 와 비슷한 WSGI 를 사용합니다. CGI 와 다른 점은 프로세스를 추가로 생성하지 않고 한 프로세스에서 모든 요청을 받습니다.

ASGI 란?

ASGI(Asynchronous Server Gateway Interface)는 WSGI 와 비슷한 구조를 가지나 기본적으로 모든 요청을 비동기로 처리합니다. WSGI 에서 지원되지 않는 WebSocket, HTTP 2.0 을 지원합니다.

3. FastAPI 웹 앱 개발

3.1 패키지 설치

다음 명령어를 실행하여 FastAPI 개발에 필요한 FastAPI 및 uvicorn 패키지를 포함한 환경을 설치합니다.

```
$ pip install "fastapi[all]"
```

3.2 웹 애플리케이션 소스코드

FastAPI 소스코드(src/main.py)

```
from fastapi import FastAPI
from pydantic import BaseModel
from typing import Union


app = FastAPI(
   title="FastAPI - Hello World code",
   description="This is the Hello World of FastAPI.",
   version="1.0.0",
)


# Pydantic 모듈의 BaseModel Item 클래스 정의(Requsest Body 로 받을
데이터를 정의)
class Item(BaseModel):
   name: str
   description: Union[str, None] = None
   price: float
   tax: Union[float, None] = None


@app.get("/")
def hello_world():
   return "Hello World!!"
```

```python
@app.get("/get_test/{input_val}")
def get_test1(input_val):
    return {"values": input_val}


@app.get("/get_test2/{input_val}")
def get_test2(input_val: int, q: str):
    return {"item_id": input_val, "q": q}


@app.post('/post_test')
def post_test(item: Item):
    return item
```

3.3 URL TEST

위의 코드를 실행하여 나오는 URL 을 웹 브라우저에서 실행하여 각각의 라우트를 테스트하는 과정을 진행합니다.

POSTMAN

POSTMAN 과 같은 REST API 테스트를 할 수 있는 도구를 사용하여 파라미터 값을 확인할 수 있습니다. 이 책에서는 POSTMAN 을 사용합니다. POSTMAN 설치에 대한 자세한 내용은 POSTMAN 공식 홈페이지[5]에서 확인할 수 있습니다.

먼저 테스트하기에 앞서 서버를 실행합니다.

```
uvicorn src.main:app
```

```
$ uvicorn src.main:app
INFO:     Started server process [1492]
INFO:     Waiting for application startup.
INFO:     Application startup complete.
INFO:     Uvicorn running on http://127.0.0.1:8000 (Press CTRL+C to quit)
```

[5] https://www.postman.com/downloads/

이후, POSTMAN을 실행합니다. HOME의 메인 화면 왼쪽 필터에서 Workspace를 클릭합니다.

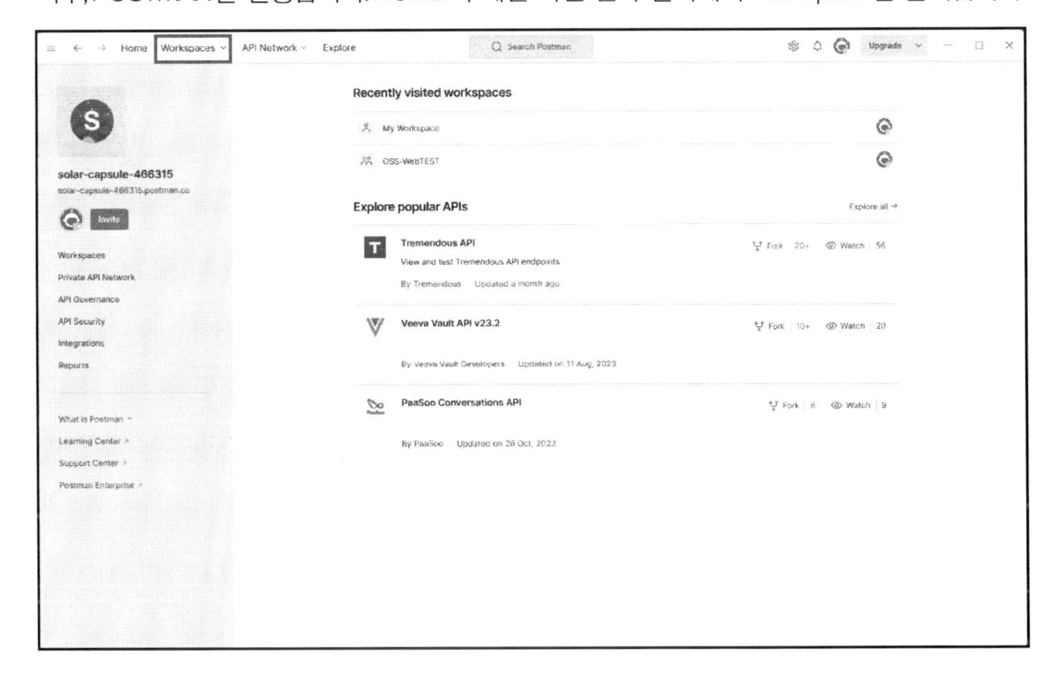

"Create Workspace"를 클릭하여 Workspace를 생성합니다.

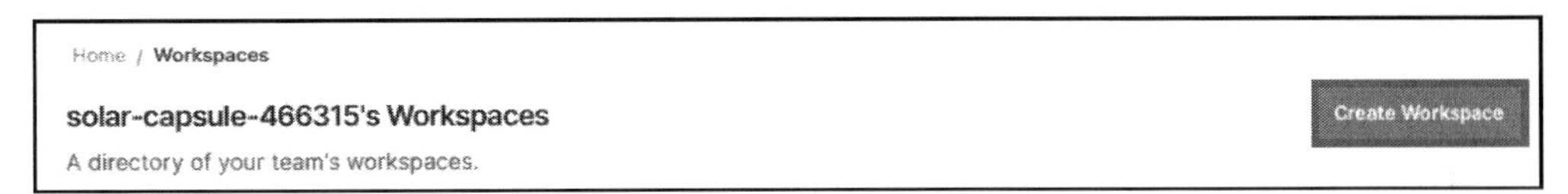

이제 New 버튼을 클릭하여 나온 팝업창에서 HTTP 를 선택하고, Request 테스트 창을 생성하여 URL 테스트를 진행합니다.

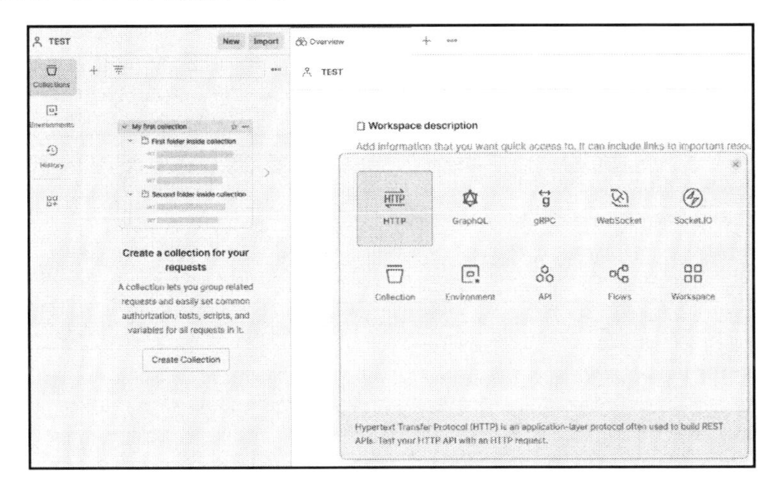

http://127.0.0.1:8000/ ·입력하고 "Send" 버튼을 클릭하면 "@app.get("/")"에서 설정한 "Hello World!!"가 출력되는 것을 확인할 수 있습니다.

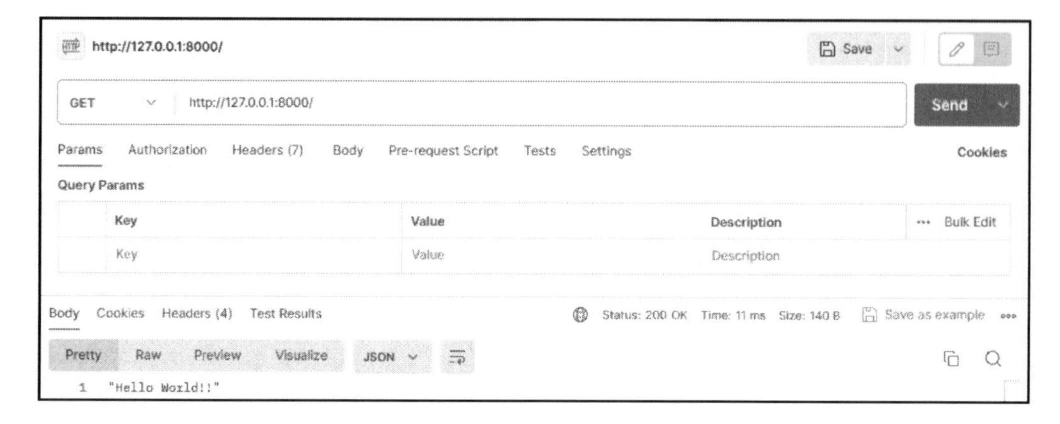

GET

GET 메서드는 데이터를 URL 뒤에 붙여 전송하는 방식입니다. 아래 [파라미터 테스트 1]의 경우 "test_value_message" 라는 값을 GET 파라미터로 사용하여 값을 출력하고 있습니다.

GET 파라미터 테스트 1

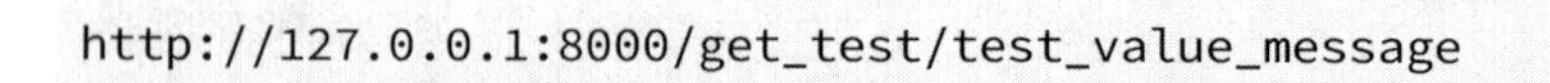

```
http://127.0.0.1:8000/get_test/test_value_message
```

```
1 {
2     "values": "test_value_message"
3 }
```

GET 파라미터 테스트 2

```
http://127.0.0.1:8000/get_test2/123?q=2424
```

POST

POST 메서드는 GET 방식과 달리 URL 뒤가 아닌 Request Body 에 값을 넣어서 전송하여 보안에 유리합니다.

POST 파라미터 테스트

```
http://127.0.0.1:8000/post_test
{
 "name": "Foo Bar",
 "description": "Foo Bar Books",
 "price": 60, "tax": 6
}
```

POSTMAN URL 에서 [GET] → [POST] 로 변경하고, "Body" 탭을 클릭합니다.

"raw"를 선택하고 Text를 JSON으로 변경합니다.

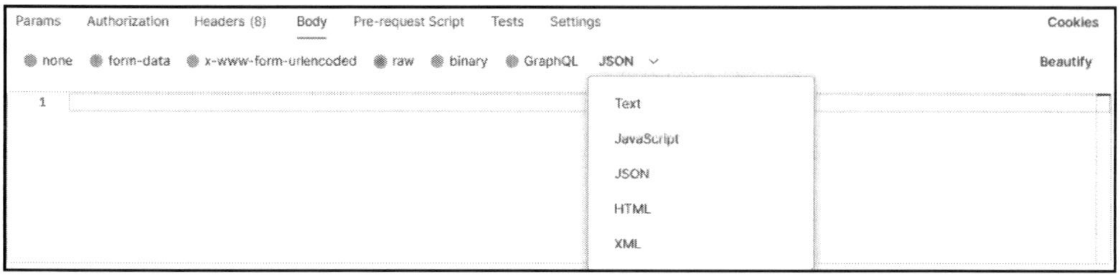

그리고 비어 있는 본문에 위 JSON 데이터를 넣어 테스트합니다. JSON 데이터가 "main.py"에서 정의한 Class Item 형식으로 변환되어 출력되는 것을 확인할 수 있습니다."

Chapter 3. Git / GitHub

이번 과정은 Git 과 GitHub 를 이해하고, GitHub 에 리포지토리를 등록하여 어떻게 GitHub 에 프로젝트들을 관리하는지 이해하는 과정입니다.

1. Git 과 GitHub 이해하기

Git 은?

Git 은 형상 관리를 위한 도구로 분산 버전 관리 시스템입니다.

> **i** 형상 관리란?
>
> 개발 유지과정에서 나오는 산출물(소스 등)의 변경사항을 기록하고 관리하기 위한 과정을 말합니다.

Git 은 아래와 같은 목표를 가지고 만들었습니다.[6]

- 빠른 속도
- 단순한 구조
- 비선형적인 개발(수천 개의 동시 다발적인 브랜치)
- 완벽한 분산
- Linux 커널 같은 대형 프로젝트에도 유용할 것(속도나 데이터 크기 면에서)

Git 은 로컬(개인 PC) 저장소로 프로젝트를 공유할 때 저장소와 히스토리 전체를 복사하기 때문에 어떤 저장소가 문제가 생겨도 다른 저장소에서 복사하여 복원하기 쉽습니다.

---

[6] https://git-scm.com/book/ko/

2. Git 작업 흐름 이해하기[7]

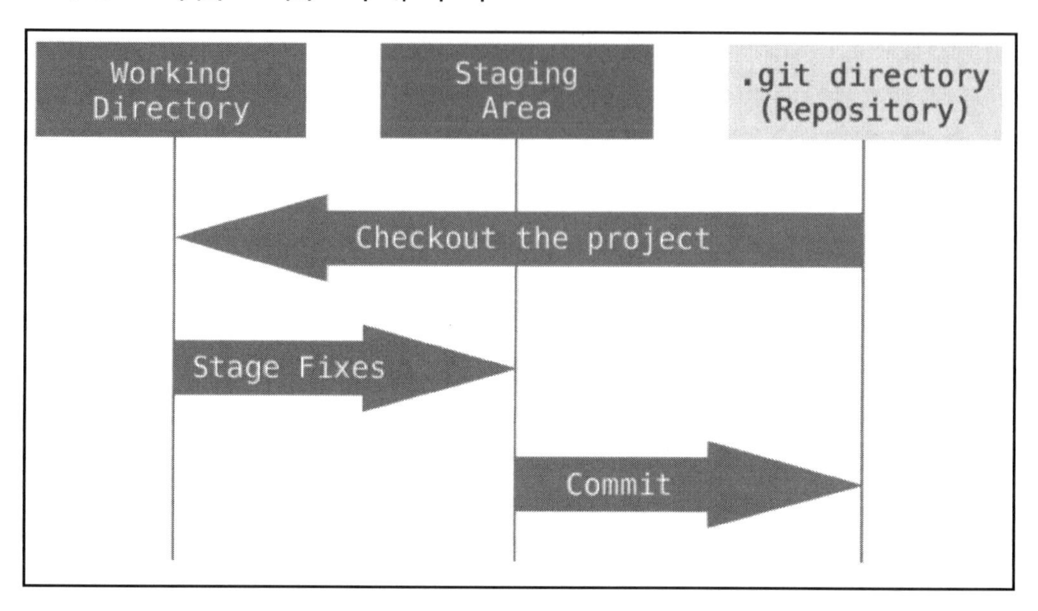

Working Directory (작업 디렉토리)

소스 코드 파일들이 실제로 저장되는 곳으로 기존의 파일을 수정하거나 새로운 파일을 생성합니다.

Staging Area (스테이징 영역)

변경된 파일들을 일시적으로 대기시키는 곳입니다. git add 명령을 사용하여 파일을 스테이징 영역에 추가합니다.

Repository (저장소)

스테이징 영역의 변경 사항을 커밋하여 저장소에 저장합니다. 각 커밋은 고유한 버전을 나타냅니다.

---

[7] https://git-scm.com/book/ko/v2/시작하기-Git-기초

3. Git 명령어

init

git 저장소를 초기화하는 명령어입니다. 현재 작업하고 있는 디렉토리를 git 저장소로 초기화합니다.

```
$ git init
```

clone

원격 저장소를 복제하여 새로운 복제본을 만듭니다.

```
$ git clone <저장소 경로>
```

status

현재 작업하고 있는 디렉토리와 스테이징 영역의 상태를 확인합니다. 변경된 파일이 있는지 확인합니다.

```
$ git status
```

add

작업 디렉토리의 변경 사항을 스테이징 영역에 추가합니다. 파일 단위로 추가할 때는 "git add <파일명>" , 모든 변경된 파일을 추가 할 때는 "git add ."를 사용합니다.

```
$ git add <파일명>
$ git add .
```

commit

스테이징 영역에 있는 변경 사항을 로컬 저장소에 커밋합니다.

```
$ git commit -m <"커밋 메시지 입력">
```

push

로컬 변경 사항을 원격 저장소로 업로드합니다. 변경 사항이 원격 저장소에 저장되어 다른 개발자와 공유가능한 상태가 됩니다.

```
$ git push
$ git push origin <브랜치명>
```

branch

브랜치 목록을 확인하고, 현재 작업 중인 브랜치를 확인합니다.

```
$ git branch
```

checkout

특정 브랜치로 변경합니다. "-b <브랜치명>"는 브랜치 지점을 만들고 이동합니다.

```
$ git checkout <브랜치명>
$ git checkout -b <브랜치명>
```

remote

원격 저장소 주소를 추가합니다. "-v"는 원격 저장소 목록 확인합니다.

```
$ git remote add origin <원격 저장소 주소>
```

pull

원격 저장소의 변경 사항을 현재 브랜치에 병합합니다.

```
$ git pull
```

4. GitHub 프로젝트 관리 I

4.1. GitHub 란?

GitHub 는 Git 으로 관리되고 있는 프로젝트를 올리는 웹 호스팅 서비스입니다. GitHub 은 로컬에서 관리되는 리포지토리를 클라우드 상에 올려 원격 저장소로 사용하므로 협업에 용이하다는 큰 장점이 있습니다.

이번에는 FastAPI 로 만든 웹 앱을 Git 의 기초적인 명령어를 사용하여 GitHub 에 올리는 과정을 진행합니다.

먼저 "tests/test_main.py"에 테스트용 코드를 추가하여 "src/main.py"과 같이 2 개의 파일을 git 에 올리는 과정을 진행합니다.

```
# pip install pytest
import pytest
from fastapi.testclient import TestClient
from src.main import app


@pytest.fixture
def client():
   return TestClient(app)


def test_hello_world(client):
   response = client.get("/")
   assert response.status_code == 200
   assert response.status_code != 500
   assert response.json() == "Hello World!!"
```

4.2. GitHub Repository 생성하기

GitHub 메인 화면의 왼쪽 필터에서 "New" 버튼을 클릭하여 신규 리포지토리 생성 화면을 엽니다.

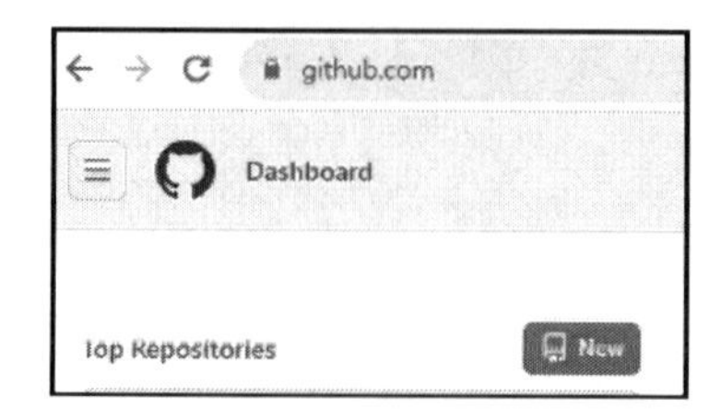

이후 Repository Name 에서 이름을 설정하여 "Create repository" 버튼을 클릭하면 신규 리포지토리가 생성됩니다.

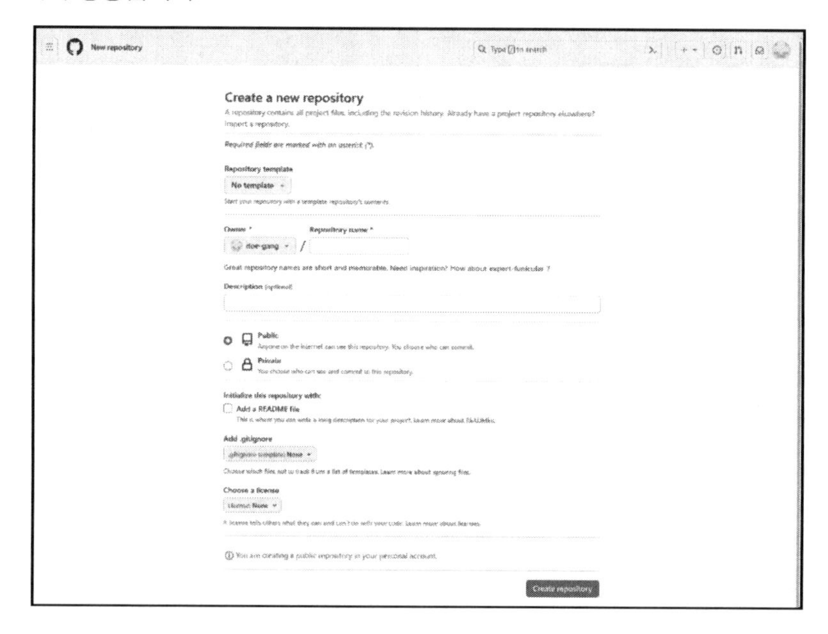

리포지토리 생성에 성공하면 곧바로 기초적인 Git 명령어를 알려주는 화면이 열립니다.

해당 커맨드라인을 복사하여 순서대로 입력하면 Git 초기화부터 마크다운 문서 생성, 생성한 마크다운 문서를 GitHub 에 push 까지 진행합니다.

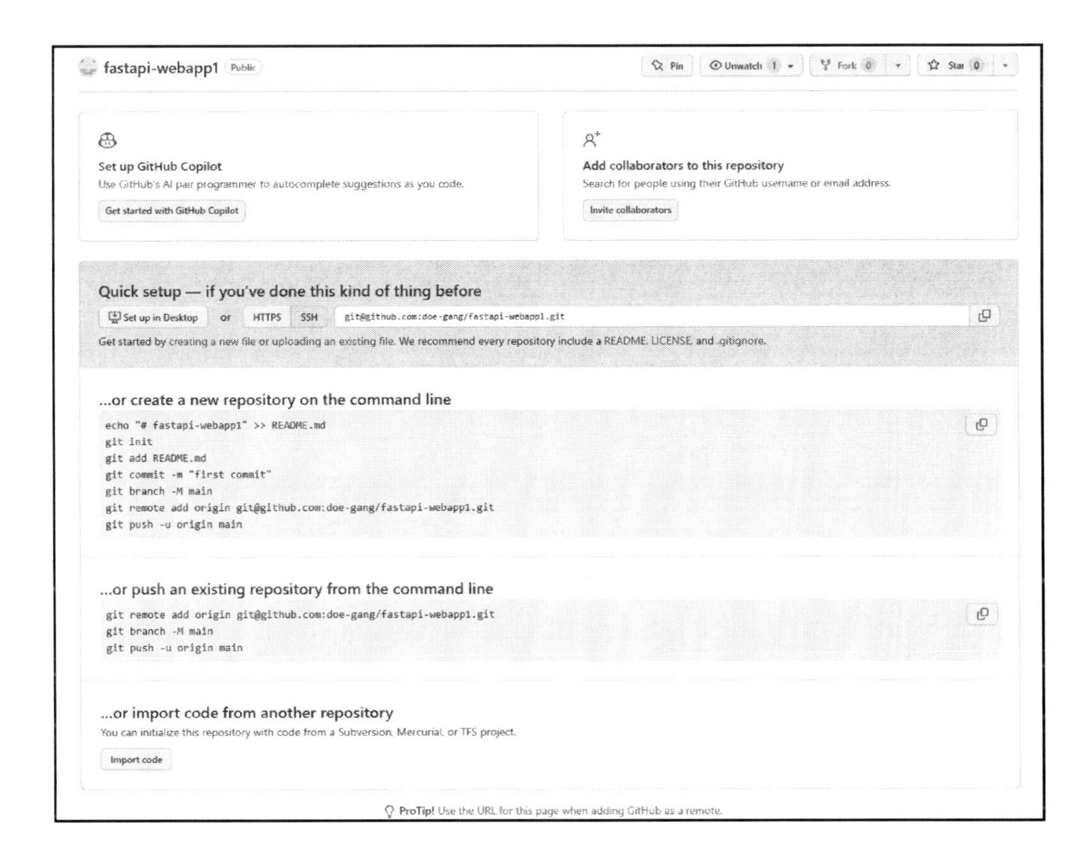

4.3. git 저장소에 파일을 추가하기

1. git init

```
$ git init
$ git status
```

init 명령어로 현재 작업 디렉토리를 git 을 사용할 수 있도록 초기화하고, 로컬 저장소의 변경점 등을 확인하기 위하여 git status 명령어도 입력합니다.

```
(dev_test1) ████████:~/project/FastWeb1$ git status
On branch master

No commits yet

Untracked files:
  (use "git add <file>..." to include in what will be committed)
        src/
        tests/
```

git status 명령어 입력 시 "Untracked files" 목록으로 "src" 폴더와 "tests" 폴더가 있습니다.

"Untracked"는 git 에서 추적하지 못하는 신규 파일이란 뜻으로 git 에서 버전관리를 한 적이 없기에 수정 여부를 추적할 수 없다는 뜻입니다.

2. git add

```
$ git add .
```

```
(dev_test1) ████████:~/project/FastWeb1$ git status
On branch master

No commits yet

Changes to be committed:
  (use "git rm --cached <file>..." to unstage)
        new file:   src/__pycache__/main.cpython-310.pyc
        new file:   src/main.py
        new file:   tests/__pycache__/test_main.cpython-310-pytest-7.4.1.pyc
        new file:   tests/test_main.py
```

"git add ."으로 변경된 모든 파일을 스테이징하면 이전에 코드를 실행하면서 생긴 파이썬 캐시 파일도 같이 스테이징 됩니다. 원격 저장소에는 해당 파일들이 필요 없기 때문에 스테이징 취소를 하면 됩니다.

혹은 ".gitignore" 파일을 생성하여 git 리포지토리나 스테이징 영역에 추가되지 말아야 하는 파일을 정의하여 git 에서 추적하지 못하도록 관리할 수 있습니다.

```
$ git reset
$ git add src/main.py
$ git add tests/test_main.py
```

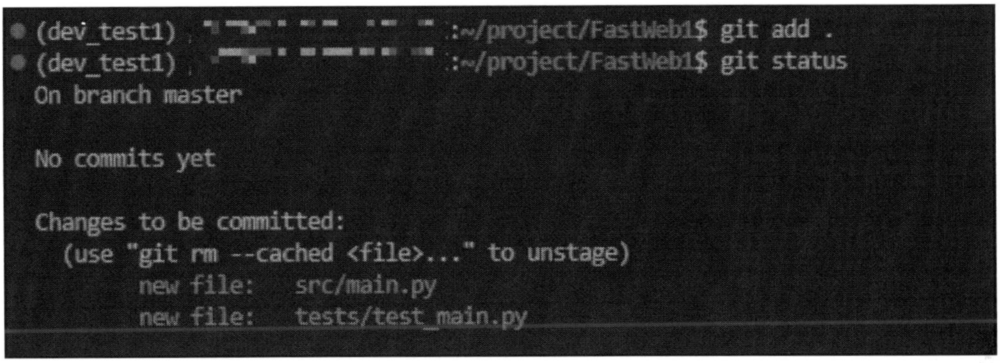

```
(dev_test1) :~/project/FastWeb1$ git add .
(dev_test1) :~/project/FastWeb1$ git status
On branch master

No commits yet

Changes to be committed:
  (use "git rm --cached <file>..." to unstage)
        new file:   src/main.py
        new file:   tests/test_main.py
```

캐시파일을 삭제하고 다시 업로드 하거나 개별적으로 파일을 add 하여 다시 스테이징 된 파일을 확인합니다.

3. git commit

```
$ git commit -m "first commit"
```

git commit 명령어로 커밋 메시지를 입력합니다.

4.4. GitHub 원격 저장소 파일 업로드 하기

1. git branch

```
$ git branch
```

git branch 명령어로 브랜치를 확인합니다. git 초기 설정으로는 "master"로 되어있는데, 이를 "main"으로 변경합니다.

```
$ git branch -M main
```

GitHub 에서는 whitelist/blacklist, master/slave 와 같은 IT 에서 쓰이는 일부 차별적 용어를 대체하기로 하여 기본 브랜치명을 "main"으로 하는 것을 권장합니다.[8]

2. git remote

```
$ git remote add origin <원격 저장소 URL>
```

원격 저장소 주소를 추가합니다.

3. git push

```
$ git push -u origin main
```

원격 저장소에 앞서 커밋한 파일을 업로드합니다.

4. git 리포지토리 확인

GitHub 홈페이지에서 리포지토리를 확인화면 "src"폴더와 "tests"폴더가 추가된 것을 확인할 수 있습니다.

---

[8] https://github.com/github/renaming

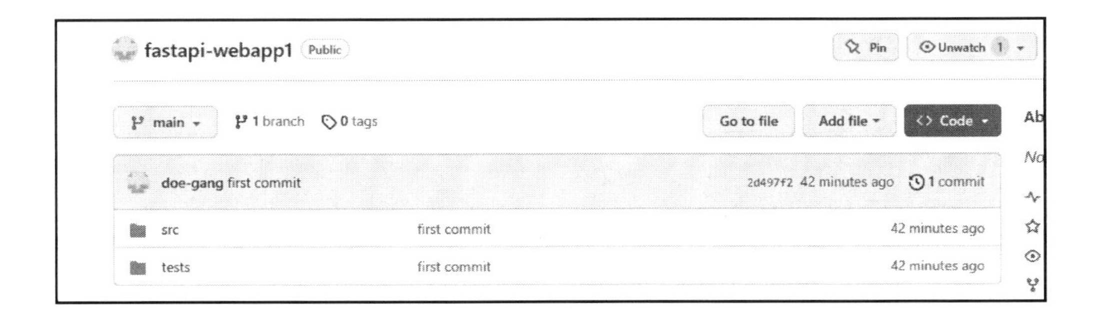

4.5. 새로운 환경에서 작업 수행해보기

새로운 작업 폴더에서 clone 명령어로 저장소를 복사하여 신규 브랜치를 추가하여 "main" 브랜치에 병합하는 과정을 진행해봅니다.

1. git clone

```
$ git clone git@github.com:<GitHub 계정명>/<리포지토리명>.git
```

git clone 을 하면 리포지토리 명으로 폴더가 생성됩니다.

2. git checkout

```
$ git branch sub_branch

$ git checkout sub_branch
$ echo "# fastapi-webapp1" >> README.md

$ git add README.md
$ git commit -m "md file commit"
$ git push origin sub_branch
```

git branch 를 하면 "main" 브랜치만 나옵니다.

"sub_branch"를 추가하고, git checkout 명령어로 브랜치를 변경후에 마크다운 문서를 생성하여 원격 저장소에 push 합니다.

GitHub 리포지토리를 확인하면 "sub_branch"라는 브랜치로 추가되었다는 것을 확인 할 수 있습니다.

3. git merge

```
$ git checkout main
$ git merge sub_branch
$ git push origin main
```

"main" 브랜치로 변경 후 "sub_branch"를 merge 하여 push 를 하면 GitHub 리포지토리에 파일이 추가가 완료된 것을 확인할 수 있습니다.

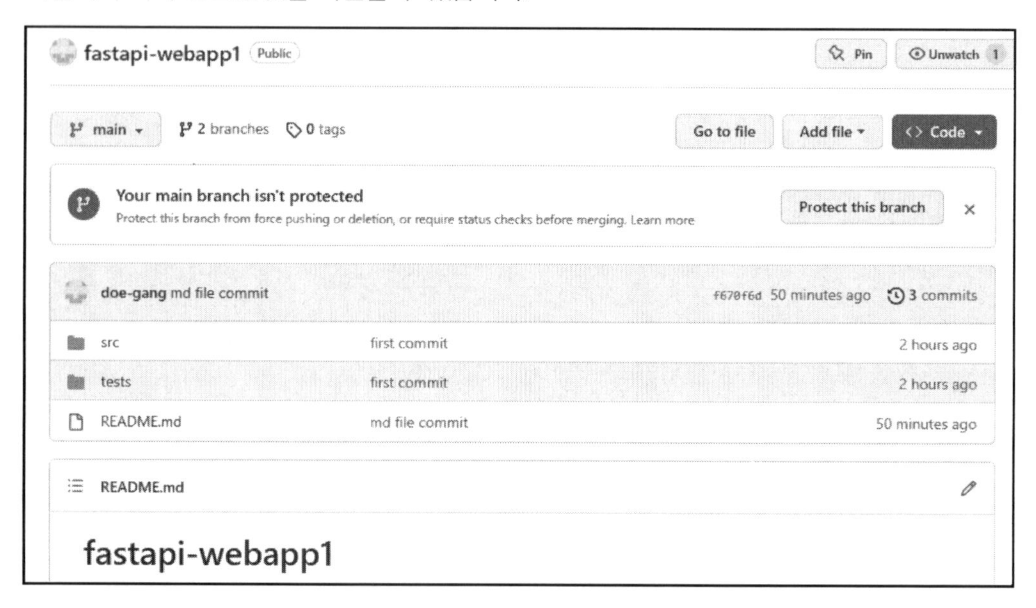

이후 사용하지 않는 브랜치를 git branch -d <브랜치> 옵션을 사용하여 삭제할 수 있습니다.

```
$ git branch -d sub_branch
```

⚠ 주의! 브랜치 작업 오류

브랜치를 변경하지 않은 채 파일을 생성하여 커밋한 후에 신규 브랜치에서 작업을 하려고 하면 오류가 발생합니다.

오류 발생 과정:

1. "main" 브랜치에서 파일을 생성하고, 커밋을 합니다. 그 파일은 "main"이 아니라 "sub_branch" 브랜치에서 작업할 내용입니다.
2. 원래 작업하려고 하였던 "sub_branch"로 변경합니다. 변경 후 git status 로 확인을 하면 "main"에서 커밋한 내용이 없습니다.
3. 다시 "main" 브랜치로 변경합니다.
4. git log 로 커밋 히스토리를 확인하고, git reset 명령어로 커밋 취소합니다.
5. 다음과 같은 오류가 발생합니다.

```
"error: The following untracked working tree files would be
overwritten by checkout:"
```

문제 해결 방법 :

1. git clean -d -f -f 명령어로 생성한 파일을 삭제합니다.

```
$ git clean -d -f -f
```

2. "main"이 아닌 "sub_branch"로 에서 파일 재생성 하고, 작업을 진행합니다.

4.6. 기존 작업환경에서 원격 리포지토리 변경내용 가져오기

기존 작업 폴더로 이동하여 원격 저장소에 업로드한 파일을 가져오는 과정을 진행합니다.

1. git fetch

```
$ git fetch
```

git fetch 명령어로 원격 저장소에 변경된 내용을 확인 할 수 있습니다.

```
(dev_test1) ████████████:~/project/FastWeb1$ git fetch
remote: Enumerating objects: 7, done.
remote: Counting objects: 100% (7/7), done.
remote: Compressing objects: 100% (4/4), done.
remote: Total 6 (delta 0), reused 6 (delta 0), pack-reused 0
Unpacking objects: 100% (6/6), 587 bytes | 146.00 KiB/s, done.
From github.com:doe-gang/fastapi-webapp1
   2d497f2..f670f6d  main       -> origin/main
 * [new branch]      sub_branch -> origin/sub_branch
```

2. git pull

```
$ git pull
```

git full 명령어로 원격 저장소에서 변경된 내용을 가져옵니다.

```
(dev_test1) ████████████:~/project/FastWeb1$ git pull
Updating 2d497f2..f670f6d
Fast-forward
 README.md | 2 ++
 1 file changed, 2 insertions(+)
 create mode 100644 README.md
```

5. GitHub 프로젝트 관리 II

5.1. GitHub Branch 보호 설정

GitHub Branch 보호 설정을 하는 이유

GitHub 보호규칙을 하는 이유는 아래와 같습니다.

1. 중요 브랜치(main)의 안정성을 유지합니다.
2. 여러 개발자가 동시에 개발을 진행하다 발생하는 충돌 방지합니다.

3. 변경 내용을 추적합니다.

이 외에도 여러 이유가 있을 수 있습니다.

GitHub Branch 보호 규칙 종류

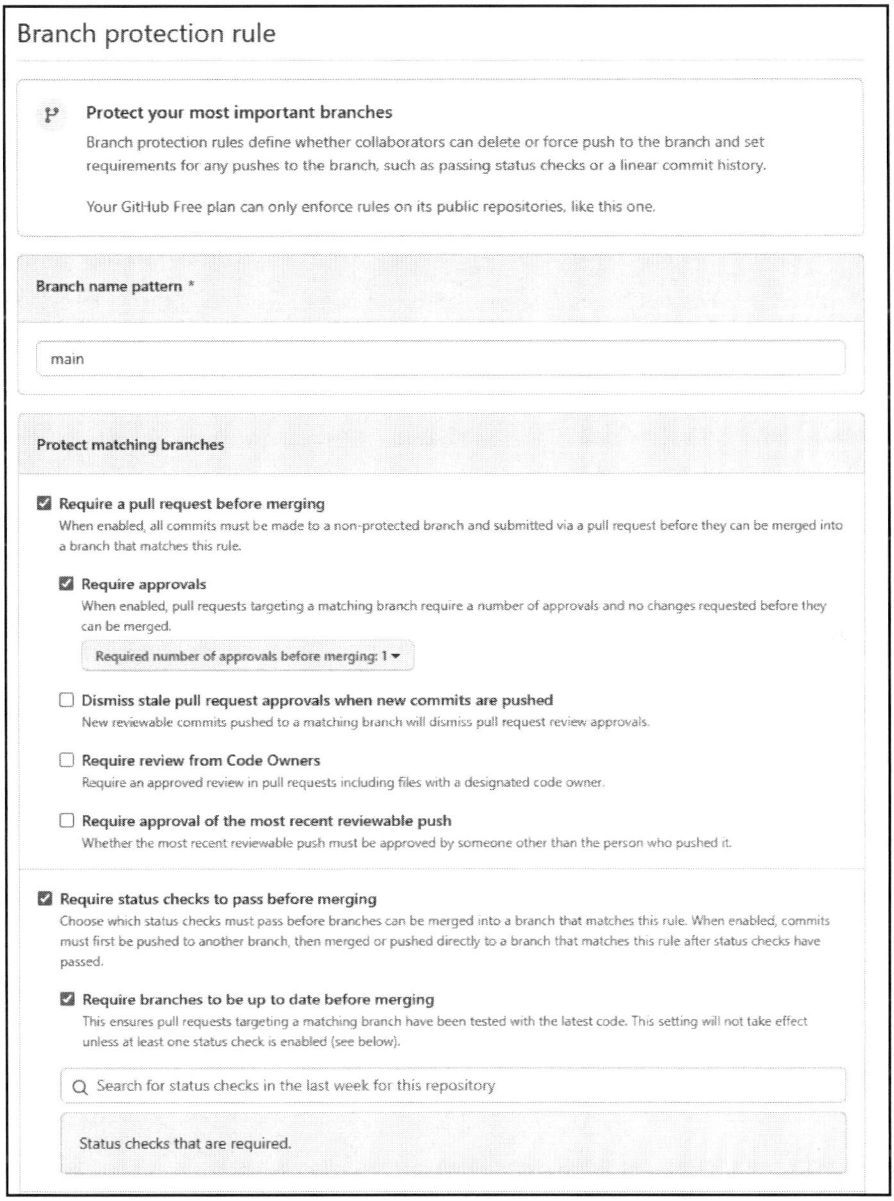

Branch protection rule

Protect your most important branches

Branch protection rules define whether collaborators can delete or force push to the branch and set requirements for any pushes to the branch, such as passing status checks or a linear commit history.

Your GitHub Free plan can only enforce rules on its public repositories, like this one.

Branch name pattern *

main

Protect matching branches

- [x] **Require a pull request before merging**
  When enabled, all commits must be made to a non-protected branch and submitted via a pull request before they can be merged into a branch that matches this rule.
  - [x] **Require approvals**
    When enabled, pull requests targeting a matching branch require a number of approvals and no changes requested before they can be merged.
    Required number of approvals before merging: 1
  - [ ] **Dismiss stale pull request approvals when new commits are pushed**
    New reviewable commits pushed to a matching branch will dismiss pull request review approvals.
  - [ ] **Require review from Code Owners**
    Require an approved review in pull requests including files with a designated code owner.
  - [ ] **Require approval of the most recent reviewable push**
    Whether the most recent reviewable push must be approved by someone other than the person who pushed it.
- [x] **Require status checks to pass before merging**
  Choose which status checks must pass before branches can be merged into a branch that matches this rule. When enabled, commits must first be pushed to another branch, then merged or pushed directly to a branch that matches this rule after status checks have passed.
  - [x] **Require branches to be up to date before merging**
    This ensures pull requests targeting a matching branch have been tested with the latest code. This setting will not take effect unless at least one status check is enabled (see below).

Search for status checks in the last week for this repository

Status checks that are required.

■ Require a pull request before merging: merge 전에 풀 리퀘스트 과정 필요 설정입니다.

- *Require approvals:* merge 시 최소한의 승인 인원 수를 설정합니다.

- *Dismiss stale pull request approvals when new commits are pushed*: 새로운 커밋이 push 될 때, 기존 풀 리퀘스트 승인 해제하여 변경된 코드에 대하여 새로운 리뷰를 유도합니다.

- *Require review from Code Owners:* 전문성이 있는 코드 소유자를 지정하여 코드 소유자의 리뷰를 통해 코드 안정성과 품질을 보장하기 위한 목적입니다.

- *Require approval of the most recent reviewable push:* 가장 최근의 리뷰 가능한 push 의 승인이 필요합니다. push 를 한 작성자 자신의 코드에 대한 승인을 우회하는 것을 방지하고, 변경사항을 검토하도록 유도하는 목적입니다.

■ Require status checks to pass before merging: 브랜치에 보호 규칙이 적용된 브랜치에 merge 될 때, 상태 체크 통과 설정입니다.

- *Require branches to be up to date before merging:* 테스트가 최신 브랜치에서 테스트 되도록 설정합니다. 브랜치를 업데이트하고 동기화하여 merge 시 충돌을 방지하여 안정성을 확보하려는 목적입니다.

■ Require conversation resolution before merging: 풀 리퀘스트와 관련된 대화(코멘트, 리뷰) 설정입니다. 협업 중인 팀원들 간의 의견 차이나 개선 사항에 대한 대화를 통하여 코드변경에 대한 검토와 안정성을 유지하려는 목적입니다.

■ Require signed commits: GitHub 에서 특정 리포지토리 커밋에 서명이 포함되어야만 허용되는 규칙 설정입니다. 이는 개발자가 변경 사항을 커밋할 때, 해당 커밋에 GPG(GNU Privacy Guard) 서명이 있어야 합니다. 서명된 커밋은 특정 개발자에 의해 생성되었음을 보장하여 신뢰성을 높이고, 오픈소스 프로젝트에서 개발자의 신원을 파악하는데 도움이 됩니다. 요약하자면 서명을 통해 코드 변경의 출처를 확인하고 변경의 무결성을 확보할 수 있습니다.

■ Require linear history: 선형 히스토리 유지로, 특정 브랜치에 대한 fork 와 merge 를 허용하지 않는 설정입니다. 프로젝트 히스토리를 단순하게 유지하고, 특정 브랜치에 대한 변경 사항을 선형으로 추적하도록 하는 규칙으로 사용됩니다.

■ Require deployments to succeed before merging: 변경사항이 merge 전 배포 성공 설정입니다. 특정 환경에서 코드의 동작 검증(배포)을 하여 통해 소프트웨어의 안정성과 품질을 높이는 데 기여합니다.

■ Lock branch: 특정 브랜치에 대한 변경을 제한하는 설정입니다. 특정 브랜치를 잠금으로 설정하여 무분별한 변경을 방지하여 브랜치의 안전성과 품질을 보호하고, 권한이 있는 관리자만이 브랜치의 변경을 관리할 수 있도록 합니다.

■ Do not allow bypassing the above settings: GitHub 에서 설정한 규칙을 우회하지 못하도록 강제하는 설정입니다. 설정된 다양한 규칙(예: 브랜치 잠금, 배포 성공 여부, 코드 서명 등)을 우회하지 못하도록 강제합니다.

GitHub Branch 보호 설정 방법

GitHub 리포지토리에서 브랜치 보호 설정을 설정하지 않았다면 아래와 같은 메시지창이 뜹니다.

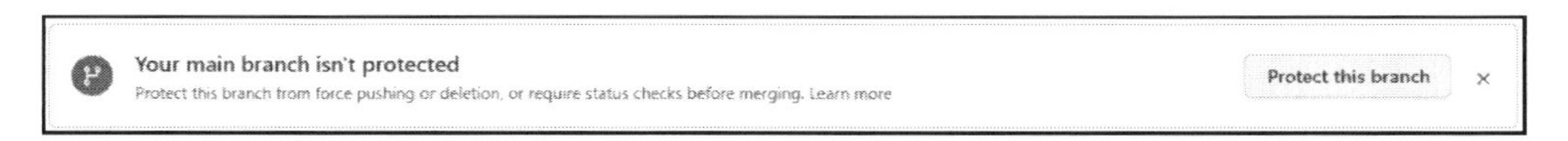

"Protect this branch"를 클릭하여 이동하거나, Settings → Branches → "Add branch protection rule" 버튼을 클릭하면 Branch 보호 규칙 설정 화면이 나옵니다.

앞에서 본 이미지와 같이 체크하여 브랜치 보호규칙을 적용합니다.

> **Require a pull request before merging (merge 전 PR 과정 필요)**
>
> - Require approvals(PR 승인 수 설정)
>
> **Require status checks to pass before merging (보호 규칙이 적용된 브랜치에 merge 될 때, status check 를 통과 해야함)**
>
> - Require branches to be up to date before merging(테스트가 최신 브랜치에서 테스트 되도록 설정)

5.2. GitHub Actions 설정

GitHub Branch 보호 설정에서 "Require status checks to pass before merging (보호 규칙이 적용된 브랜치에 merge 될 때, status check 를 통과 해야함)" 를 설정하였기 때문에, Github Actions 에서 변경된 코드에 대하여 자동으로 테스트하는 CI(Continuous Integration)를 이용합니다.(GitHub Actions 은 이후 DevOps - CI/CD 에서 자세히 설명하겠습니다.)

Actions yml 파일 추가 .github/workflows/ci.yml

작업 디렉토리에서 github/workflows 경로로 ci.yml 파일을 복사하여 생성하고 GitHub 에 Push 합니다.

> YML 파일은 어떠한 이벤트가 발생했을 때 실행할 작업(job)을 정의한 것입니다. 파일을 내용을 설명하면 main 브랜치로 이벤트가 발생(push, pull request)될 때, build job 을

수행하여 steps 의 액션들을 수행합니다. (파이썬 3.10 버전으로 세팅하여, 의존성 파일 추가하고, flake8 로 Lint 를 수행하고, pytest 를 수행)

GitHub Actions 확인

Push 후 GitHub Action 에 들어가면 Action 을 수행하고 있습니다. 그런데, 아래의 이미지와 같이 pytest 도중 에러가 발생하였습니다. 에러 내용은 fastapi 패키지가 없어서 발생한 오류입니다.

yml 파일의 30 번째 줄을 보면 if [-f requirements.txt]; then pip install -r requirements.txt; fi 로 작성되어 있는데, requirements.txt 파일을 읽어서 필요한 패키지를 install 하는데, requirements.txt 파일이 없어서 필요한 패키지를 다운 받지 못하였습니다.

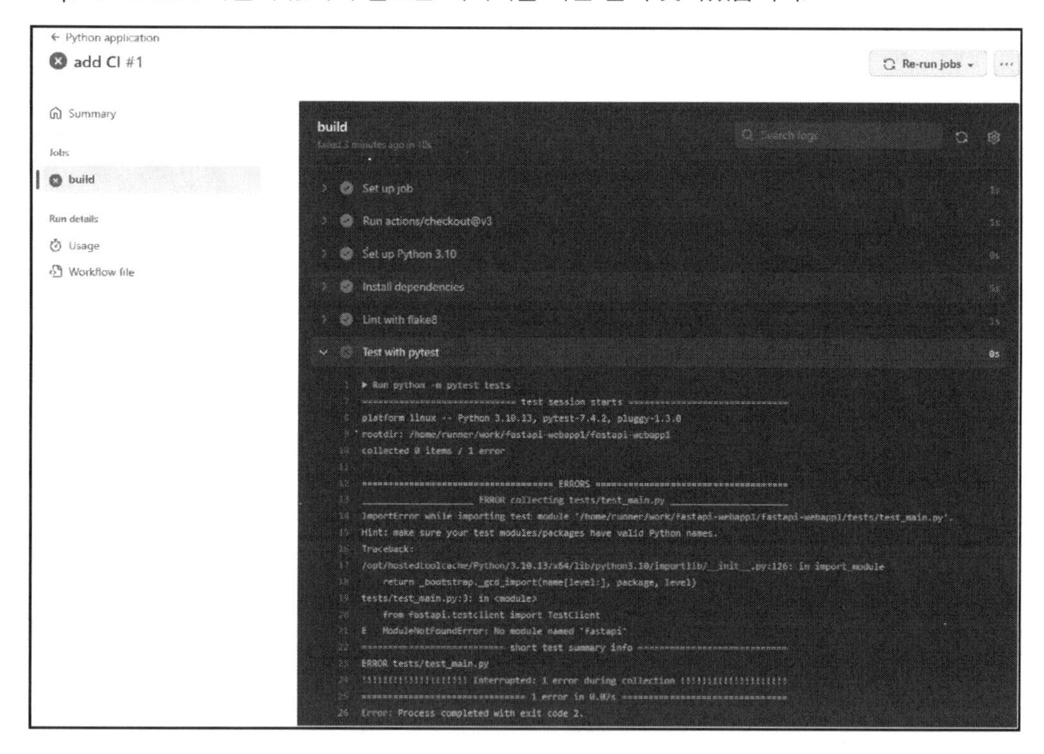

requirements.txt 추가

```
uvicorn
fastapi[all]
httpx
```

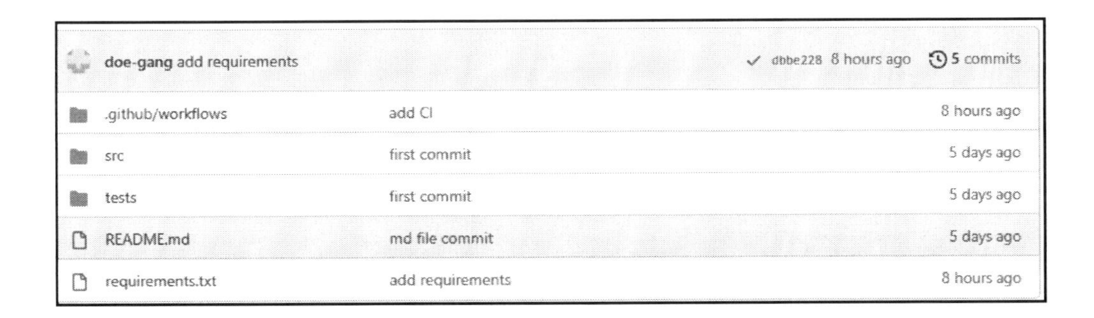

해당 파일을 추가하고 "ci.yml" 파일이나 다른 파일을 수정하여 "push" 하면 정상적으로 build 가 통과 된 것을 볼 수 있습니다.(줄 바꾸기, 한 칸 띄우기 등 단순 수정하여 push 합니다.)

5.3. GitHub Issue 생성 및 PR 이해하기

GitHub 이슈를 생성하고 PR 과정을 이해하기 위하여, 앞서 FastAPI 로 개발하였던 Git 리포지토리를 그대로 가지고 와서 진행합니다.

GitHub Issue 생성

1. GitHub 리포지토리의 Issue 에 들어가서 "New Issue" 클릭합니다.

2. Title "hello to fastapi"로 설정합니다. 이슈의 내용은 Hello world → FastAPI World 로 출력메시지를 변경하는 작업입니다.
3. Write 에 아래 템플릿 적용하여 Submit new issue 클릭하여 이슈를 생성합니다. 또한, 다른 템플릿을 사용해도 문제없으며, 템플릿의 세부내용은 수정하여 이슈 내용을 정리합니다.

```
## Issue Description
[Provide a brief description of the issue you're encountering or
the feature you're requesting.]

## Expected Behavior
[Explain what you expected to happen.]

## Current Behavior
```

```
[Explain what is currently happening that you think is a problem or
what is missing.]

## Steps to Reproduce
[If applicable, provide steps to reproduce the issue.]

1. [Step 1]
2. [Step 2]
3. [Step 3]
   ...

## Screenshots/Attachments
[If relevant, include screenshots, logs, or any other relevant
files.]

## Environment
- OS: [e.g., Windows 10, macOS Big Sur, Linux]
- Browser: [if the issue is related to a web interface]
- Version/Commit: [e.g., 1.0.0, SHA of the commit]
- Any other relevant information about your environment.

## Additional Information
[Any other information that might be helpful for understanding or
diagnosing the issue.]
```

4. 생성한 이슈로 들어가서 우측 설정 정보에서 라벨을 설정합니다. 해당 이슈가 어떠한 종류인지 빠르게 확인하기 위함 입니다.

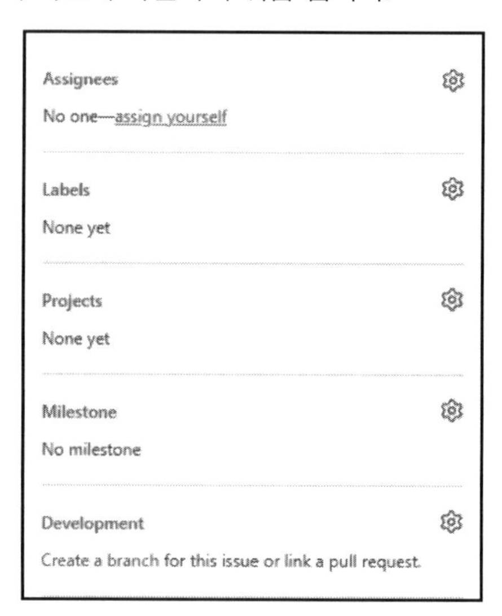

Issue 브랜치 생성

1. 우측 설정의 Development 설정의 Create a branch 를 클릭하여 이슈 브랜치를 생성합니다. "Create a branch" 클릭 시 아래의 이미지와 같이 자동으로 브랜치 명을 설정해줍니다.

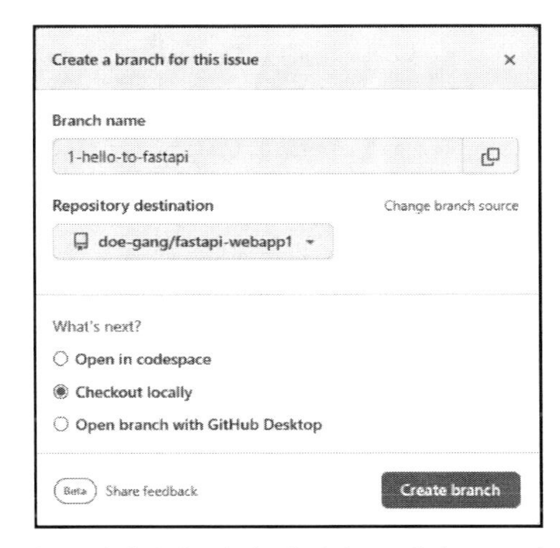

2. 생성하면 아래의 이미지와 같이 생성한 브랜치를 로컬 리포지토리에 체크아웃 하라고 메시지를 띄우면서 명령어를 출력해줍니다. 명령어를 복사합니다.

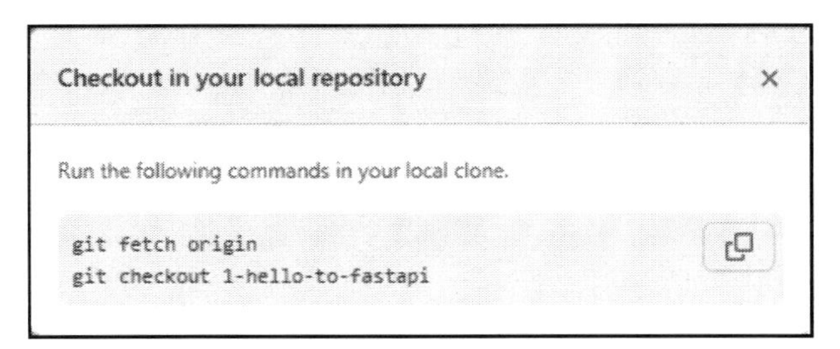


```
$ git fetch origin
$ git checkout 1-hello-to-fastapi
```

Issue 브랜치 Push

1. 소스코드를 수정합니다. "src/main.py", "tests/test_main.py"의 'Hello World' 부분의 'Hello'를 'FastAPI'로 변경합니다.

```
@app.get("/")
def hello_world():
  return "FastAPI World!!"
```

```python
def test_hello_world(client):
    response = client.get("/")
    assert response.status_code == 200
    assert response.status_code != 500
    assert response.json() == "FastAPI World!!"
```

2. Issue 브랜치로 작업을 하기 위하여 브랜치 생성에서 복사한 명령어를 사용하여 브랜치를 변경하고, 수정 된 파일을 push 합니다.

```
$ git fetch origin
$ git checkout 1-hello-to-fastapi
$ git branch
$ git status
$ git add .
$ git commit -m "hello to fastapi"
$ git push origin 1-hello-to-fastapi
```

5.4. GitHub PR 생성

GitHub PR 생성

1. GitHub 리포지토리의 Pull request 에 "New pull request" 버튼을 클릭합니다.

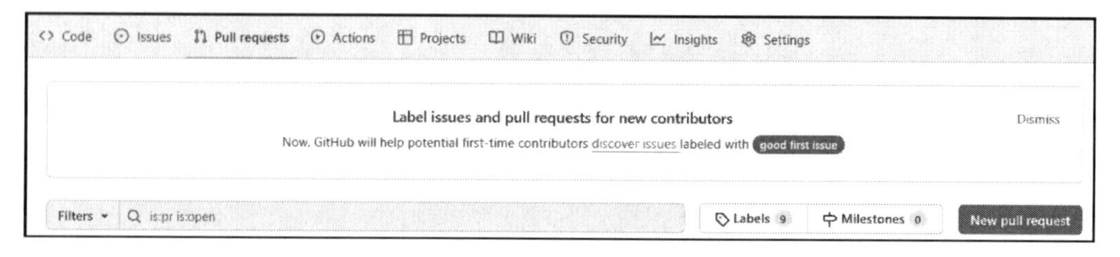

2. 리포지토리에서 "Compare & pull request" 클릭합니다.

3. 아래 PR 템플릿으로 PR 을생성합니다. PR 템플릿 내용 수정하여 PR 체크리스트 정리합니다.

```
## Description

[Provide a brief description of the changes introduced by this PR.]

## Related Issues

[Reference any related issues by mentioning their numbers, e.g.,
"Closes #123" or "Fixes #456".]

## Changes Made

[Explain the changes you've made in this PR. This can include new
features, bug fixes, improvements, etc.]

## Screenshots

[If applicable and helpful, provide screenshots or GIFs that
demonstrate the changes.]


## Checklist
- [ ] I have read the [contributing guidelines](CONTRIBUTING.md)
and followed the process outlined there.
- [ ] I have updated the documentation to reflect the changes (if
applicable).
- [ ] All tests are passing, and I've added new tests for the
changes made.
- [ ] The code follows the project's coding standards and style.
- [ ] I have tested the changes locally and verified that they work
as expected.
- [ ] I have added necessary comments to the code, especially in
complex or tricky parts.
- [ ] I have considered and handled potential edge cases.
- [ ] I have addressed the review comments (if any) from previous
PRs.

## Additional Information

[Any additional context, information, or rationale you'd like to
provide.]
```

PR 리뷰어 설정

앞서 브랜치 보호 규칙을 통하여 merge 하기 위해서는 코드리뷰를 하는 1 명의 승인자가 필요합니다. 그래서 추가하려고 우측 설정의 리뷰어 설정을 하려하면 추가가 되지 않습니다.

리뷰어는 "Settings → Collaborators › Add People"에서 리뷰어를 추가합니다. 자기 자신은 리뷰어로 설정할 수 없어서, PR 과정을 이해하기 위해 PR 테스트용 계정을 생성하여 테스트를 진행합니다.

그러면 대상자에게 아래의 초대코드 메일이 와서 등록하면 리뷰어 등록이 가능합니다.

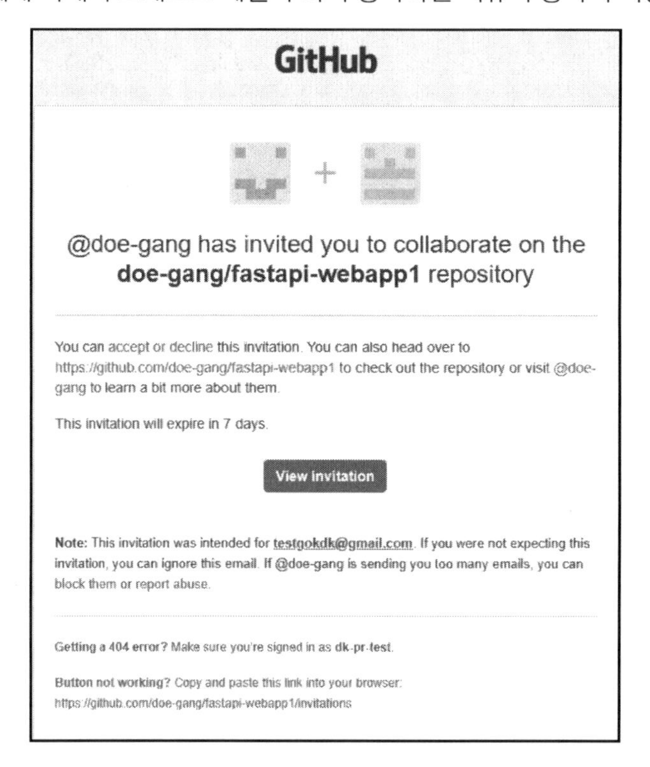

GitHub

@doe-gang has invited you to collaborate on the **doe-gang/fastapi-webapp1** repository

You can accept or decline this invitation. You can also head over to https://github.com/doe-gang/fastapi-webapp1 to check out the repository or visit @doe-gang to learn a bit more about them.

This invitation will expire in 7 days.

View invitation

Note: This invitation was intended for testgokdk@gmail.com. If you were not expecting this invitation, you can ignore this email. If @doe-gang is sending you too many emails, you can block them or report abuse.

Getting a 404 error? Make sure you're signed in as **dk-pr-test**.

Button not working? Copy and paste this link into your browser:
https://github.com/doe-gang/fastapi-webapp1/invitations

승인 후 다시 우측의 Reviewers(리뷰어 설정)에서 뜬 목록을 확인 할 수 있습니다.

Reviewers

Request up to 15 reviewers

Type or choose a user

dk-pr-test dk-pr-test

코드 리뷰 및 승인

이제 PR 테스트용 계정으로 들어가서 Review 를 진행합니다. 테스트용 계정에 연결된 이메일에 PR 리뷰 할 내용이 메일로 옵니다. 해당 메일에서 링크로 들어가면 해당 PR 에 "Add your review" 버튼이 생성되는데 클릭합시다.

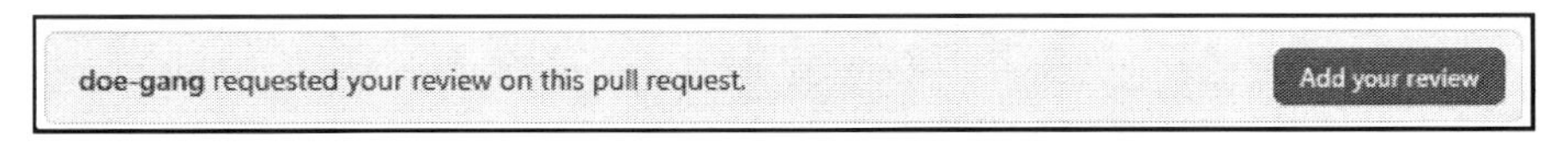

아래와 같이 변경된 부분에 "+" 버튼을 클릭하여 리뷰를 입력할 수 있습니다.

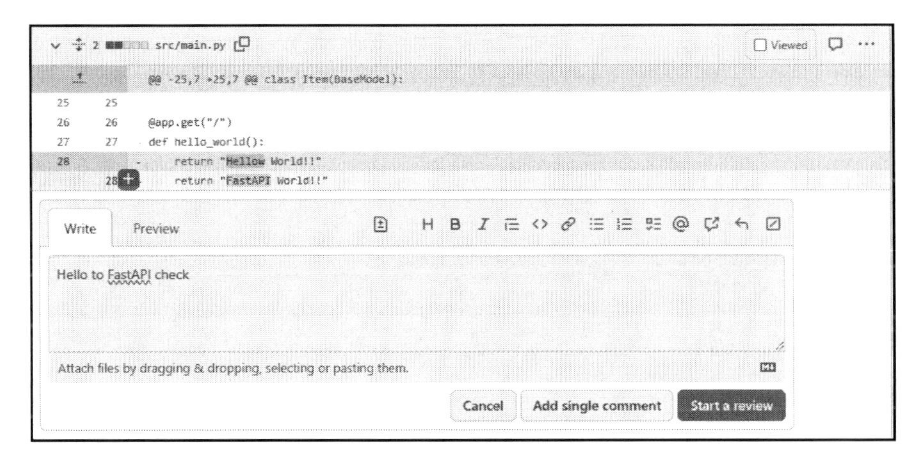

아래의 이미지와 같이 "Approve"를 선택하고 "Submit Review" 를 클릭하면 테스트 계정의 코드리뷰 승인 과정이 종료됩니다.

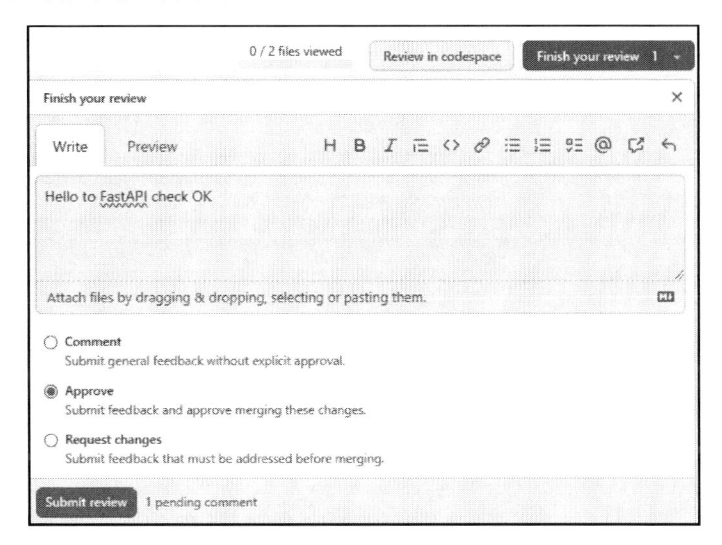

PR Merge

이제 코드 리뷰어가 승인을 하였으므로 main 브랜치에 merge 할 수 있는 상태가 됩니다. 기존 계정으로 돌아와서 코드리뷰가 승인되었다는 메일을 받아서 확인 가능합니다. PR 에서 확인하면 아래와 같이 리뷰 내용과 "Merge pull request" 버튼을 클릭하여 merge를 완료할 수 있습니다.

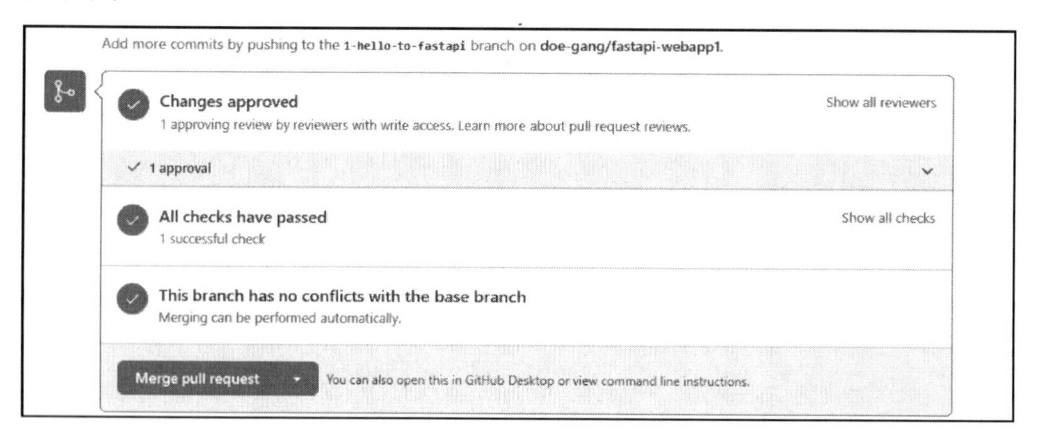

PR 종료 및 Issue 브랜치 삭제

이슈를 생성하여 PR 까지 마치면 해당 과정에서 생성한 브랜치를 삭제할 수 있습니다.

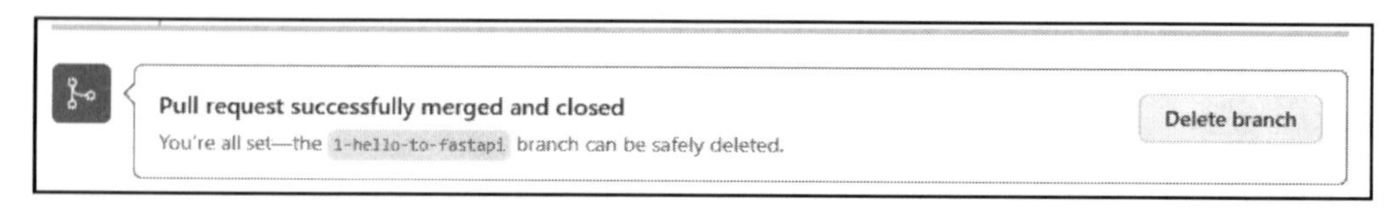

PART Ⅱ

DevOps 따라하기

Chapter 1. Azure CI/CD

이 챕터에서는 Azure 클라우드 서비스와 GitHub Actions 를 이용해 지금까지 우리가 개발한 FastAPI 웹 서버로 CI/CD를 구축합니다.

그전에 먼저 CI/CD 가 무엇이며 어떤 필요성에 의해 탄생하게 되었는지 살펴보겠습니다.

1. CI(Continuous Integration) 및 CD(Continuous Delivery, Continuous Deployment)란?

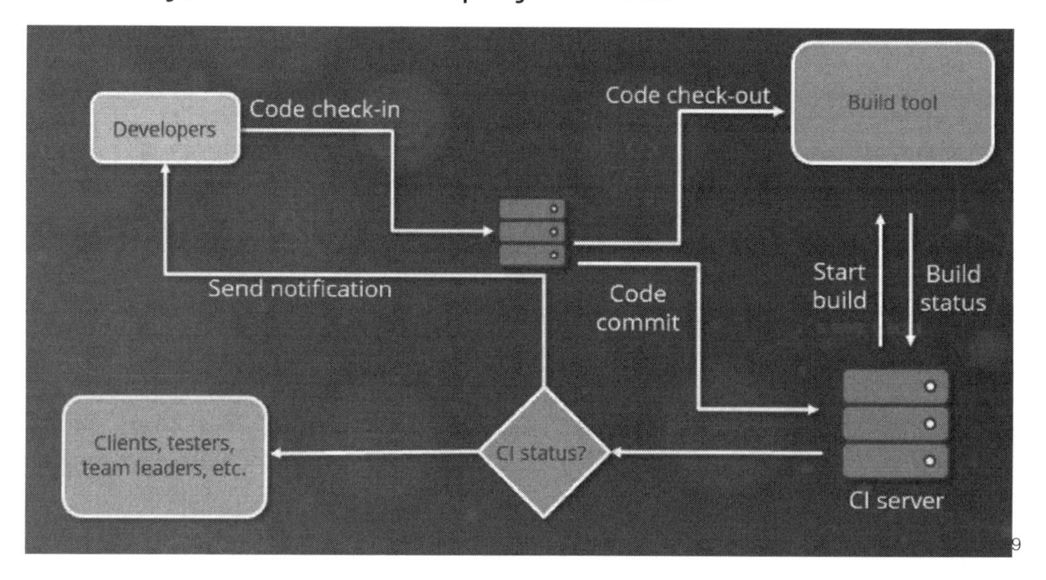

[9]

CI는 우리 말로 "지속적 통합"이라고도 합니다. 소프트웨어 개발에서 "통합"이란 무엇일까요? 통합이란 개발 과정에서 여러 개발자들이 작성한 코드 또는 코드의 변경 사항을 주기적으로 하나의 공유된 저장소(예: Git 저장소)에 합치는 것을 말합니다.

여러 개발자들과 함께 개발하는 경우 서로의 코드를 지속적으로 합치고 조정해 나가면서 하나의 소프트웨어로 만드는 과정이 필요합니다. 예를 들어, 개발자 A 가 작업한 로그인 기능과 개발자 B 가 작업한 사용자 인터페이스를 함께 결합해 전체 애플리케이션이 잘 작동하는지 확인하는 것이죠.

말은 쉬워 보이지만 이러한 통합 과정은 때로 많은 충돌과 버그를 일으킵니다. 특히 통합 주기가 길어지며 변경 사항의 범위와 양이 커질 수록 그 가능성은 커집니다. 그렇다면 가능한

[9] https://en.wikipedia.org/wiki/Continuous_integration

수시로 코드를 통합하고, 통합하기 전 코드에 대한 최소한의 검사를 거쳐 문제 있는 코드가 통합되는 것을 사전에 방지한다면 더 효율적인 통합이 이루어지겠죠.

그러한 필요성에 의해 탄생한 것이 CI 입니다. CI는 통합을 자동화하고 이를 지속적으로 자주 수행하도록 하는 개발 방법론입니다. CI 의 목표는 개발 중 발생하는 변경 사항을 자주, 그리고 규칙적으로 메인 브랜치나 저장소와 통합하여 통합으로 발생하는 문제를 줄이는 것입니다.

그렇게 하기 위해 CI는 일반적으로 자동화된 테스트 코드와 빌드 과정을 포함하고 있습니다. 이는 개발자가 코드를 저장소에 푸시 할 때마다 자동으로 실행되며, 따라서 코드의 품질을 지속적으로 관리할 수 있게 해줍니다.

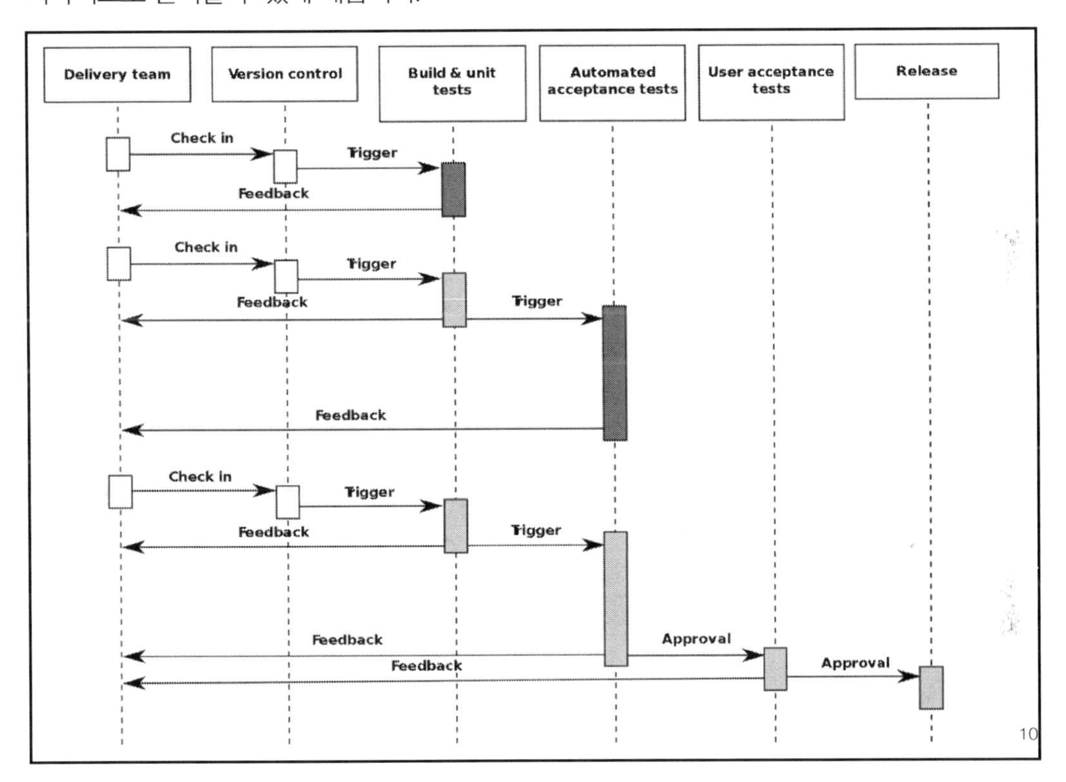

CI 의 효과적인 실행 후에는 CD, 즉 지속적 배포(Continuous Deployment) 또는 지속적 전달(Continuous Delivery) 과정을 고려해볼 수 있습니다. CD 는 CI 의 자연스러운 연장선에 있으며, 소프트웨어를 고객에게 더 빠르고 안정적으로 전달하는 것을 목표로 합니다. CI 과정에서 자동으로 테스트 된 코드가 프로덕션 환경에 배포될 준비가 되는 것을 의미합니다.

CD 는 일반적으로 두 가지 용어를 가리킵니다. 하나는 지속적 전달(Continuous Delivery)입니다. 지속적 전달에서는 코드 변경 사항을 준비된 패키지로 만들고 이를 프로덕션에 배포할 준비를 합니다. 하지만 최종 배포는 수동으로 결정됩니다. 반면 지속적

---

[10] https://en.wikipedia.org/wiki/Continuous_delivery

배포(Continuous Deployment)에서는 모든 변경 사항이 자동으로 프로덕션 환경에 배포됩니다. 즉, 개발자가 코드를 저장소에 푸시함과 동시에 애플리케이션에 변경 사항이 바로 적용되어 고객이 사용할 수 있게 됩니다.

CD를 통해서 개발자는 코드를 보다 빠르게 실제 사용 환경에 적용할 수 있으며, 이는 고객의 요구에 더 신속하게 대응하고 시장 변화에 민첩하게 반응할 수 있게 해줍니다. 더 빠르게 소프트웨어를 개선하여 고객에게 내놓을 수 있게 되는 것이죠.

이러한 CI/CD를 구축하기 위해 사용되는 대표적인 도구로는 다음과 같은 것들이 있습니다.

- GitHub Actions: GitHub 플랫폼 내에서 직접 CI/CD 파이프라인을 구성할 수 있는 도구입니다. 코드 저장소와의 통합이 매우 잘 되어 있어, GitHub 을 사용하는 프로젝트에 특히 유용합니다.
- Jenkins: 오픈 소스이며, 매우 유연한 CI/CD 도구입니다. 다양한 플러그인을 통해 거의 모든 종류의 프로젝트에 맞춰 확장할 수 있습니다.
- Travis CI: GitHub 과 긴밀하게 통합된 클라우드 기반 CI 서비스입니다. 간단한 설정과 사용 용이성으로 인기가 높습니다.
- GitLab CI/CD: GitLab 소스 코드 관리 시스템에 내장된 CI/CD 기능입니다. 코드 저장소와 CI/CD 파이프라인을 한 곳에서 관리할 수 있어 편리합니다.
- CircleCI: 높은 확장성과 빠른 빌드 속도를 제공하는 클라우드 기반 CI/CD 서비스입니다. 커스터마이징이 용이하고, 여러 환경을 지원합니다.
- Bamboo: Atlassian 에서 개발한 도구로 Jira, Bitbucket 과 같은 다른 Atlassian 제품과 잘 통합됩니다. 많은 내장 기능을 제공하며, 대규모 프로젝트에 적합합니다.
- TeamCity: JetBrains 에서 제공하는 CI/CD 도구로, 강력한 사용자 정의 옵션과 여러 플러그인을 지원합니다.
- Azure DevOps: Microsoft 에서 제공하는 서비스로, Azure 클라우드 플랫폼과 잘 통합됩니다. CI/CD, 테스팅, 릴리스 관리 등 다양한 기능을 제공합니다.

이 책에서는 GitHub Actions를 사용하여 CI/CD를 구축해보겠습니다.

2. GitHub Actions 이해하기

CI/CD 를 구축을 위해 널리 사용 되는 도구 중 하나인 GitHub Actions 의 기본적인 개념과 사용 방법에 대해 간략히 소개하겠습니다.

먼저 GitHub Actions 가 무엇인지 간단히 설명하겠습니다. GitHub Actions 는 GitHub 에서 제공하는 CI/CD 서비스입니다. 소프트웨어 개발 워크플로우를 자동화하는 데 사용되며 코드 변경 사항에 반응하여 다양한 작업을 실행할 수 있습니다. 예를 들어, 푸시 또는 풀 리퀘스트가 발생할 때 테스트를 실행하고, 빌드를 수행하며, 배포를 진행하는 등의 작업을 자동으로 일어나게 할 수 있습니다.

GitHub 리포지토리와 깊게 통합되어 있어 소스 코드 관리와 CI/CD 워크플로우를 같은 곳에서 쉽게 관리할 수 있다는 장점이 있습니다. 또한 GitHub 마켓플레이스에서 다양한 액션(Action)을 구할 수 있고, 그에 따라 여러 워크플로우를 커스터마이징 할 수 있습니다.

GitHub 공개 리포지토리 사용자는 무제한으로 워크플로우를 실행할 수 있고, 프라이빗 리포지토리의 경우 일반적으로 월 2,000 분의 무료 사용 분이 주어집니다.

2.1. GitHub Actions 의 핵심 요소

본 챕터에서는 GitHub Actions 에서 사용하는 용어를 정리해보겠습니다.

- 워크플로우 (Workflow): 워크플로우는 하나 이상의 작업(Job)을 정의하고, 이 작업들이 언제 실행될지를 결정하는 자동화된 프로세스입니다. ".github/workflows" 디렉토리에 YAML 파일 형식으로 저장됩니다.
- 이벤트 (Event): 이벤트는 워크플로우를 실행시키는 특정 활동입니다. 예를 들어, "push", "pull_request", "issue_comment" 등이 있습니다.
- 작업 (Job): 작업은 워크플로우 내에서 실행되는 일련의 단계입니다. 각 작업은 별도의 가상 환경에서 실행될 수 있으며, 다른 작업에 의존할 수도 있습니다.
- 단계 (Step): 각 작업은 하나 이상의 단계로 구성됩니다. 단계는 개별적인 명령이나 액션을 실행합니다.
- 액션 (Action): 액션은 재사용 가능한 워크플로우 단계입니다. GitHub 마켓플레이스에서 다양한 액션을 찾을 수 있으며 직접 커스텀 액션을 만들 수도 있습니다.

워크플로우는 작업으로 이루어져 있으며, 작업은 단계로 구성됩니다. 단계는 스크립트 명령을 실행하거나 액션을 사용할 수 있습니다. 예를 들어, 저장소의 코드를 복사하거나 의존성을 설치하거나 할 수 있습니다. 액션은 이러한 작업들을 재사용하기 쉽게 묶어 놓은 것이라고 생각할 수 있습니다.

3. CI 구축하기

3.1. GitHub Actions 로 CI Workflows 생성하기

앞서 CI 를 설명하며 "자동화된 테스트와 빌드"를 포함한다고 했습니다. 이를 구현하기 위해서는 워크플로우에 테스트와 빌드 과정을 명세하고 이 워크플로우가 자동으로 실행되도록 하면 됩니다. 즉, 다음과 같은 흐름을 생각하면 됩니다.

1. 코드 변경 사항을 담은 풀 리퀘스트가 생성됩니다.
2. CI 워크플로우가 자동으로 실행됩니다. 이 워크플로우는 코드를 테스트하고, 린팅(Linting) 검사를 수행합니다.
3. 워크플로우가 성공적으로 수행되면 풀 리퀘스트의 변경 사항을 수락하고 main 브랜치에 병합합니다.

이를 달성하기 위해서는 파일 하나만 생성하면 됩니다. ".github/workflows" 디렉토리에 "ci.yaml"로 아래처럼 정의해봅시다.

```
name: Python application CI

on:
  push:
    branches: [ "main" ]
  pull_request:
    branches: [ "main" ]

permissions:
  contents: read

jobs:
  build:

    runs-on: ubuntu-latest

    steps:
    - uses: actions/checkout@v3
    - name: Set up Python 3.10
      uses: actions/setup-python@v3
      with:
        python-version: "3.10"
    - name: Install dependencies
      run: |
        python -m pip install --upgrade pip
        pip install flake8 pytest
        if [ -f requirements.txt ]; then pip install -r
requirements.txt; fi
    - name: Lint with flake8
      run: |
        # 파이썬 문법 에러가 있거나 정의되지 않은 이름이 있는 경우 빌드를
멈춥니다.
        flake8 . --count --select=E9,F63,F7,F82 --show-source --
statistics
        # 'exit-zero'는 모든 에러를 경고로 처리합니다.
```

```
    # GitHub 에디터는 한 줄에 127 자까지 보입니다.
      flake8 . --count --exit-zero --max-complexity=10 --max-line-
length=127 --statistics
  - name: Test with pytest
    run: |
      python -m pytest tests
```

이 워크플로우는 main 브랜치에 대한 push 와 pull_request 이벤트에 반응하여 Ubuntu 환경에서 파이썬 애플리케이션을 빌드합니다. 이 과정에는 코드 체크아웃, 파이썬 설정, 의존성 설치, 코드의 린트 처리, 그리고 테스트 실행이 포함됩니다.

테스트는 'pytest'라는 패키지를 이용해 테스트 코드를 작성하고 검사합니다. 린팅은 문서를 작성하며 맞춤법 검사기를 돌리는 것과 비슷한데요. 우리는 'flake8'이라는 패키지를 이용합니다.

아래에서 좀 더 자세히 워크플로우의 절차를 살펴보겠습니다.

- 워크플로우가 트리거 되는 이벤트 조건("on" 키워드)
    - push 이벤트: main 브랜치에 코드가 푸시될 때.
    - pull_request 이벤트: main 브랜치로의 풀 리퀘스트가 생성될 때.
- 권한 설정("permissions" 키워드)
    - 워크플로우는 코드 내용에 대한 읽기 권한(contents: read)을 가집니다.
- 작업 (Job) - build
    - runs-on: 이 빌드 작업은 ubuntu-latest 환경, 즉 최신 버전의 Ubuntu 가상 환경에서 실행됩니다.
- 단계 (Steps)
    - 코드 체크아웃:
        - actions/checkout@v3 를 사용하여 저장소의 코드를 체크아웃합니다.
    - 파이썬 설정:
        - actions/setup-python@v3 를 사용하여 Python 3.10 버전을 설정합니다.
    - 의존성 설치:
        - pip 를 업그레이드하고, flake8 과 pytest 를 설치합니다.

- requirements.txt 파일이 존재하는 경우, 해당 파일에 명시된 추가 의존성을 설치합니다.

- 코드 린트:
    - flake8 을 사용하여 코드에 대한 린트 검사를 수행합니다.
    - Python 문법 오류나 정의되지 않은 이름이 있는 경우 빌드를 중지합니다.
    - 모든 오류를 경고로 처리하며, 코드 복잡도와 최대 줄 길이를 지정하여 검사합니다.
- 테스트 실행:
    - pytest 를 사용하여 tests 디렉토리 안의 단위 테스트들을 실행합니다.

이 워크플로우를 담은 yaml 파일을 작성하여 변경 사항을 main 에 푸시하면 저장소의 action 에서 워크플로우가 실행되는 것을 확인할 수 있습니다.

⚠ "Test with pytest" 스텝에서 에러가 발생한다면?

"Test with pytest" 단계에서 "ERROR: file or directory not found: tests", "Process completed with exit code 5." 같은 문구와 함께 제대로 실행되지 않는다면 테스트 코드가 제대로 세팅이 되지 않은 경우입니다.

```
Test with pytest

1  ▼ Run python -m pytest tests
2      python -m pytest tests
3      shell: /usr/bin/bash -e {0}
4      env:
5        pythonLocation: /opt/hostedtoolcache/Python/3.10.12/x64
6        LD_LIBRARY_PATH: /opt/hostedtoolcache/Python/3.10.12/x64/lib
7
7  ERROR: file or directory not found: tests
8  ============================ test session starts ==============================
9
10 platform linux -- Python 3.10.12, pytest-7.4.0, pluggy-1.2.0
11 rootdir: /home/runner/work/ossca-devops/ossca-devops
12 collected 0 items
13
14 ============================ no tests ran in 0.00s ============================
15 Error: Process completed with exit code 4.
```

"ci.yaml"의 "Test with pytest" 스텝은 python -m pytest tests 이라는 명령어를 실행합니다. 이때 "ERROR: file or directory not found: tests"라는 '파일이나 디렉토리를 찾을 수 없다'는 에러 메시지가 발생할 수 있습니다.

혹은 아래처럼 test 세션이 성공적으로 시작한 듯 보이지만 "no tests ran"이라는 문구와 "Process completed with exit code 5."같은 에러로 워크플로우가 중단되는 경우도 있을 수 있습니다.

```
Test with pytest

6  ▶ Run python -m pytest tests
7  ============================ test session starts =============================
8  platform linux -- Python 3.10.12, pytest-7.4.0, pluggy-1.2.0
9  rootdir: /home/runner/work/ossca-devops/ossca-devops
10 collected 0 items
11
12 =========================== no tests ran in 0.00s ============================
13 Error: Process completed with exit code 5.
```

코드 5 에러는 pytest 가 실행할 테스트를 찾지 못함을 의미합니다. 테스트 코드를 작성했더라도 pytest 의 테스트 검색을 위한 명명 규칙을 지키지 않으면 pytest 는 테스트 코드를 인식하지 못합니다.

기본 세팅에 따르면 pytest는 tests라는 디렉토리 하의 "test_*.py" 혹은 "*_test.py"라고 명명된 파일을 검색합니다. 그 파일 안에는 test_*라고 명명된 테스트 함수나 Test*라고 명명된 클래스 안의 테스트 메소드가 존재해야 합니다.[11]

앞 단계에서 테스트 코드를 작성하지 않아 이 단계를 진행할 수 없다면, 다음 코드처럼 해당 디렉토리에 테스트 메소드를 구현하여 GitHub Actions가 제대로 작동하는지 살펴봅니다.

```
# tests/test_main.py

def test_example():
    return
```

그 다음에 main 브랜치에 푸시를 진행하거나 풀 리퀘스트를 올리면 해당 에러 없이 아래처럼 워크플로우가 잘 동작하는 것을 볼 수 있습니다.

11 "*" 기호는 모든 문자를 의미합니다.

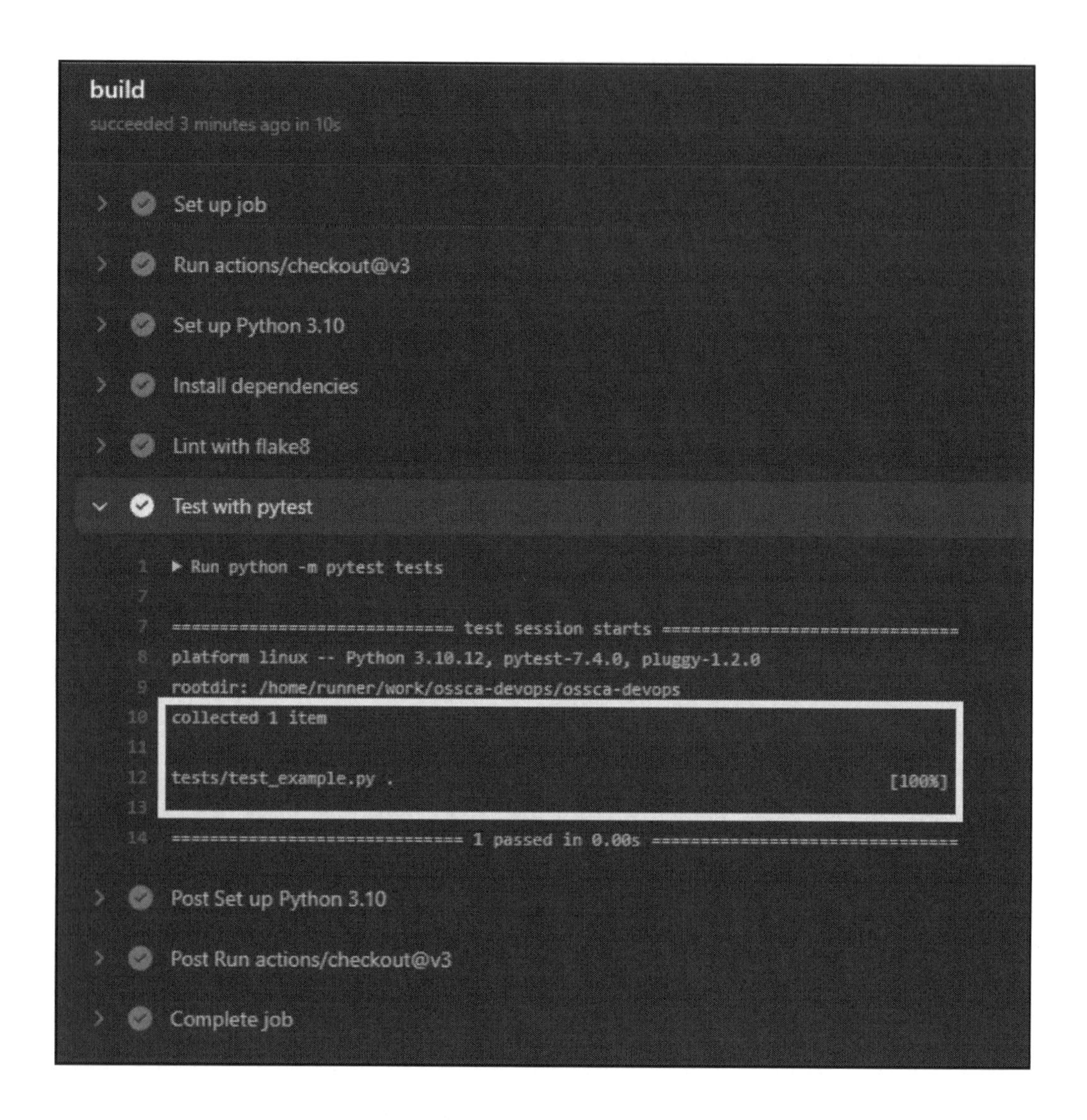

4. Azure ACI(Azure Container Instances)에 CD 구축하기

CI 파이프라인을 성공적으로 구축했습니다. 다음으로는 본격적으로 CD 를 알아보겠습니다. 앞서 CD 는 지속적 전달, 지속적 배포 두 가지 용어를 가리킬 수 있다고 했습니다. 우리는 프로덕션 환경 배포까지 자동화하는 "지속적 배포"를 구축하겠습니다.

이번 챕터를 간단히 요약하자면, 이전 단계에서 CI 를 위해 GitHub Actions 를 이용해 CI 워크플로우를 생성한 것을 기억하실 겁니다. 이번에는 CD 워크플로우를 생성하면 됩니다. 좀 더 자세히 말하면, Azure 서비스에 배포하는 YAML 워크플로우 파일을 작성할 것입니다.

이를 진행하기 위해서 GitHub Actions 외에도 아래 네 가지를 이용합니다.

1. Azure CLI
2. Azure Container Registry
3. Azure Container Instances
4. Docker

Azure CLI 란 커맨드 명령어로 Azure 서비스를 조작할 수 있게 하는 도구입니다. Azure Container Registry 란 "컨테이너 저장소"를 의미합니다. Azure Container Instances (이하 ACI)란 Azure 에서 제공하는 서비스 중 하나로 "컨테이너"를 간편하고 빠르게 배포할 수 있는 환경을 제공합니다.

그러면 "컨테이너"란 무엇일까요? 흔히 컨테이너를 "배송 컨테이너"에 비유하고는 합니다. 배송 컨테이너는 상품을 효율적으로 전달하기 위해 표준화된 일정한 크기와 형태를 가지고 있습니다. 이런 표준화 덕에 전 세계 어느 항구나 배, 트럭에도 잘 맞죠.

비슷하게 소프트웨어에서 "컨테이너"는 애플리케이션과 그 실행 환경을 하나로 포장하여 어떤 컴퓨팅 환경에서도 동일하게 실행될 수 있도록 합니다. 그리고 애플리케이션을 컨테이너로 만들고, 다양한 컨테이너를 실행시킬 수 있는 도구 중 하나가 바로 "도커(Docker)"입니다. 이에 대해서는 아래에서 자세히 설명하겠습니다.

4.1. 도커와 컨테이너에 대해서 알아보기

컨테이너를 왜 사용할까?

앞에서 "컨테이너"에 대해서 간략히 설명했는데요. 컨테이너란 애플리케이션을 실행시키기 위한 모든 것을 하나의 상자 안에 모두 넣어 포장한 것과 비슷하다고 했습니다. 그러면 애플리케이션을 컨테이너로 만들면 우리는 어떤 이점을 얻을 수 있을까요? 여러 가지가 있겠지만 대표적으로 아래와 같은 장점이 있습니다.

- 도커는 개발, 테스트, 운영 환경 간의 일관성을 보장해줍니다. 즉, 서로의 환경을 일치시키기 위해 들어가는 부수적인 수고와 비용이 줄어듭니다.
- 컨테이너는 다양한 환경에서 동일하게 실행됩니다. 따라서 어느 환경에서건 애플리케이션을 쉽고 안정적으로 배포할 수 있습니다.
- 컨테이너는 배포를 빠르게 해줍니다. 혹은 이전 버전의 애플리케이션으로 되돌리는 것도 쉽게 가능합니다.
- 컨테이너는 수평적 확장이 쉽습니다. 트래픽이 증가하면 추가적인 컨테이너를 실행하여 트래픽을 분산시킬 수 있습니다.

이런 이점으로 현대 소프트웨어 개발에서는 컨테이너를 적극적으로 활용하고 있습니다. 특히 우리가 목적으로 하는 "배포 자동화"와 컨테이너는 잘 통합됩니다. 애플리케이션을 컨테이너화하고 그 컨테이너를 실행시키는 과정을 자동화하는 것이 간단하기 때문입니다.

이런 이유로 컨테이너는 지속적 배포 환경에서 애플리케이션의 빠르고, 안정적이며 효율적인 배포를 가능하게 해주는 중요한 요소로 자리잡고 있습니다.

도커(Docker)란?

애플리케이션을 컨테이너로 만드는 것을 "컨테이너화(Containerize)"라고 합니다. 도커는 컨테이너화 기술을 사용하여 애플리케이션을 개발, 배포, 실행하는데 사용되는 도구 및 플랫폼입니다. 즉, 컨테이너를 쉽게 만들고 실행하고 관리할 수 있도록 도와줍니다.

도커의 대표적인 특징으로는 다음과 같은 것들이 있습니다.

- "도커파일 (Dockerfile)"을 이용하여 "컨테이너 이미지(Container Image, 혹은 도커 이미지라고도 함)"를 생성합니다.
- "도커 허브"라는 중앙화 된 도커 이미지 저장소를 제공합니다. 사용자들은 도커 허브에서 수많은 도커 이미지를 찾을 수 있고 이를 기반으로 컨테이너를 실행시키거나 새로운 도커 이미지를 만들 수도 있습니다.
- 커맨드 라인 인터페이스(CLI)를 통해 컨테이너를 관리할 수 있는 기능을 제공합니다.

이번 챕터에서 우리는 도커파일을 직접 작성하고 도커 CLI 를 이용하여 컨테이너를 실행시켜볼 것입니다. 그러면 도커파일이 무엇인지, 컨테이너 이미지란 무엇인지 간단히 알아보겠습니다.

도커 파일(Dockerfile), 도커 이미지(Docker Image)란?

- 도커파일은 텍스트 문서입니다. 이 문서에는 도커 이미지를 만들기 위해 필요한 명령어가 순서대로 나열되어 있습니다. 도커 이미지를 정의한 것이 도커파일입니다.
- 도커 이미지는 컨테이너를 실행하기 위해 필요한 코드, 런타임, 라이브러리, 환경 변수, 설정파일 등을 포함하고 있는 템플릿입니다. 이미지를 실행시킨 것이 바로 컨테이너라는 점을 기억해주세요.
- 이미지를 기반으로 여러 개의 컨테이너를 실행시킬 수도 있습니다. 간단히 말해, 이미지는 컨테이너를 생성하기 위한 "레시피", 혹은 "템플릿"이며 컨테이너는 이 이미지를 기반으로 하여 실행되는 "실체" 또는 "인스턴스"를 의미합니다.

앞서 우리의 애플리케이션을 컨테이너화 하면 배포가 쉬워진다고 말씀드렸습니다.

지금까지 지속적 배포에서 도커가 왜 사용되는지, 도커란 무엇인지 간략히 알아보았습니다. 요약하자면 도커 컨테이너는 우리의 애플리케이션을 빠르고 효율적으로 배포할 수 있도록 도와준다는 것입니다. 그러면 애플리케이션을 컨테이너화 하기 위해서 무엇을 해야할까요?

바로 도커파일을 작성하고 도커 이미지를 생성하면 됩니다. 그리고 도커 CLI 를 통해 그 이미지를 실행시키면, 그것을 컨테이너라고 부를 수 있게 되는 것이죠.

그리고 이렇게 생성된 도커 이미지를 배포하여 실행시키는 단계를 배포 자동화 워크플로우에 작성하면 됩니다.

그렇다면 그 전에 워크플로우가 아닌 애플리케이션을 개발하고 있는 로컬 환경에서 애플리케이션을 컨테이너화하고 테스트 해봅시다.

4.2. 로컬 환경에서 도커 컨테이너를 실행하고 테스트하기

이 단계에서는 다음과 같은 순서로 진행합니다.

1. 애플리케이션을 이미지로 만드는 도커파일을 작성합니다.
2. 만들어진 이미지를 컨테이너로 실행합니다.
3. 웹 서버에 접속하여 제대로 컨테이너가 실행되는지 확인합니다.

그러면 먼저 도커파일을 작성해보겠습니다. 프로젝트 폴더에 "Dockerfile"이라는 이름의 문서를 아래와 같이 작성합니다.

```
# 우분투 최신 버전의 베이스 이미지를 사용합니다.
FROM ubuntu:latest

# 유지 관리자 정보를 레이블로 추가합니다.
LABEL maintainer="MLOpsLabs <mlopslabs@gmail.com>"

# 작업 디렉토리를 설정합니다.
WORKDIR /mlops

# 현재 디렉토리의 모든 파일을 작업 디렉토리로 복사합니다.
COPY . .

# 파이썬을 설치합니다.
RUN apt-get update \
  && apt-get install -y python3 python3-pip

# 의존성을 설치하고 캐시를 제거합니다.
RUN python3 -m pip install --upgrade pip \
  && pip install fastapi uvicorn \
  && apt-get clean \
  && rm -rf /var/lib/apt/lists/*
```

```
# 애플리케이션이 사용하는 포트를 노출합니다.
EXPOSE 8000

# main.py 를 실행합니다.
CMD ["uvicorn", "src.main:app", "--host", "0.0.0.0", "--port",
"8000"]
```

이 도커파일은 우리의 애플리케이션을 도커 이미지로 생성하기 위한 명세서로, 이미지를 빌드하는데 필요한 명령어를 순서대로 나열하고 있습니다.

- FROM ubuntu:latest
    - 모든 도커파일은 FROM 명령어로 시작합니다. 이는 만들려는 이미지의 기반(베이스 이미지)를 지정합니다.
    - ubuntu:latest 는 최신 버전의 우분투 이미지를 사용한다는 것을 의미합니다.
- LABEL maintainer="MLOpsLabs <mlopslabs@gmail.com>"
    - LABEL 명령어는 이미지에 메타데이터를 추가합니다. 여기서는 이미지의 유지 관리자에 대한 정보를 기술합니다.
- WORKDIR /mlops
    - WORKDIR 명령어는 도커 컨테이너 내에서 명령어들이 실행될 작업 디렉토리를 설정합니다. 이후의 명령어들은 이 디렉토리를 기준으로 실행됩니다.
    - 여기서는 "/mlops"라는 디렉토리를 작업 디렉토리로 설정합니다.
- COPY . .
    - COPY 명령어는 파일이나 디렉토리를 로컬 파일시스템에서 이미지의 파일시스템으로 복사합니다. 이는 애플리케이션의 소스 코드나 리소스를 컨테이너 내부로 이동하는데 사용됩니다.
    - 여기서는 현재 디렉토리(.)의 모든 파일을 컨테이너의 현재 작업 디렉토리(위에서 설정한 /mlops)로 복사합니다.
- RUN apt-get update && apt-get install -y python3 python3-pip
    - RUN 명령어는 이미지 빌드 과정 중에 쉘 명령을 실행합니다. 이를 통해 필요한 패키지 설치, 의존성 관리 등을 수행합니다.
    - 여기서는 우분투 패키지 리스트를 업데이트하고 Python3 및 pip 를 설치합니다.

- RUN python3 -m pip install –upgrade pip && pip install fastapi uvicorn && apt-get clean && rm -rf /var/lib/apt/lists/*
    - 이 RUN 명령어는 pip 를 업그레이드하고, FastAPI 와 Uvicorn 을 설치한 다음, 불필요한 파일을 제거하여 이미지 크기를 줄입니다.
- EXPOSE 8000
    - EXPOSE 명령어는 컨테이너가 리스닝 할 포트를 지정합니다. 이 경우, FastAPI 애플리케이션이 사용할 8000 포트를 노출합니다.
- CMD ["uvicorn", "src.main:app", "–host", "0.0.0.0", "–port", "8000"]
    - RUN 명령어가 이미지를 빌드하는 과정에서 실행한다면, CMD 명령어는 컨테이너가 시작될 때 실행할 기본 명령을 설정합니다.
    - 여기서는 Uvicorn 을 사용하여 src.main 모듈의 app 인스턴스를 호스트 0.0.0.0 로 설정하며, 8000 포트에서 실행합니다.
    - 다만 ACI 에 바로 배포하길 원하는 독자는 "8000"번 포트가 아닌 "80"번 포트로 수정 후 나머지 단계를 진행합니다. 이는 ACI 가 80 번 포트만 지원하기 때문입니다. 이와 관련된 내용은 "1.5. Azure ACI, AKS 두 타겟 CD 구축하기"에서 자세히 설명합니다.

일반적으로 도커파일을 작성할 때에는 다음을 고려해야 합니다.

- 순서: 명령어들은 실행 순서에 따라 결과에 영향을 미칩니다. 명령어의 순서가 뒤바뀌면 예기치 못한 결과가 일어날 수도 있습니다.
- 레이어 최적화: 각각의 'RUN', 'COPY', 'ADD' 명령은 새로운 레이어를 생성합니다. 따라서 불필요한 레이어를 줄임으로써 이미지 크기를 줄일 수 있습니다.

그러면 이 도커파일을 토대로 도커 이미지를 만들고 컨테이너를 실행해보겠습니다.

도커 이미지 빌드 명령어

도커 이미지를 빌드하기 위해서는 docker build 명령어를 사용합니다. 예를 들어, 이미지의 이름을 "mlops"로 지정하고자 한다면, 다음과 같이 명령어를 입력합니다. 이 명령어는 Dockerfile 이 있는 디렉토리에서 실행해야 합니다.

```
docker build -t <도커이미지-이름>[:도커이미지-버전] <도커파일의-위치>
```

이 명령어를 우리의 프로젝트에 적용하면 아래와 같습니다.

```
docker build -t mlops:latest .
```

- -t mlops:latest : 빌드 된 도커 이미지에 'mlops'라는 이름을 지정하고, 생성되는 이미지가 'latest' 즉 가장 최신 버전임을 나타냅니다. 이미지 버전은 생략 가능하며 기본값 값으로 latest 가 주어집니다.
- . : 현재 디렉토리에 있는 Dockerfile 을 사용하여 이미지를 빌드한다는 것을 의미합니다.

도커 이미지 목록 확인 명령어

빌드한 도커 이미지를 포함한 모든 로컬 도커 이미지의 목록을 확인하기 위해서는 docker images 명령어를 사용합니다.

```
docker images
```

이 명령어를 실행하면, 로컬 시스템에 있는 모든 도커 이미지의 목록이 표시됩니다. 각 이미지의 이름, 태그, ID, 생성 시간, 크기 등의 정보를 확인할 수 있습니다. 결과는 아래처럼 나타납니다.

```
● ➜  mlops git:(main) ✗ docker images
  REPOSITORY    TAG       IMAGE ID       CREATED          SIZE
  mlops         latest    7baa74249c20   22 minutes ago   476MB
```

도커 컨테이너 실행 명령어

빌드 된 이미지를 기반으로 컨테이너를 실행하려면 "docker run" 명령어를 사용합니다.

```
docker run --name <컨테이너-이름-지정> -p <호스트의-포트>:<컨테이너의-
포트> <실행할-도커이미지-이름>
```

예를 들어, 우리가 방금 만든 'mlops' 이미지를 8000 포트에서 실행되도록 하려면 다음과 같이 입력합니다.

```
docker run -p 8000:8000 mlops
```

- -p 8000:8000: 호스트의 8000 포트를 컨테이너의 8000 포트에 매핑합니다. 이렇게 하면 호스트 시스템의 8000 포트를 통해 들어오는 요청이 컨테이너의 8000 포트로 전달되어, 컨테이너 내부에서 실행 중인 우리의 애플리케이션이 이를 처리할 수 있습니다.
- mlops: 실행할 도커 이미지의 이름입니다.
- –name: 컨테이너에 이름을 지정하는 옵션입니다. 여기서는 따로 지정하지 않았습니다.

위 명령어를 통해 도커를 실행시키면 아래처럼 애플리케이션이 구동된 것을 확인할 수 있습니다.

```
○ ➜ mlops git:(main) docker run -p 8000:8000 mlops

  INFO:     Started server process [1]
  INFO:     Waiting for application startup.
  INFO:     Application startup complete.
  INFO:     Uvicorn running on http://0.0.0.0:8000 (Press CTRL+C to quit)
```

"http://0.0.0.0:8000" 혹은 "localhost:8000"을 접속하였을 때 "fastAPI World!!" 문구가 뜬다면 성공입니다.

"Ctrl+C"를 클릭하면 애플리케이션이 종료됩니다.

실행 중인 도커 컨테이너 확인하기

현재 활성화되어 실행 중인 모든 컨테이너의 정보를 나타내는 명령어는 다음과 같습니다.

```
docker ps
```

이 명령어를 실행하면 다음과 같은 정보가 포함된 목록을 볼 수 있습니다.

```
● ➜ mlops git:(main) ✗ docker ps
CONTAINER ID   IMAGE           COMMAND                  CREATED          STATUS          PORTS                    NAMES
f054fd3f707b   mlops:latest    "uvicorn src.main:ap…"   29 minutes ago   Up 29 minutes   0.0.0.0:8000->8000/tcp   ecstatic_wescoff
```

- 컨테이너 ID: 컨테이너의 고유 식별자입니다. 이 ID는 각 컨테이너를 구별하는 데 사용되며, 컨테이너를 관리할 때(예: 시작, 중지, 삭제 등) 참조됩니다.
- 사용 중인 이미지: 컨테이너를 생성할 때 사용된 도커 이미지의 이름입니다. 이미지 이름은 컨테이너가 어떤 애플리케이션 또는 서비스를 실행하고 있는지를 나타냅니다.
- 컨테이너가 시작된 명령: 컨테이너가 시작될 때 실행된 명령입니다. 이는 Dockerfile의 'CMD' 또는 'docker run' 명령어의 일부로 지정될 수 있습니다.
- 컨테이너 생성 후 경과 시간: 컨테이너가 시작되고 나서 얼마나 많은 시간이 지났는지를 나타냅니다.
- 컨테이너 상태: 현재 컨테이너의 상태를 나타냅니다. 이는 '실행 중(running)', '일시 정지(paused)', '종료(exited)' 등이 될 수 있으며, 컨테이너의 현재 상태를 파악할 수 있습니다.
- 포트 매핑 정보: 호스트와 컨테이너 간의 네트워크 포트 매핑을 나타냅니다.
- 컨테이너 이름: 각 컨테이너에는 고유한 이름이 할당됩니다. 이 이름은 'docker run' 명령어에서 '--name' 옵션을 사용하여 지정할 수 있으며, 컨테이너를 쉽게 식별하고 참조하는 데 사용됩니다. 따로 이름을 지정하지 않은 경우 자동으로 생성된 이름이 할당 됩니다.

도커 컨테이너 중지하고 삭제하기

컨테이너를 중지하기 위해서는 'docker stop' 명령어를 사용합니다. 이 명령어는 실행 중인 컨테이너에 종료 신호를 보내어 안전하게 중지시킵니다. 컨테이너의 이름이나 ID를 사용하여 특정 컨테이너를 중지할 수 있습니다.

```
docker stop <컨테이너-이름-또는-ID>
```

'mlops'라는 이름의 컨테이너를 중지하려면 다음과 같이 입력합니다:

```
docker stop mlops
```

컨테이너를 삭제하기 위해서는 'docker rm' 명령어를 사용합니다. 이 명령어는 중지된 컨테이너를 시스템에서 제거합니다. 컨테이너를 삭제하기 전에 반드시 해당 컨테이너가 중지되어 있어야 합니다.

```
docker rm <컨테이너-이름-또는-ID>
```

'mlops'라는 이름의 컨테이너를 삭제하려면 다음과 같이 입력합니다.

```
docker rm mlops
```

지금까지 기초적인 도커 CLI 를 통해 애플리케이션을 이미지로 만들고 컨테이너화 하는 방법을 살펴보았습니다. 다음으로는 지속적 배포를 위한 워크플로우에 위와 같이 애플리케이션을 컨테이너화 하여 Azure 상에서 구동시키는 코드를 작성하면 됩니다. 그렇게 하기 위해 먼저 Azure 리소스를 사용할 준비를 해보겠습니다.

4.3. Azure CLI 설치하기

Azure 리소스를 조작하기 위해서 Azure CLI 를 설치해야 합니다.

CLI 는 Command Line Interface 의 줄임말로 명령어를 입력하여 조작하는 방식을 말합니다. 반면 Graphic User Interface 를 뜻하는 GUI 는 아이콘, 버튼, 메뉴 등을 통해 사용자가 서비스와 상호작용 하는 방식을 말합니다. 상대적으로 GUI 는 학습하기 쉽다는 장점이 있으며 CLI 는 효율성과 속도라는 장점을 갖습니다. 페이지를 여기 저기 찾아보지 않고 단순한 텍스트 명령만으로 빠른 작업 수행이 가능하기 때문입니다.

Azure CLI 란 Microsoft Azure 클라우드 서비스를 관리하기 위한 강력한 명령줄 도구입니다. Azure 가 제공하는 다양한 서비스, 예를 들어 Azure 의 가상 머신, 스토리지 계정, 웹 애플리케이션 등 다양한 서비스를 명령줄에서 직접 관리하고 조작할 수 있습니다.

이 책에서는 Azure 서비스 관리를 위해 GUI, CLI 모두를 다룹니다. 두 방식을 모두 사용함으로써 보다 전체적인 이해를 돕기 위함입니다. 또한 지속적 배포를 위한 CD 워크플로우 단계에서 Azure CLI 를 사용합니다. 이건 뒤에서 더 자세히 설명하도록 하겠습니다.

그러면 Azure CLI 를 설치해보겠습니다. Azure CLI 는 Linux, macOS, Windows 등 다양한 운영체제에서 사용이 가능합니다.

리눅스 OS (윈도우 WSL2 환경 포함)

윈도우 사용자의 경우, WSL2 환경을 이용한다는 가정 하에 Linux 환경에서 Azure CLI 를 설치하는 방법을 안내하겠습니다.

설치 전 유의 사항

이 책에서는 "2.55.0" 버전을 설치합니다. 우분투 20.04 와 우분투 20.10 은 "azure-cli 2.0.81" 버전을 기본 제공합니다. 이 버전은 권장되지 않으므로 만약 이미 이 버전의 Azure CLI 가 설치되어 있다면 아래 명령어를 통해 기존 패키지를 삭제한 후 진행합니다.

```
sudo apt remove azure-cli -y && sudo apt autoremove -y
```

설치 명령어 입력하기

```
curl -sL https://aka.ms/InstallAzureCLIDeb | sudo bash
```

맥 OS

설치 전 유의 사항

Homebrew라는 패키지 매니저를 사용합니다. 만약 Homebrew가 설치되어 있지 않다면 먼저 Homebrew를 설치합니다.

설치 명령어 입력하기

Azure CLI 는 Homebrew 의 "python@3.11" 패키지에 의존성을 갖고 있으므로 해당 파이썬 패키지도 동시에 설치됩니다.

```
brew update && brew install azure-cli
```

4.4. Azure 리소스 그룹 생성하기

본격적으로 Azure 가 제공하는 다양한 클라우드 서비스를 이용하기 위해 리소스 그룹을 생성할 것입니다.

먼저 "리소스" 그리고 "리소스 그룹"이 무엇을 의미하는지 알아봅시다. Azure 에서 말하는 "리소스"란 Azure 에서 제공하는 서비스의 단일 항목 또는 항목의 인스턴스를 의미합니다. 예를 들어 가상 머신, 스토리지 계정, 웹 앱, 데이터베이스, 함수 앱, 컨테이너 인스턴스 등 Azure 가 지원하는 다양한 서비스를 의미합니다.

"리소스 그룹"이란 이런 다양한 리소스를 관리하기 조직화하기 위한 디렉토리와 같은 것입니다. 관련된 리소스를 그룹화하여 특정 프로젝트, 서비스, 팀 또는 환경 별로 관리할 수 있습니다.

즉, 프로젝트 폴더 안에 프로젝트와 관련된 다양한 파일을 포함 시키듯 특정 리소스 그룹 안에 관련된 리소스를 담는 것입니다.

리소스 그룹을 사용하면 여러 리소스를 관리하고 조직화 하는데 도움이 됩니다. 라이프 사이클 관리, 액세스 관리, 비용 추적 관리 등을 그룹 단위로 할 수 있게 되며 액세스 권한 및 정책을 일괄적으로 설정하거나 관리할 수 있습니다.

그러면 리소스 그룹을 생성하기 위해 Azure 대시 보드에 접속하겠습니다.

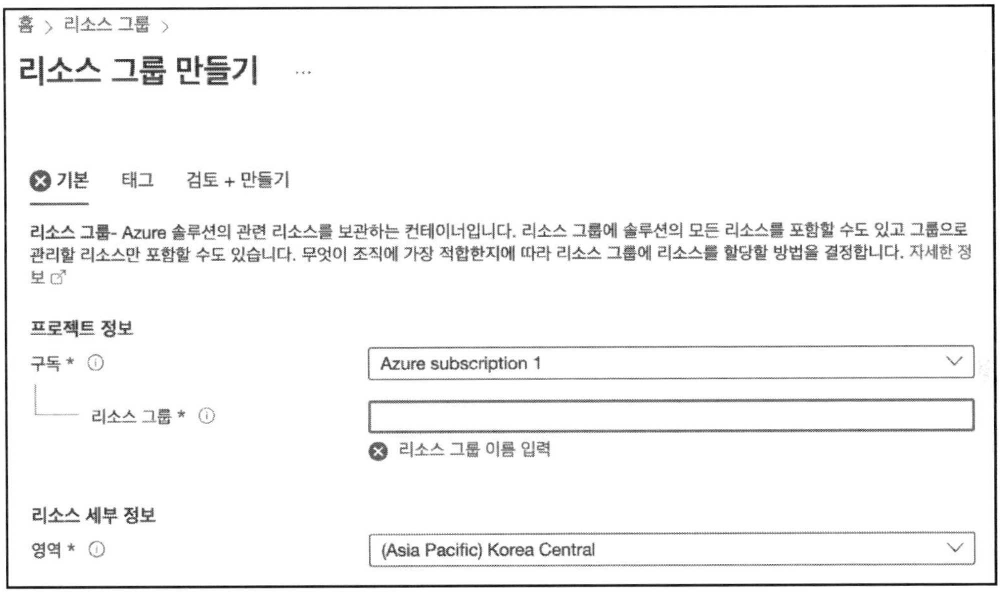

홈 > 리소스 그룹 >

리소스 그룹 만들기 ...

기본 | 태그 | 검토 + 만들기

리소스 그룹- Azure 솔루션의 관련 리소스를 보관하는 컨테이너입니다. 리소스 그룹에 솔루션의 모든 리소스를 포함할 수도 있고 그룹으로 관리할 리소스만 포함할 수도 있습니다. 무엇이 조직에 가장 적합한지에 따라 리소스 그룹에 리소스를 할당할 방법을 결정합니다. 자세한 정보

프로젝트 정보

구독 * : Azure subscription 1

리소스 그룹 * :

리소스 그룹 이름 입력

리소스 세부 정보

영역 * : (Asia Pacific) Korea Central

"Azure > 리소스 그룹"에서 적절한 이름과 함께 리소스 그룹을 생성합니다. 마치 컴퓨터에 폴더를 만드는 것과 비슷합니다.

적절한 구독 옵션을 선택합니다. 그리고 리소스 그룹 이름은 "devops-RG"라고 지어보겠습니다. 리소스 세부 정보의 영역을 "Korea Central"로 지정하고 다음을 클릭합니다. 태그는 특별히 지정하지 않고 리소스 그룹 생성을 마무리합니다.

4.5. 인증을 위한 자격증명 생성하기

Azure CLI 를 이용해 Azure 의 서비스를 다뤄보도록 하겠습니다. 먼저 자격증명을 생성해야 합니다.

자격 증명이란 일종의 로그인을 위한 아이디와 암호 같은 것입니다. 이는 우리가 Azure 에 생성한 리소스에 접근하기 위해 필요합니다. 우리의 소중한 리소스를 아무나 조작하고 접근할 수 있으면 안 됩니다. 따라서 자격증명을 생성하여 인증을 받고 적절한 권한을 가진 주체만이 리소스에 접근할 수 있도록 합니다.

우리가 하려는 것은 GitHub Actions를 이용해 Azure의 서비스를 조작을 자동화하는 것입니다. 자격증명을 생성하여 이를 GitHub Actions에게 알려주어야 Azure에 접근할 수 있게 됩니다.

먼저 Azure CLI로 Azure에 로그인합니다.

```
az login
```

위 명령어를 입력하면 Azure 로그인 웹 페이지를 통해 로그인할 수 있습니다. 로그인에 성공하면 쉘에 계정 정보 응답 값이 출력될 것입니다.

다음으로 아래 명령어를 통해 리소스 그룹의 ID 값을 가져옵니다.

```
groupId=$(az group show \
  --name <리소스-그룹-이름> \
  --query id --output tsv)
```

"<리소스-그룹-이름>"에 내가 방금 지은 리소스 그룹의 이름을 넣고, 위와 같이 명령어를 입력합니다.

명령어를 입력하면 아무 일도 일어나지 않지만 groupId 라는 변수에 우리가 생성한 리소스 그룹의 고유한 식별자인 id 값이 담겼습니다. 그 결과는 아래 명령어를 통해 확인할 수 있습니다.

```
echo $groupId
```

다음으로 Azure의 자격증명인 Service Principal을 생성하기 위한 작업을 시작합니다.

📌 Service Principal 이란?

애플리케이션, 서비스 또는 GitHub Actions 와 같은 자동화 도구가 Azure API 를 사용해 리소스를 관리할 수 있도록 하는 보안 자격 증명입니다. Azure AD 에서 애플리케이션과 연결되며, 이는 Azure 의 리소스에 대해 특정 권한을 갖고 있습니다. 이를 통해 유저가 직접 로그인해 작업을 수행할 필요 없이 애플리케이션이나 서비스가 리소스에 액세스하는 작업을 자동으로 이루어지게 할 때(예를 들어 CI/CD 파이프라인 같은 자동화 도구를 이용하는 경우) 필요합니다.

Service Principal 을 생성하기 위해 아래처럼 명령어를 입력합니다.

```
az ad sp create-for-rbac \
  --scope $groupId \
  --role Contributor \
  --sdk-auth
```

그러면 보안에 주의하라는 메시지와 함께 아래와 같은 JSON 값이 출력됩니다. 보안을 위해 해당 값을 코드에 포함시키거나 유출시키지 말아야 합니다. 이후 스텝에서 사용할 예정이므로 따로 저장해두는 것이 좋습니다.

```
{
  "clientId": "xxxx6ddc-xxxx-xxxx-xxx-ef78a99dxxxx",
  "clientSecret": "xxxx79dc-xxxx-xxxx-xxxx-aaaaaec5xxxx",
  "subscriptionId": "xxxx251c-xxxx-xxxx-xxxx-bf99a306xxxx",
  "tenantId": "xxxx88bf-xxxx-xxxx-xxxx-2d7cd011xxxx",
  "activeDirectoryEndpointUrl": "https://login.microsoftonline.com",
  "resourceManagerEndpointUrl": "https://management.azure.com/",
  "activeDirectoryGraphResourceId": "https://graph.windows.net/",
  "sqlManagementEndpointUrl":
"https://management.core.windows.net:8443/",
  "galleryEndpointUrl": "https://gallery.azure.com/",
  "managementEndpointUrl": "https://management.core.windows.net/"
}
```

지금까지 Azure CLI 를 통해 Service Principal 이라고 일컫는 자격증명을 생성했습니다. 이를 Azure 웹에서도 확인해봅시다.

"Azure > 리소스 그룹 > 액세스 제어(IAM)"에서도 아래와 같이 역할이 추가된 것을 볼 수 있습니다.

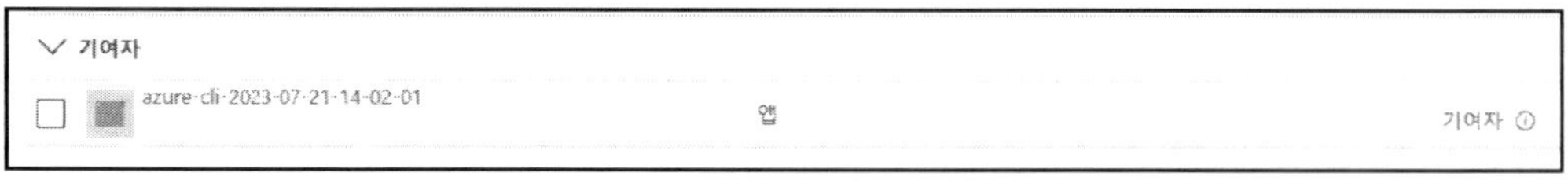

∨ 기여자

☐ azure-cli-2023-07-21-14-02-01 앱 기여자 ⓘ

4.6 Azure Container Registry 생성하고 Service Principal 업데이트하기

이 단계에서는 GitHub 워크플로우가 우리의 도커 이미지가 업로드 된 저장소에 접근할 수 있도록 권한을 부여합니다. 이 단계를 거치면 우리가 저장소에서 직접 도커 이미지를 푸시하거나 풀하지 않고도 GitHub 워크플로우를 이용하여 자동으로 수행할 수 있습니다.

그렇게 하기 위해서는 우선 "저장소"를 생성해야 합니다. 우리는 지금까지 작성한 웹 앱 코드를 도커 이미지로 만들고 이것을 저장소에 업로드할 것입니다. 지금까지는 로컬에서만 도커 이미지를 빌드하고 컨테이너로 실행했을 뿐, 따로 저장소를 생성하지 않았습니다. 이 단계에서는 Azure 에서 제공하는 Azure Container Registry 서비스를 이용해 도커 이미지를 저장하는 저장소를 생성하겠습니다.

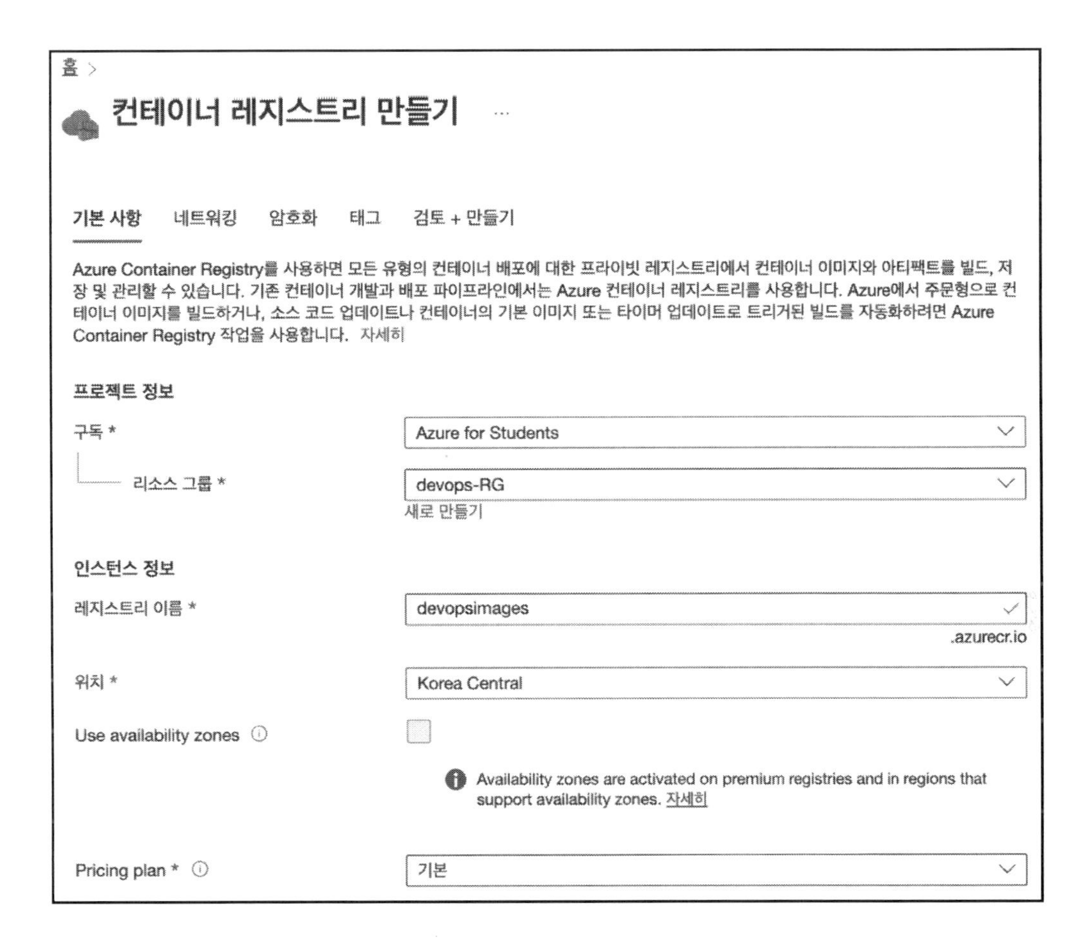

1. "Azure 웹 > 모든 서비스 > 컨테이너 레지스트리"에서 컨테이너 레지스트리를 만듭니다.
2. 리소스 그룹은 방금 만든 리소스 그룹으로 선택합니다. 예제의 경우 "devops-RG"로 설정합니다.
3. 컨테이너 저장소 이름은 짓습니다. 특수문자는 불가능합니다.
4. Pricing plan 은 예제의 경우 "기본" 옵션을 선택하였습니다.

"devops-RG" 리소스 그룹의 대시보드에 아래처럼 컨테이너 레지스트리 리소스가 추가된 것을 확인할 수 있습니다.

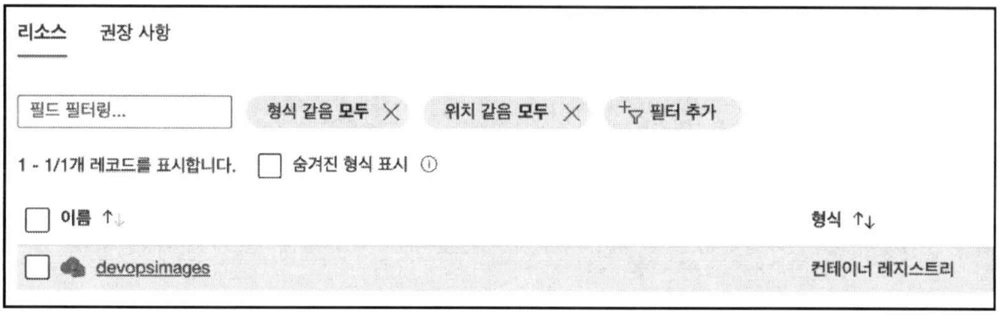

리소스 권장 사항

필드 필터링... 형식 같음 모두 × 위치 같음 모두 × 필터 추가

1 - 1/1개 레코드를 표시합니다. 숨겨진 형식 표시

이름 ↑↓	형식 ↑↓
devopsimages	컨테이너 레지스트리

이제 저장소를 생성했고 저장소 이름을 얻었습니다. 다음은 우리가 이전에 생성한 Service Principal이 이 저장소에 접근할 수 있는 권한을 가질 수 있도록 하겠습니다.

아래 명령어를 통해서 우리가 방금 생성한 컨테이너 레지스트리의 고유한 식별자 id 값을 알아냅니다.

```
registryId=$(az acr show \
  --name <레지스트리-이름> \
  --resource-group <리소스-그룹-이름> \
  --query id --output tsv)
```

이제 "registryId"라는 변수에 그 값을 할당했습니다.

그 다음 우리가 만든 저장소에 도커 이미지를 업로드하는 권한을 생성하고 부여하는 "az role assignment create" 명령어를 이용합니다. 이 명령행에는 아까 미리 저장해 두었던 리소스 그룹의 보안 값들 중 "clientId" 값이 필요합니다.

```
az role assignment create \
  --assignee <ClientId> \
  --scope $registryId \
  --role AcrPush
```

성공적으로 역할 할당이 수행되면 JSON 형태로 관련 정보가 출력됩니다.

4.7. GitHub 저장소에 자격증명 저장하기

이제 도커 이미지 저장소와 이 저장소에 접근할 수 있는 자격증명을 생성했습니다. 다음으로 GitHub 에 우리의 코드를 커밋하고 메인 브랜치에 푸시했을 때 일어나길 바라는 과정은 아래와 같습니다.

1. 자동으로 우리의 웹 앱 코드가 도커 이미지로 빌드 됩니다.
2. 이 빌드 된 도커 이미지가 Azure 의 저장소에 푸시됩니다.
3. push 된 도커 이미지를 자동으로 배포합니다.

이때 GitHub 저장소가 Azure 의 도커 이미지 저장소에 자동으로 우리의 웹 앱 도커 이미지를 업로드하게 하기 위해서는 GitHub 저장소가 우리가 방금 만든 자격증명 정보를 알고 있어야 합니다.

GitHub 저장소에서 "Setting > Security > Secrets and Variables > Actions" 탭에 들어갑니다. "New repository secret"을 눌러 아래 변수를 하나씩 추가합니다.

Secrets | Variables

Repository secrets — New repository secret

Name	Last updated
AWS_ACCESS_KEY_ID	16 hours ago
AWS_SECRET_ACCESS_KEY	16 hours ago
ECR_REPOSITORY	2 weeks ago
ECS_CLUSTER	2 weeks ago
ECS_CLUSTER_NAME	2 weeks ago
ECS_SERVICE_NAME	2 weeks ago

등록해야 하는 변수들은 다음과 같습니다.

```
Name: AZURE_CREDENTIALS
Value: service principal 을 생성 할 때 출력되었던 전체 JSON 결과 값
```

```
Name: REGISTRY_LOGIN_SERVER
Value: Azure 컨테이너 레지스트리(registry) 서버 주소
    <레지스트리-이름>.azurecr.io 와 같은 형식입니다.
    예시: myregistryname.azurecr.io
```

```
Name: REGISTRY_USERNAME
Value: service principal clientId 값
```

```
Name: REGISTRY_PASSWORD
Value: service principal clientSecret 값
```

```
Name: RESOURCE_GROUP
Value: service principal 생성에 사용하고, 리소스가 위치한 그룹 이름
```

"Name" 필드는 변수명을 뜻하며, 값은 "secret" 필드에 저장합니다. "AZURE_CREDENTIALS"의 경우 아래처럼 전체 JSON 값을 붙여넣기 합니다.

Name

AZURE_CREDENTIALS

Value

```
{
  "clientId": [illegible],
  "clientSecret": [illegible],
  "subscriptionId": [illegible],
  "tenantId": [illegible],
  "activeDirectoryEndpointUrl": [illegible],
  "resourceManagerEndpointUrl": [illegible],
  "activeDirectoryGraphResourceId": [illegible],
  "sqlManagementEndpointUrl": [illegible],
```

"AZURE_CREDENTIALS" 변수를 제외한 나머지 변수는 아래 예시처럼 입력합니다.

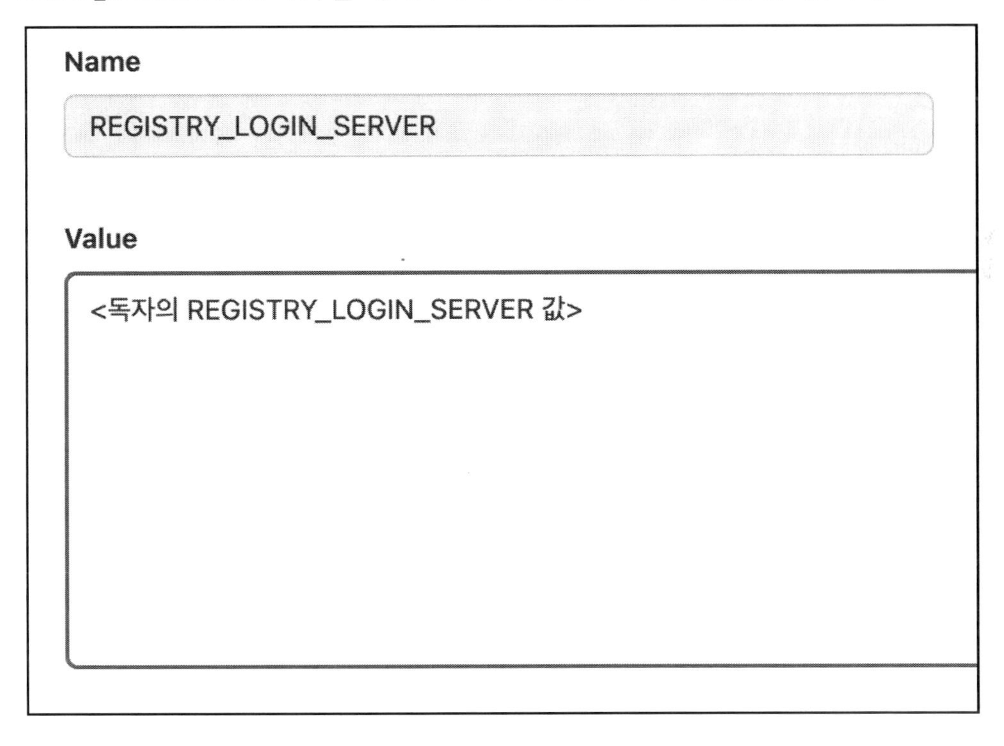

📌 주의하세요!

1. 변수명과 그에 해당하는 값들을 하나의 GitHub 시크릿에 전부 집어넣지 않도록 주의합니다.
2. 값을 "abcde"처럼 따옴표로 감싸서 저장하지 않도록 합니다.

4.8. "cd-azure.yaml" 파일 생성하기

그러면 자동 Azure 배포를 위한 GitHub 워크플로우 파일을 생성하겠습니다. yaml 확장자로 작성합니다.

이때 "`${{ secrets.AZURE_CREDENTIALS }}`" 와 같은 표현이 보입니다. 이전 단계에서 GitHub 저장소의 설정에 저장한 secret 값을 가리키는 변수입니다. "`${{ secrets.AZURE_CREDENTIALS }}`" 는 secret 중 "AZURE_CREDENTIALS" 값을 가리킵니다.

```
name: fastAPI app deployment to ACI

on:
  push:
    branches: [ "main" ]
  pull_request:
    branches: [ "main" ]

jobs:
  build:
      runs-on: ubuntu-latest
      steps:
      - name: 'Checkout GitHub Action'
        uses: actions/checkout@main

      - name: 'Login via Azure CLI'
        uses: azure/login@v1
        with:
          creds: ${{ secrets.AZURE_CREDENTIALS }}

      - name: 'Build and push image'
        uses: azure/docker-login@v1
        with:
          login-server: ${{ secrets.REGISTRY_LOGIN_SERVER }}
          username: ${{ secrets.REGISTRY_USERNAME }}
          password: ${{ secrets.REGISTRY_PASSWORD }}
      - run: |
```

```
          docker build . -t
${{ secrets.REGISTRY_LOGIN_SERVER }}/fastapiapp:${{ github.sha }}
          docker push
${{ secrets.REGISTRY_LOGIN_SERVER }}/fastapiapp:${{ github.sha }}

  deploy:
    needs: build
    runs-on: ubuntu-latest
    steps:
    - name: 'Login via Azure CLI'
      uses: azure/login@v1
      with:
        creds: ${{ secrets.AZURE_CREDENTIALS }}

    - name: 'Deploy to Azure Container Instances'
      uses: 'azure/aci-deploy@v1'
      with:
        resource-group: ${{ secrets.RESOURCE_GROUP }}
        dns-name-label:
${{ secrets.RESOURCE_GROUP }}${{ github.run_number }}
        image:
${{ secrets.REGISTRY_LOGIN_SERVER }}/fastapiapp:${{ github.sha }}
        registry-login-server:
${{ secrets.REGISTRY_LOGIN_SERVER }}
        registry-username: ${{ secrets.REGISTRY_USERNAME }}
        registry-password: ${{ secrets.REGISTRY_PASSWORD }}
        name: aci-fastapiapp
        location: 'korea central'
```

1. on: main 브랜치에 코드가 푸시되거나, main 브랜치로 풀 리퀘스트가 생성됐을 때 이 워크플로우가 동작합니다.
2. builds: 도커 이미지를 빌드하고 저장소에 푸시하는 작업을 수행합니다.
    1. 이 워크플로우가 돌아가는 저장소의 main 브랜치에 있는 코드를 복사합니다.
    2. Azure CLI 를 사용하기 위해 "AZURE_CREDENTIALS" 값을 이용해 Azure CLI 에 로그인합니다.
    3. Azure Container Registry 에 로그인하여 웹 앱 코드를 도커 이미지로 빌드하고 저장소에 푸시합니다.
3. deploy: build 작업이 완료되면 저장소에 푸시 된 도커 이미지를 Azure Container Instances 로 배포합니다.
    1. Azure CLI 를 사용하기 위해 로그인합니다.
    2. Azure Container Instances 에 우리가 방금 올린 도커 이미지를 배포합니다.

프로젝트에 위와 같은 워크플로우 파일을 생성한 뒤 main 브랜치에 푸시하거나 풀 리퀘스트를 생성하여 워크플로우가 동작 시킵니다.

워크플로우가 "build" 단계를 성공적으로 수행했다면 도커 이미지가 잘 빌드 되어 저장소에 업로드되었을 것입니다. "Azure 홈 > 컨테이너 레지스트리 > 리포지토리"에서 방금 push 한 "fastapiapp"이라는 이미지가 보입니다.

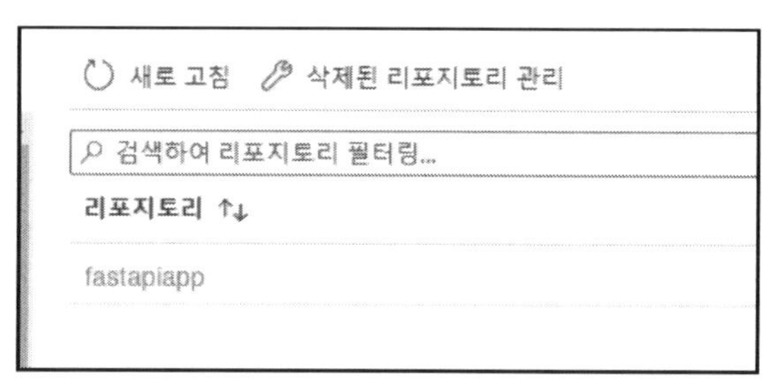

CLI 로는 아래 명령을 입력하면 현재 Azure 컨테이너 저장소에 푸시된 이미지 리스트를 확인할 수 있습니다.

```
az acr repository list \
  --name <나의-저장소-이름> \
  --output table
```

도커 이미지 빌드와 저장소 푸시까지 잘 되는 것을 확인하였으니 이제 Azure Container Instance 를 구성해봅시다.

⚠ 도커 이미지를 빌드하는 단계에서 "unauthorized: …client id must be guid"와 같은 에러 메시지가 뜬다면?

```
955  Removing intermediate container c9495105228c
956   ---> a3c08ccb7af7
957  Step 10/10 : CMD ["python3", "./src/app.py"]
958   ---> Running in c2c501e2d3ea
959  Removing intermediate container c2c501e2d3ea
960   ---> 15383fb34e8a
961  Successfully built 15383fb34e8a
962  Successfully tagged ***/flaskapp:a55dcd788fa68e21540e9681f37723bc5d739548
963  The push refers to repository [***/flaskapp]
964  2e7ad63ea73b: Preparing
965  a12c9cd2ebea: Preparing
966  dc59c7edf91d: Preparing
967  a7e3cf6cc67b: Preparing
968  757ecfafbe2a: Preparing
969  59c56aee1fb4: Preparing
970  59c56aee1fb4: Waiting
971  unauthorized: aad access token with sp failed client id must be guid
972  Error: Process completed with exit code 1.
```

내역을 보면 도커 이미지는 잘 생성된 것으로 보이지만 "unauthorized" 에러와 함께 강제 종료 되었습니다. clientID 가 반드시 guid 여야 한다고 합니다. GitHub 시크릿을 저장하는 과정에서 clientID 를 제대로 인식하지 못하는 것으로 보입니다.

이 경우 옳지 않은 clientId 값을 넣은 것은 아닌지 확인합니다. 특히 값을 따옴표로 감싸서 저장하지 않았는지 확인합니다.

⚠ "deploy" 단계에서 오류가 난다면?

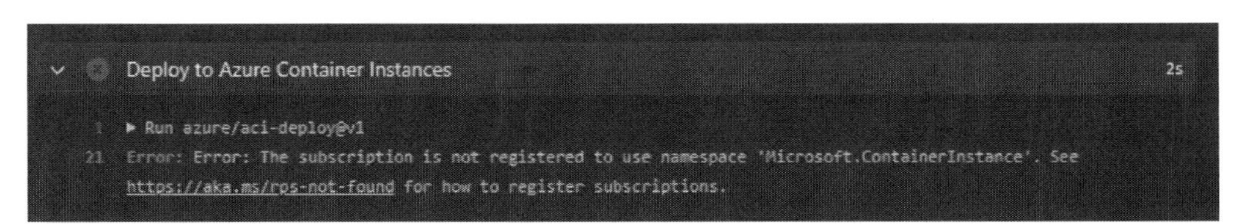

지금까지 순서대로 절차를 따라왔다면 당연히 발생해야 할 오류입니다. 왜냐하면 아직 Azure Container Instances 리소스를 구성하지 않았기 때문입니다.

4.9. Azure Container Instances 리소스 구성하기

애플리케이션을 도커 이미지로 만들어 Azure 의 저장소에 업로드하는 것까지 성공했습니다. 그러면 도커 이미지를 불러와 실행시킨 후 웹에 배포하면 됩니다.

해당 작업은 Azure Container Instances(이하 ACI)라는 Azure 리소스를 통해 진행하겠습니다.

ACI 란 도커 이미지를 빠르고 간편하게 컨테이너로 실행할 수 있게 해주는 서비스입니다. 서버리스 컴퓨팅의 한 형태이며 컨테이너를 실행하기 위한 가상 머신이나 서버를 직접 관리할 필요가 없다는 것이 장점입니다. 서버리스와 컨테이너 환경이 합쳐져 빠르고 유연하게 작업을 시작하고 종료할 수 있습니다.

먼저 저장소에 올라가 있는 도커 이미지를 ACI 에 수동으로 직접 배포해봅시다. 아래 명령어는 컨테이너를 생성하는 명령입니다. "<>"로 감싸져 있는 부분은 독자의 환경에 맞게 상응하는 값으로 대체하여 입력합니다.

```
az container create \
  --resource-group <리소스-그룹-이름> \
  --name <컨테이너-이름> \
  --image <acrLoginServer>/<컨테이너-이름>:<컨테이너-태그> \
  --cpu 1 \
  --memory 1 \
  --registry-login-server <acrLoginServer> \
  --registry-username <clientId> \
```

```
  --registry-password <clientSecret> \
  --ip-address Public \
  --dns-name-label <aciDnsLabel> \
  --ports 80
```

ACI 는 DNS 를 할당해주는데요. DNS 에 포함되었으면 하는 문자열을 "aciDnsLabel"로 지정합니다. 이는 해당 리전에서 고유한 값이어야 합니다.

이때 컨테이너 태그 값에 "latest" 키워드를 사용하지 않습니다. 컨테이너 태그 값은 아래 명령어를 통해 알 수 있습니다.

```
az acr repository show-tags
  --name <저장소-이름>
  --repository <이미지-이름>
  --output table
```

이 명령어를 실행하면 "Resource provider 'Microsoft.ContainerInstance' used by this operation is not registered. We are registering for you."라는 메시지와 함께 ACI 구성이 시작됩니다.

성공하면 JSON 응답 값과 함께 ACI 대시보드에서 Container 인스턴스가 생성된 것을 볼 수 있습니다.

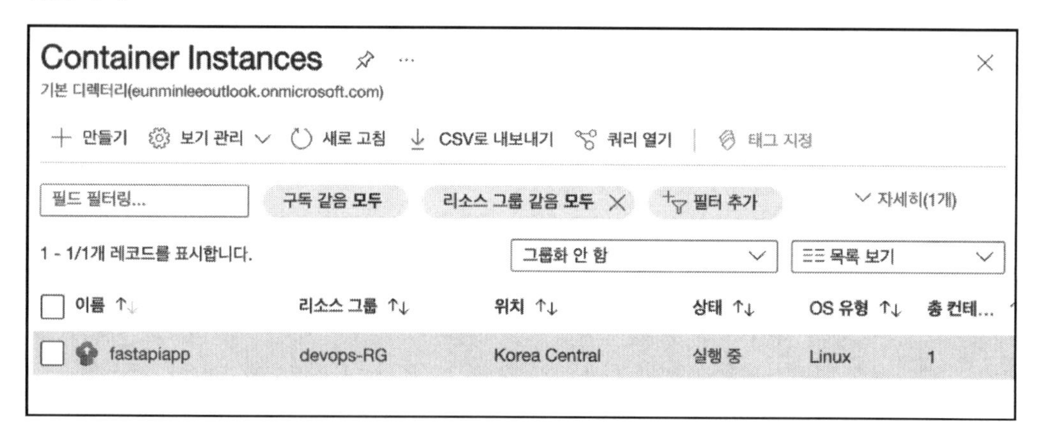

아래 명령어를 입력하면 실행 중인 컨테이너의 DNS 를 알 수 있고 해당 DNS 에 브라우저로 접속하여 웹 페이지로 확인할 수 있습니다.

```
az container show \
  --resource-group <리소스-그룹-이름> \
  --name <컨테이너-인스턴스-이름> \
  --query ipAddress.fqdn
```

하지만 웹 페이지가 정상적으로 로드되지 않을 것입니다. ACI 에 배포하기 위해서는 포트를 80 번으로 지정해야 하지만 현재 우리가 구현한 FastAPI 앱은 8000 번의 디폴트 포트를 사용하고 있기 때문입니다. 이와 관련한 내용은 ACI, AKS 두 개소 배포를 다루는 1.5.3, 1.5.4 항목에서 구체적으로 설명하겠습니다. 우선은 ACI 배포를 위해서는 포트를 80 번으로만 지정할 수 있다는 사실을 기억합시다. 대신 컨테이너의 터미널을 확인해보도록 하겠습니다.

> ℹ 브라우저로 접속하여 웹 페이지로 웹 애플리케이션 서버를 확인하고 싶다면 FastAPI 앱의 포트를 "80"번으로 바꿔준 후 ACI 에 배포합니다.

로그를 확인하려면 아래 명령어를 입력하면 됩니다.

```
az container logs \
  --resource-group <리소스-그룹-이름> \
  --name <컨테이너-이름>
```

아래처럼 출력된다면 애플리케이션이 잘 실행된 것입니다.

```
→  mlops git:(main) az container logs \
  --resource-group devops-RG \
  --name fastapiapp
INFO:     Started server process [19]
INFO:     Waiting for application startup.
INFO:     Application startup complete.
INFO:     Uvicorn running on http://0.0.0.0:8000 (Press CTRL+C to quit)
```

아니면 방금 실행한 컨테이너의 대시보드에 들어가 "설정 > 컨테이너 > 로그"를 직접 확인해도 됩니다.

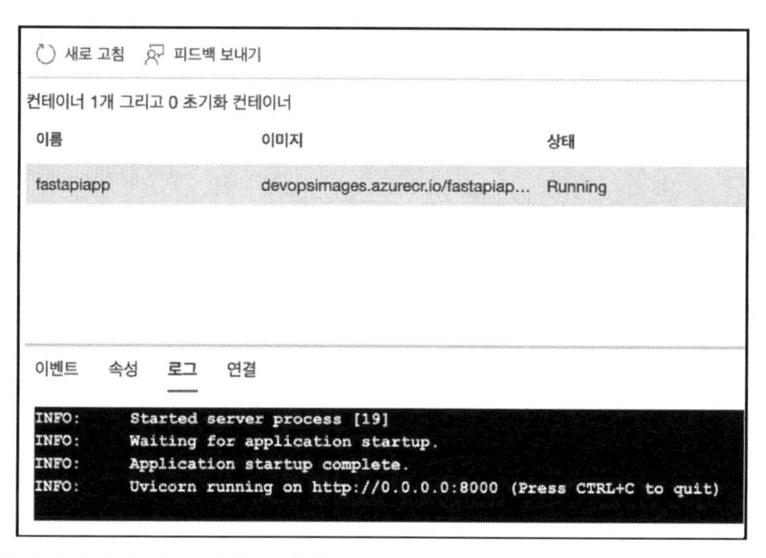

fastAPI 애플리케이션이 잘 돌아가고 있네요. 성공입니다.

컨테이너가 실행되는 것을 확인했습니다. 테스트가 끝났으니 방금 배포한 컨테이너 리소스를 삭제한 후 이번에는 GitHub Actions 의 워크플로우를 이용해 우리의 본래 바람대로 "자동 배포"를 달성해보도록 하겠습니다.

4.10. GitHub Actions 로 배포하기

GitHub Actions 탭에서 deploy 워크플로우를 선택합니다. 그리고 "re-run failed jobs" 버튼을 클릭해 아까 실패했던 deploy 작업을 재실행합니다.

Azure Container Instance 리소스 구성을 마쳤으므로 이번에는 오류 없이 작동하리라고 기대할 수 있습니다.

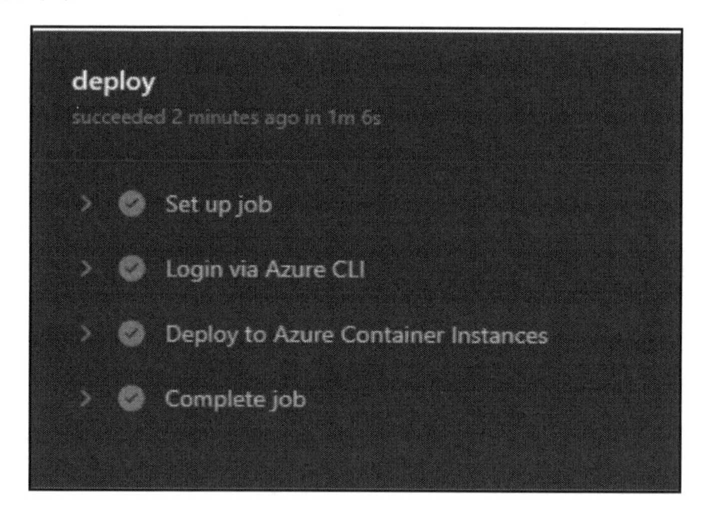

성공적으로 잘 수행되었습니다.

리마인드를 위해 자동 배포 단계를 요약한 것을 다시 한번 살펴보겠습니다.

1. GitHub 에 우리의 코드를 커밋하고 main 브랜치에 푸시합니다.
2. 자동으로 우리의 웹 앱 코드가 도커 이미지로 빌드 됩니다.
3. 이 빌드 된 도커 이미지가 Azure 의 저장소에 푸시됩니다.
4. push 된 도커 이미지를 자동으로 배포합니다.

방금 우리는 4 번 작업을 마쳤습니다. 이로써 메인 브랜치에 코드가 커밋 되면 도커 이미지 빌드 및 저장소 업로드, 컨테이너 배포까지 자동화 파이프라인이 구축되었습니다.

📌 주의하세요!

배포 자동화가 잘 작동하는 것을 확인했다면 사용하지 않는 리소스를 꼭 삭제하여 불필요한 과금을 방지합니다.

5. Azure ACI, AKS 두 타겟 CD 구축하기

지금까지 Azure Container Instance 에 배포 자동화를 구축했습니다. 이제 더 나아가서 ACI 뿐만 아니라 컨테이너를 활용하는 다른 Azure 서비스에도 배포하는 작업을 진행합니다. 특히 Azure Kubernetes Service (이하 AKS)라고 불리는 Azure 의 쿠버네티스 서비스에 배포 해보겠습니다.

결과적으로 이 단계를 완료하면 ACI, AKS 두 서비스에 동시에 자동 배포화를 구축할 수 있습니다. 최종적인 워크플로우는 아래처럼 보이게 됩니다.

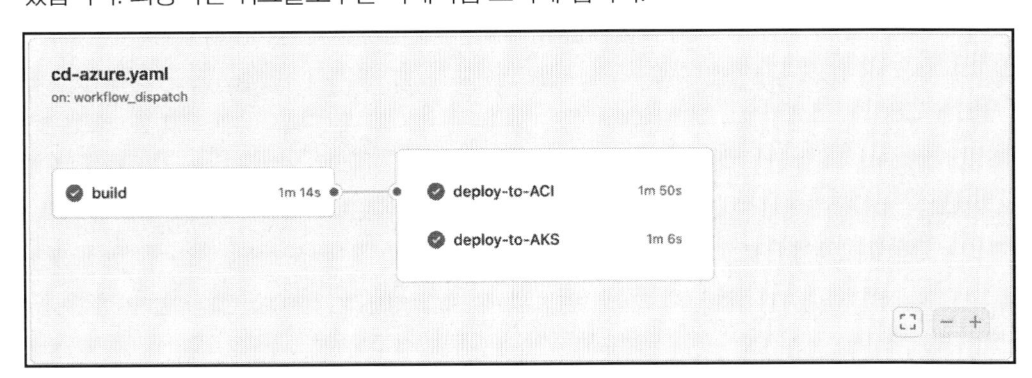

이는 기존의 워크플로우에 지금까지 했던 것과 비슷하게 AKS 에 배포하는 단계를 추가함으로써 달성할 수 있습니다.

📌 Azure Kubernetes Service (AKS)란?

AKS 를 이해하기 위해서는 먼저 쿠버네티스(Kubernetes)에 대한 기본 개념을 알아야 합니다. 쿠버네티스는 컨테이너화 된 애플리케이션을 자동으로 배포, 관리, 확장할 수 있게 해주는 오픈소스 플랫폼입니다. 컨테이너가 무엇인지는 앞서 배웠습니다. 쿠버네티스는 이렇게 생성된 컨테이너들을 관리하고 조율하는 역할을 한다고 보시면 됩니다.

AKS 는 이 쿠버네티스를 Azure 클라우드 환경에서 쉽고 효율적으로 관리할 수 있게 해주는 서비스입니다.

5.1. CLI 로 AKS 클러스터 만들기

"클러스터"와 "노드"란?

쿠버네티스를 이해하기 위해서는 "클러스터"를 알아야 합니다. 클러스터란 컨테이너를 실행하기 위한 컴퓨터들의 집합이라고 할 수 있습니다. 그리고 그 각각의 컴퓨터를 "노드"라고 부릅니다.

쿠버네티스는 컨테이너들을 관리한다고 조율한다고 했습니다. 예를 들어, 사용자가 쿠버네티스를 통해 애플리케이션을 배포하면 쿠버네티스 클러스터는 알맞은 노드를 골라 애플리케이션을 실행시킵니다. 또한 애플리케이션의 부하가 증가하면 추가 노드에 애플리케이션의 인스턴스를 추가하여 부하를 분산시킵니다. 실행하는 애플리케이션에 문제가 생기면 해당 컨테이너를 자동으로 재시작 하거나, 필요하면 다른 노드로 옮겨 지속적으로 실행이 가능하게끔 하죠.

클러스터를 하나의 스포츠 팀이라고 한다면 이 팀의 감독과 선수는 노드에 해당합니다. 감독 역할을 맡은 노드는 선수 노드들이 지시에 따라 애플리케이션을 실행하도록 하는 것이죠.

"파드"란?

클러스터, 노드에 이어 파드(Pod)도 같이 이해하면 좋습니다. 파드란 간단히 말해 하나 이상의 컨테이너를 감싸고 있는 래퍼라고 생각하면 됩니다. 이 컨테이너들은 같은 파드 안에서 밀접하게 연관되어 스토리지, 네트워킹을 공유하고 동일한 생명주기를 가집니다. 각 노드는 여러 파드를 실행한다는 점에서, 파드란 쿠버네티스에서 컨테이너가 실행되는 가장 작은 단위입니다.

AKS 클러스터 생성하기

그러면 ACI 에 배포했던 것과 마찬가지로 먼저 AKS 에 수동으로 배포하고 리소스를 생성하겠습니다.

아래 명령어를 통해 AKS 클러스터를 생성합니다. "Devops-Cluster"라는 이름으로 클러스터를 생성하겠습니다.

```
az aks create -g <리소스-그룹-이름> -n <클러스터-이름> \
      --enable-managed-identity \
      --node-count 1 \
      --generate-ssh-keys \
```

"Registration succeeded."라는 문구와 함께 JSON 포맷의 response 를 받으면 성공입니다. Azure 의 대시보드에 접속하여 잘 생성됐는지 확인해봅시다.

리소스 그룹에 "Kubernetes 서비스"라는 형식으로 리소스가 생성된 것이 보입니다.

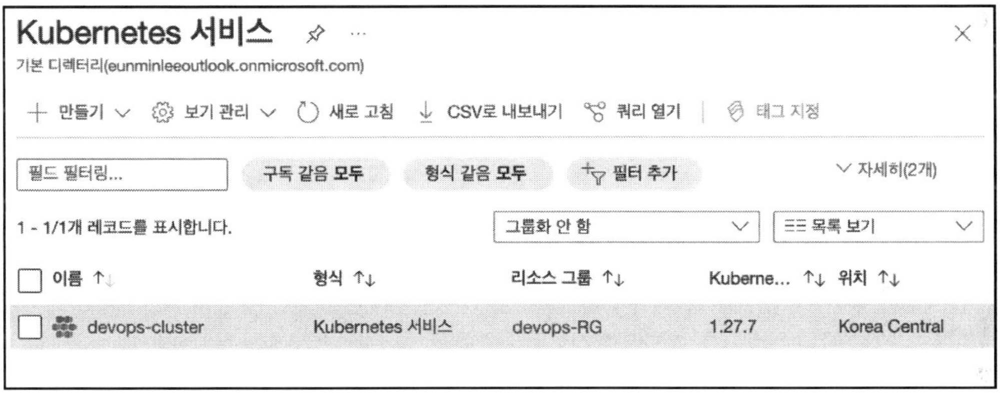

Kubernetes 서비스
기본 디렉터리(eunminleeoutlook.onmicrosoft.com)
+ 만들기 ⌄ 보기 관리 ⌄ 새로 고침 CSV로 내보내기 쿼리 열기 | 태그 지정
필드 필터링... 구독 같음 모두 형식 같음 모두 필터 추가 ⌄ 자세히(2개)
1 - 1/1개 레코드를 표시합니다. 그룹화 안 함 목록 보기

이름	형식	리소스 그룹	Kuberne...	위치
devops-cluster	Kubernetes 서비스	devops-RG	1.27.7	Korea Central

5.2. Kubernetes 명세 파일 작성하기

GitHub Actions 의 워크플로우를 실행하기 위해 워크플로우 yaml 파일이 필요한 것처럼 쿠버네티스 클러스터를 관리하고 설정하는 파일은 매니페스트(Manifest) 파일이라고 부릅니다. 클러스터에서 애플리케이션, 서비스, 볼륨 등을 생성하고 관리하기 위해 사용합니다. yaml 파일로 작성할 것이지만 JSON 형식으로도 가능합니다.

우선 아래와 같이 Kubernetes 의 "manifest.yaml" 파일을 프로젝트 폴더에 작성합니다.

```
apiVersion: apps/v1
kind: Deployment
metadata:
```

```yaml
  name: fastapiapp
spec:
  replicas: 1
  selector:
    matchLabels:
      app: fastapiapp
  strategy:
    rollingUpdate:
      maxSurge: 1
      maxUnavailable: 1
  minReadySeconds: 5
  template:
    metadata:
      labels:
        app: fastapiapp
    spec:
      nodeSelector:
        "kubernetes.io/os": linux
      containers:
      - name: fastapiapp
        image: devopsimages.azurecr.io/fastapiapp:latest
        ports:
        - containerPort: 80
        resources:
          requests:
            cpu: 250m
          limits:
            cpu: 500m
---
apiVersion: v1
kind: Service
metadata:
  name: fastapiapp
spec:
  type: LoadBalancer
  ports:
  - port: 80
  selector:
    app: fastapiapp
```

이 매니페스트 파일은 크게 두 부분으로 구성되어 있습니다. "Deployment"와 "Service"가 그것이죠. 쿠버네티스에서는 이를 "오브젝트"라고 지칭합니다. "Deployment"는 배포를 뜻하고 "Service"는 쉽게 말해 네트워크라고 이해하면 됩니다. 이 파일은 FastAPI 애플리케이션을 쿠버네티스 클러스터에 배포하고 외부로 노출하는 방법을 설명하고 있는 것입니다.

Deployment 정의

"Deployment"는 애플리케이션의 배포를 관리하는 쿠버네티스 오브젝트입니다. 애플리케이션을 유지하고, 업데이트 및 롤백을 관리합니다.

- apiVersion: 사용하는 쿠버네티스 API 버전입니다. "apps/v1"을 사용하도록 하고 있습니다.
- kind: 생성하려는 오브젝트의 종류로 여기서는 "Deployment"입니다.
- metadata: 오브젝트에 대한 메타데이터를 정의합니다. "name" 필드에 원하는 이름을 지정합니다. 여기서는 "fastapiapp"이라는 이름을 지정했습니다.
- spec: "Deployment"의 사양을 정의합니다.
- replicas: 애플리케이션의 복제본 수를 1 로 설정합니다.
- selector: "Deployment"가 관리할 Pod 의 레이블 선택자를 정의합니다. 파드는 쉽게 말해 컨테이너입니다. "fastapiapp" 레이블을 가진 Pod 를 선택합니다.
- strategy: 업데이트 전략을 정의합니다. "rollingUpdate" 전략을 사용하여 업데이트 시 "maxSurge"와 "maxUnavailable"을 각각 1 로 설정했습니다.
- minReadySeconds: Pod 가 준비 상태로 간주되기 전까지 기다려야 하는 최소 시간(초)입니다.
- template: "Deployment"가 생성할 Pod 의 템플릿입니다. Pod 의 레이블, 사용할 컨테이너 이미지("devopsimages.azurecr.io/fastapiapp:latest"), 포트, 리소스 요청 및 제한 사항을 정의합니다.

Service 정의

Service 는 하나 이상의 Pod 에 대한 네트워크 액세스를 제공하는 오브젝트입니다. Service 를 통해 클러스터 내부 또는 외부에서 애플리케이션에 접근할 수 있습니다.

- apiVersion: v1 은 "Service" 오브젝트에 대한 API 버전입니다.
- kind: 생성하려는 오브젝트의 종류로, 여기서는 Service 입니다.
- metadata: Service 의 메타데이터를 정의합니다. "name" 필드에는 "fastapiapp"이라는 이름을 지정했습니다.
- spec: Service 의 사양을 정의합니다.
- type: "LoadBalancer"로 설정하여, 클라우드 제공자의 로드 밸런서를 사용하여 서비스를 외부에 노출합니다.
- ports: 외부에 노출할 포트를 정의합니다. 여기서는 80 포트를 사용합니다.

- selector: Service 가 트래픽을 전달할 Pod 를 선택하는 데 사용하는 레이블 선택자입니다. "fastapiapp" 레이블을 가진 Pod 로 트래픽을 전달합니다.

결론적으로 이 매니페스트 파일을 통해 "fastapiapp" 이름을 가진 "Deployment"와 "Service"를 생성하여 FastAPI 애플리케이션을 쿠버네티스 클러스터에 배포하고, "LoadBalancer" 타입의 "Service"를 통해 외부에서 애플리케이션에 접근할 수 있도록 설정합니다.

매니페스트 파일에 대하여 이 정도로 언급하고 이제 지속적 배포를 위한 yaml 파일을 수정해보도록 하겠습니다.

5.3. GitHub Actions "cd-azure.yaml" 파일에 AKS 배포 작업 추가하기

ACI 배포 작업까지 작성되어 있는 "cd-azure.yaml" 파일을 수정하겠습니다. 우선 기존의 deploy 작업에 아래처럼 AKS 배포 작업을 명시합니다. 그리고 AKS 지속적 배포 구축 작업이 완료되기 전까지는 워크플로우의 ACI 배포 단계를 주석 처리해둘 것을 권합니다.

미리 말하자면 이 명세 파일은 우리가 원하는 대로 작동하지 않을 것입니다. 발생하는 에러를 살펴보며 앞으로 그 이유를 살펴보겠습니다.

```
  deploy:
    needs: build
    runs-on: ubuntu-latests
    steps:
    - name: Set AKS context
      id: set-context
      uses: azure/aks-set-context@v3
      with:
        resource-group: ${{ secrets.RESOURCE_GROUP }}
        cluster-name: ${{ secrets.CLUSTER_NAME }}

    - name: Setup kubectl
      id: install-kubectl
      uses: azure/setup-kubectl@v3

    - name: Deploy to AKS
      id: deploy-aks
      uses: Azure/k8s-deploy@v4
      with:
        namespace: 'default'
        manifests: manifest.yaml
        images:
${{ secrets.REGISTRY_LOGIN_SERVER }}/fastapiapp:${{ github.sha }}
        pull-images: false
```

워크플로우 파일 내에 "CLUSTER_NAME"이라는 시크릿 변수가 사용된 것을 볼 수 있습니다. ACI 배포 때 진행한 방법과 동일하게 GitHub 시크릿을 저장소에서 생성해줍니다.

AKS 배포를 위한 6 단계

AKS 배포 작업이 추가 된 "cd-azure.yaml" 파일을 설명하기 전에 "AKS 배포를 위한 6 단계"를 살펴보겠습니다.

1. 소스 코드를 복사합니다.
2. 이미지를 빌드하고 ACR 저장소에 업로드합니다.
3. 사용자의 Azure 계정에 로그인합니다.
4. 사용자의 AKS 클러스터에 맞는 AKS Context를 설정합니다.
5. Kubectl을 러너에 설치합니다.
6. 사용자의 앱을 쿠버네티스 클러스터에 배포합니다.

이제 위에서 살펴본 yaml 파일의 "steps"에 해당하는 각각의 스텝을 살펴보겠습니다.

- Set AKS context: 위의 4 단계에 해당합니다. 사용자의 리소스 그룹과 클러스터 이름을 변수로 받습니다.
- Setup kubectl: 위의 5 단계에 해당합니다. 쿠버네티스를 다루기 위한 Kubectl 을 설치합니다.
- Deploy to AKS: 위의 6 단계에 해당합니다. 앞서 정의한 쿠버네티스 명세 파일을 토대로 사용자의 앱을 배포합니다.

AKS 배포에 필요한 6 단계 중, 1, 2, 3 단계를 제외한 4, 5, 6 단계만 명세서에 표현되어 있습니다.

앞서 ACI에 배포를 위해 ACR에 이미지를 푸시하는 작업 전에 1, 2, 3 단계를 수행하는 것을 볼 수 있습니다. 이미 동일한 단계를 진행했는데 똑같은 단계를 또 거쳐야 할까요? 시험 삼아 이 단계들을 스킵해보겠습니다. 그리고 변경사항을 저장소에 반영하여 확인해봅시다.

⚠ "Set AKS Context" 스텝에서 "please run 'az login' to setup account." 에러가 난다면?

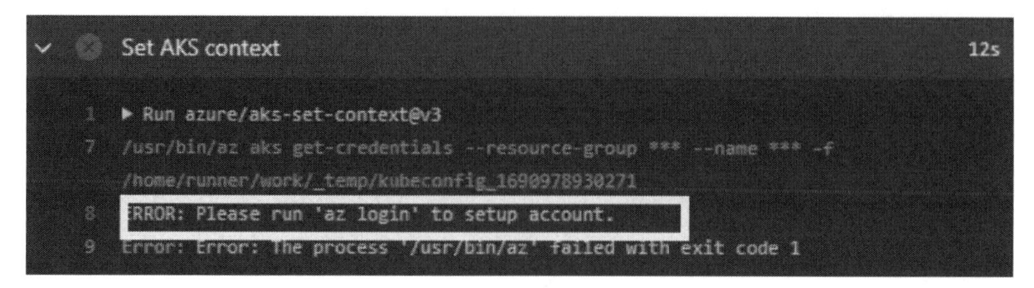

'Set AKS Context' 단계를 수행하는 도중 Azure 로그인을 요구하는 문구가 뜹니다. AKS 배포에 필요한 6단계 중 3단계가 필요하다고 이야기하는 것입니다.

같은 yaml 파일의 선행된 작업에서 동일한 단계를 수행했음에도 불구하고 왜 똑같은 작업을 또 요구하는 것일까요?

그 이유는 build 작업과 deploy 작업이 각기 다른 러너에서 실행되기 때문입니다. GitHub Actions의 워크플로우는 "러너"라고 하는 물리적 또는 가상의 컴퓨터를 말합니다. 즉 각각의 작업이 서로 다른 컴퓨터에서 실행된다는 것이죠. 그렇기 때문에 build 작업에서 로그인을 진행했더라도 deploy 작업에서도 새롭게 로그인 단계를 거쳐야 합니다.

아래처럼 "Azure login" 스텝을 Set AKS Context 스텝 이전에 추가합니다.

```
- name: 'Login via Azure CLI'
  uses: azure/login@v1
  with:
  creds: ${{ secrets.AZURE_CREDENTIALS }}
```

⚠ "Deploy to AKS" 단계에서 "no such file or directory, lstat 'manifest.yaml'" 에러가 난다면?

우리가 정의한 쿠버네티스 명세 파일인 "manifest.yaml"을 찾지 못한다는 메시지입니다. 왜 이런 메시지가 나타난 것일까요? 디렉토리를 제대로 찾아가고 있는지 출력문을 통해 확인해보겠습니다.

아래와 같은 스텝을 deploy 작업의 첫 번째 스텝으로 추가합니다.

```
- name: Check current dirctory
  run: pwd

- name: List files in current directory
  run: ls -a
```

아래처럼 "ls -a"를 실행하니 아무런 프로젝트 파일이 나타나지 않습니다. deploy 작업을 실행하는 환경에 우리의 소스코드가 존재하지 않는다는 말입니다.

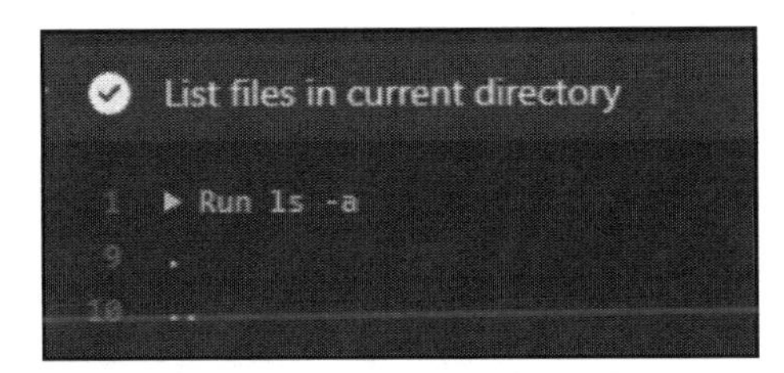

이런 일이 발생하는 이유는 무엇일까요? 이미 눈치채셨을 수도 있지만 "AKS 배포를 위한 6 단계" 중 1 번 단계를 건너 뛰었기 때문입니다.

저장소 코드를 가상환경으로 복사하는 스텝은 "uses: actions/checkout@main"라는 명령어를 통해 발생합니다. 즉, 앞서 말한 6 단계 중 1 단계를 의미합니다.

GitHub Actions 는 각각의 작업(jobs)을 병렬로 실행합니다. 워크플로우 전체 실행 시간을 줄이기 위함입니다. 이런 경우 작업은 독립적인 러너 인스턴스에서 실행됩니다. 따라서 같은 워크플로우 파일이라고 하더라도 각 작업에서 "actions/checkout@main" 스텝은 독립적으로 진행되므로 deploy 작업에서 동일한 스텝을 명시해야 합니다.

그런데 이전 챕터에서 ACI 에 배포하는 작업을 진행할 때는 위와 같은 "actions/checkout@main" 단계를 진행할 필요가 없었습니다. 이 경우는 저장소의 코드를 살펴볼 이유 없이, 이미 빌드 되어 Azure 저장소에 올라가 있는 이미지를 컨테이너로 실행만 하면 되는 작업이었기 때문입니다.

그렇다면 왜 AKS 배포 작업에서는 저장소 코드를 복사하는 단계가 필요한 것일까요? 이는 두 서비스, 즉 ACI 와 AKS 의 작동 방식의 차이에서 비롯됩니다.

ACI 는 단일 컨테이너 또는 컨테이너 그룹을 호스팅하는 데 초점을 맞춘 서비스입니다. 이 서비스는 컨테이너 이미지를 직접 실행하고 관리하는 것에 대해 매우 간단하고 직관적입니다. ACI 배포 작업에서는 빌드 작업에서 애플리케이션이 도커 이미지로 만들어져 컨테이너 저장소 푸시된 상태이기 때문에, 배포 작업에서는 추가적인 코드 복사나 설정 단계가 필요하지 않습니다. 컨테이너 저장소에 접근할 수 있는 권한만 있으면 되는 것이죠.

반면 AKS 는 컨테이너화 된 애플리케이션을 관리합니다. 그렇게 하기 위해 매니페스트 파일을 참조하여 애플리케이션을 구성하고 실행합니다. 이 매니페스트 파일은 애플리케이션의 서비스, 배포, 다른 리소스 등을 정의합니다. 따라서 이러한 매니페스트 파일을 참조하기 위해 저장소에서 코드를 체크 아웃하는 단계가 필요합니다.

그러면 아래와 같은 저장소 코드 복사 스텝을 "Azure login" 스텝 전에 추가하겠습니다. 그리고 다시 워크플로우를 실행합니다.

```
- name: 'Checkout GitHub Action'
  uses: actions/checkout@main
```

저장소의 프로젝트 디렉토리가 복사된 것을 확인할 수 있네요. 쿠버네티스 매니페스트 파일에 따라 "Set AKS context" 스텝도 성공적으로 마무리 했습니다.

⚠ "Deploy to AKS" 스텝의 "checking manifest stability" 과정에서 더 이상 진행되지 않는다면?

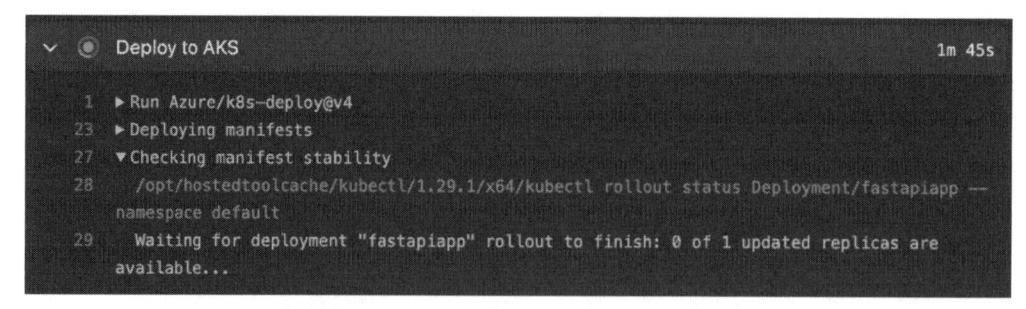

쿠버네티스 매니페스트 파일의 안정성을 체크하는 도중 에러가 발생하여 배포가 롤아웃 되고 있음을 안내하는 문구입니다. 무엇 때문에 배포에 실패한 것인지 Azure 포털에서 좀 더 정확한 이유를 찾아보겠습니다.

"Azure 홈 > Kubernetes 서비스"에서 작업 중인 클러스터를 선택합니다. 그리고 "워크로드"를 클릭한 뒤 "Pod" 텝을 신댁합니다.

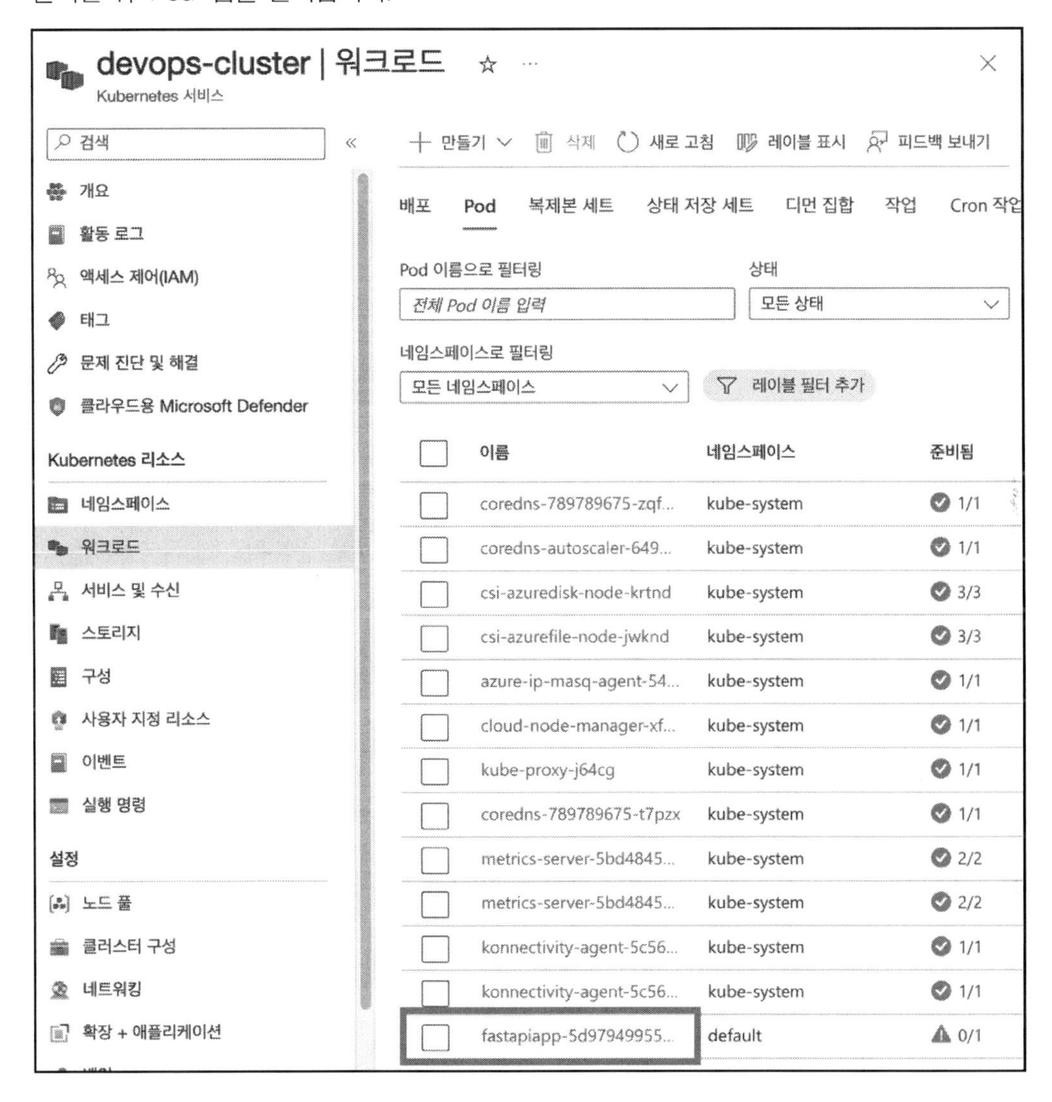

클러스터의 모든 파드 목록을 확인할 수 있는데요. 그 중 "fastapiapp"이라고 적힌 파드를 클릭합니다.

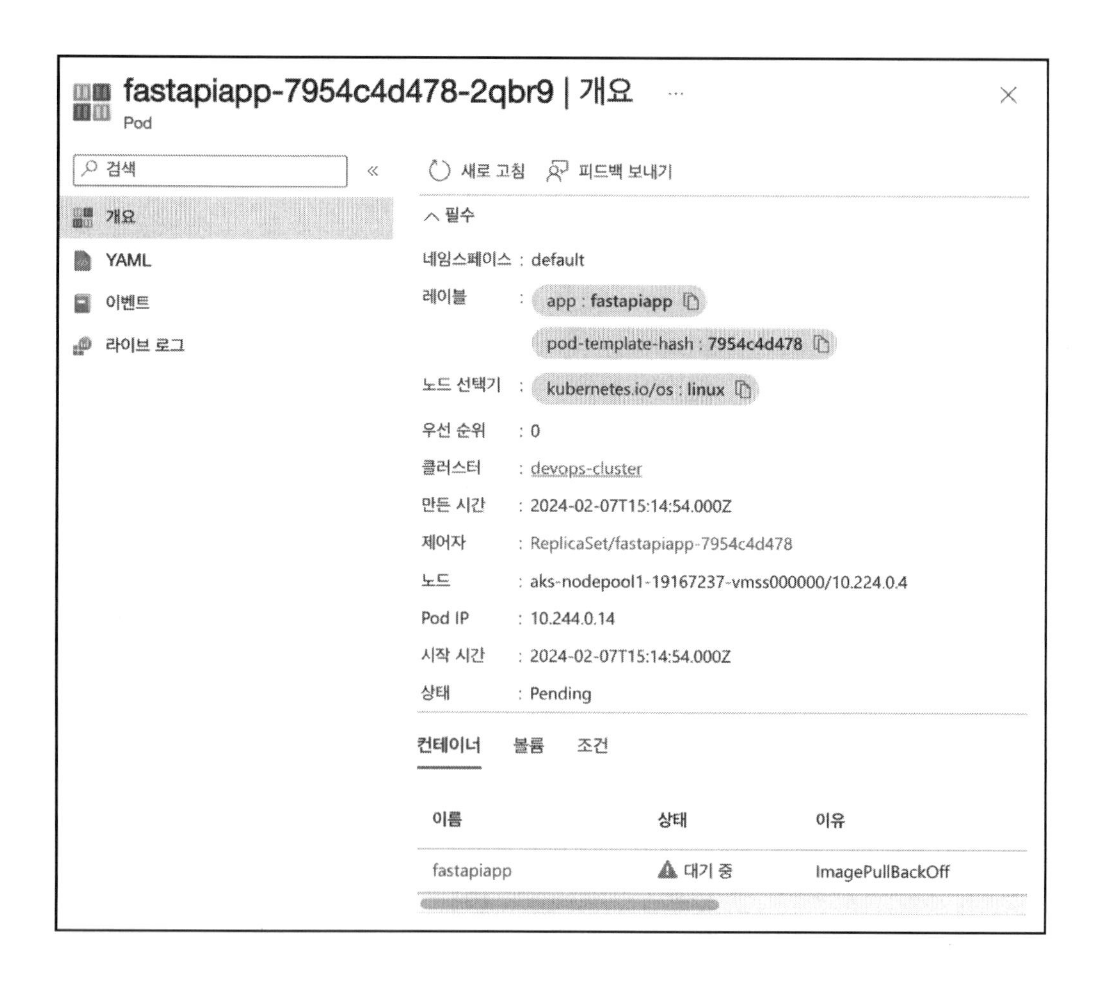

그러면 해당 파드의 컨테이너 목록에 "fastapiapp"이 보입니다. 파드는 하나 이상의 컨테이너를 실행합니다. "fastapiapp" 컨테이너를 클릭하면 아래와 같이 컨테이너의 기본 정보를 알 수 있습니다.

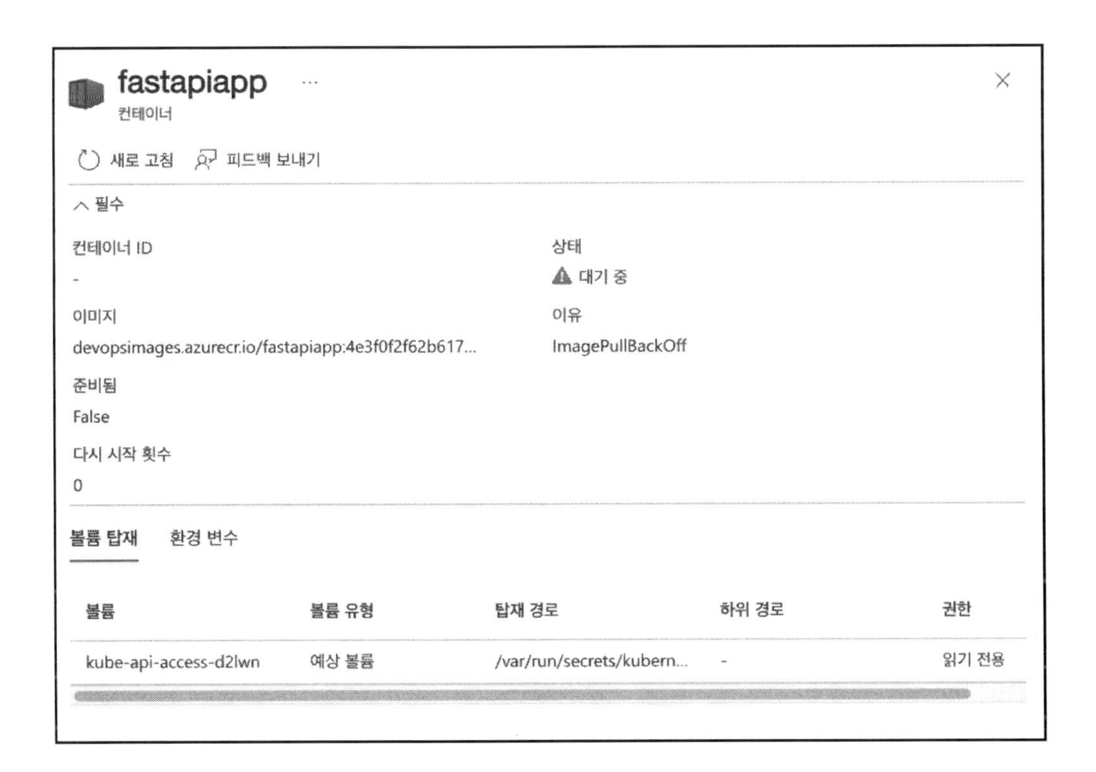

"ImagePullBackOff"는 쿠버네티스가 도커 이미지를 저장소에서 가져오는데 실패했음을 의미합니다.

먼저 잘못된 이미지 식별자를 입력한 것은 아닌지 확인합니다. ACR 에 업로드 된 최신 도커 이미지와 비교해보겠습니다.

"Azure 홈 > 컨테이너 레지스트리 > 리포지토리"를 클릭합니다. 지금까지 업로드 된 "fastapiapp" 컨테이너 이미지의 리스트가 보입니다.

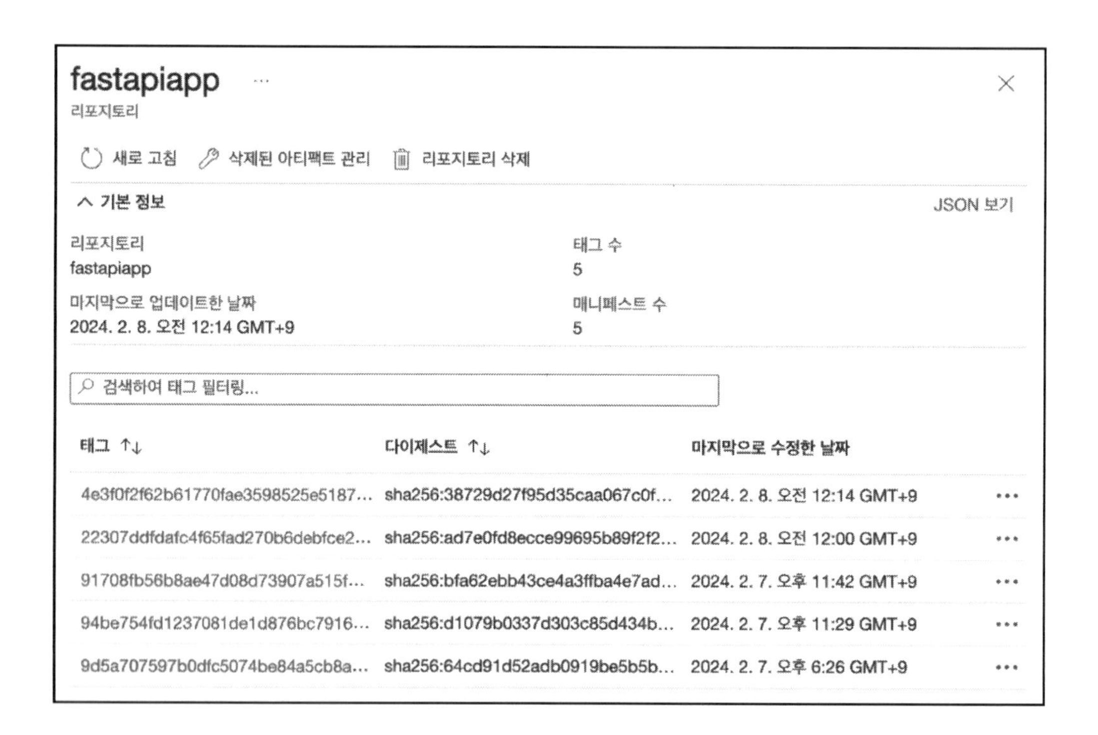

이미지 목록 중 하나를 선택하면 아래처럼 이미지의 기본 정보를 확인할 수 있습니다.

매니페스트의 "Docker 풀 명령"이라고 표기된 부분이 보입니다. "docker pull" 뒤의 문자열이 이미지 식별자입니다. AKS 컨테이너 정보의 이미지 식별자가 가장 최근에 업로드 된 저장소의 이미지 식별자와 일치하는지 확인합니다. 일치하지 않다면 워크플로우 파일을 그에 맞게 수정해야 합니다.

한편 이번에는 다시 AKS 대시보드로 돌아가 해당 파드의 이벤트 로그를 살펴보겠습니다.

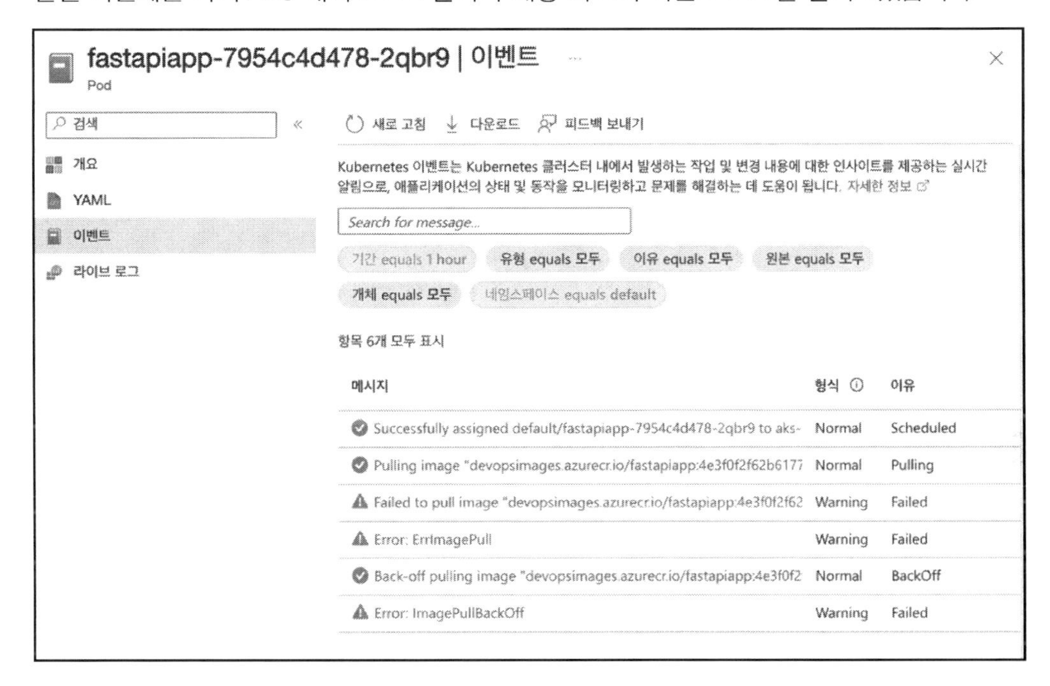

에러 메시지 목록이 보입니다. 이 중 "Failed to pull image"라고 시작하는 메시지를 클릭합니다. 그러면 이벤트와 관련된 정보를 YAML 형식으로 확인할 수 있습니다.

```
37  message: >-
38    Failed to pull image
39    "devopsimages.azurecr.io/
    fastapiapp:4e3f0f2f62b61770fae3598525e518738acfe1fd":
40    rpc error: code = Unknown desc = failed to pull and unpack
    image
41    "devopsimages.azurecr.io/
    fastapiapp:4e3f0f2f62b61770fae3598525e518738acfe1fd":
42    failed to resolve reference
43    "devopsimages.azurecr.io/
    fastapiapp:4e3f0f2f62b61770fae3598525e518738acfe1fd":
44    failed to authorize: failed to fetch anonymous token:
    unexpected status from
45    GET request to
46    https://devopsimages.azurecr.io/oauth2/token?
    scope=repository%3Afastapiapp%3Apull&service=devopsimages.
    azurecr.io:
47    401 Unauthorized
```

마지막에 “401 Unauthorized”는 문구가 보입니다. 문제의 원인은 AKS 가 ACR 에 접근하기 위해 사용한 자격증명의 권한이 충분하지 않기 때문입니다.

이를 해결하기 위해 AKS 의 클러스터를 업데이트하는 명령을 내리겠습니다. “–attach-acr” 플래그는 AKS 클러스터에 ACR 을 연결할 때 사용합니다.

```
az aks update -n <클러스터-이름> -g <리소스-그룹명> \
        --attach-acr <ACR 저장소-이름>
```

이 명령을 실행함으로써 AKS 클러스터는 지정한 ACR 에서 컨테이너 이미지를 불러올 수 있는 권한을 갖게 됩니다.

다시 워크플로우를 실행하여 실패 없이 작동했다면 AKS 클러스터에 애플리케이션 컨테이너가 배포된 것입니다.

⚠ 외부 접속 불가

그러면 쿠버네티스로 띄운 애플리케이션에 접속해 “FastAPI World”라는 메시지를 보여주는지 확인해봅시다.

네트워크와 관련된 부분은 쿠버네티스의 “Service”라는 기능에서 찾아볼 수 있습니다. “Azure 홈 > Kubernetes 서비스”에서 클러스터를 선택하고 “서비스 및 수신” 메뉴를 선택합니다.

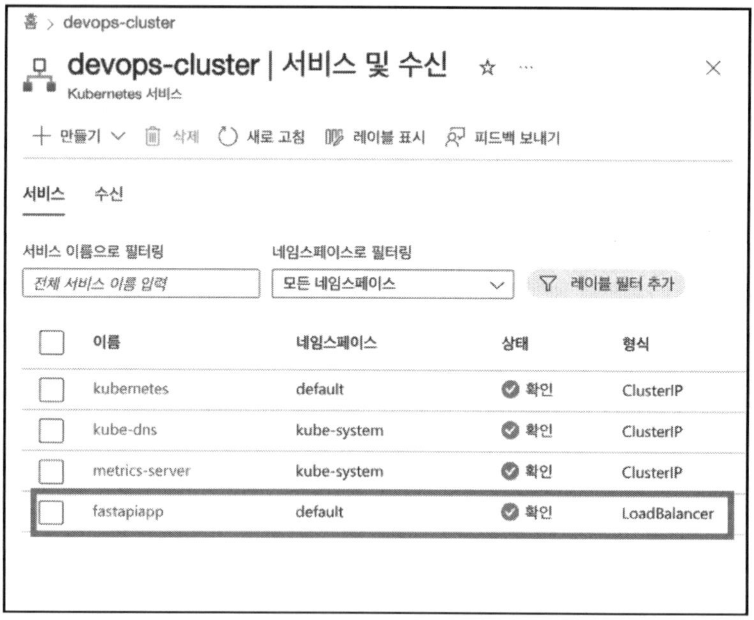

"fastapiapp" 서비스를 클릭합니다.

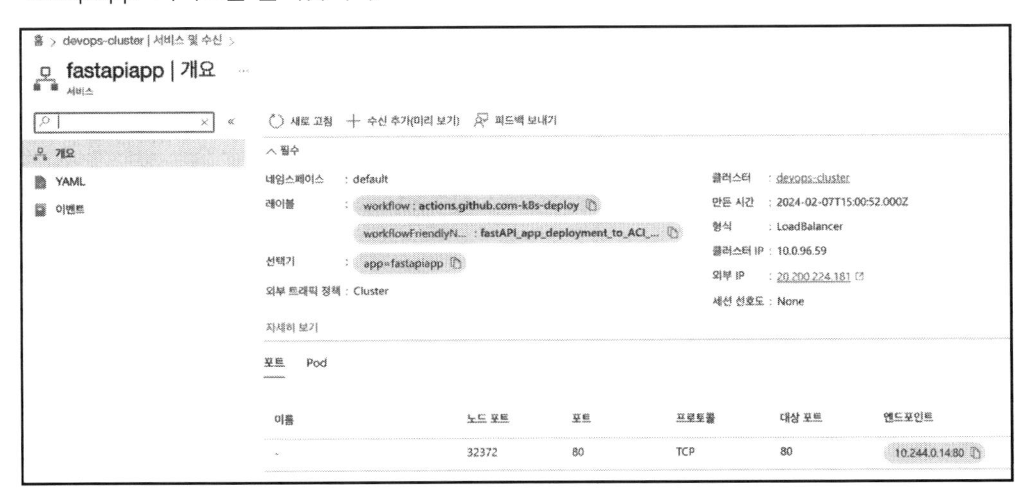

"manifest.yaml"의 "Service"에서 정의한 정보들이 보입니다. 여기서 "외부 IP"를 클릭합니다. 아마 연결이 되지 않을 것입니다. 정상적으로 배포는 되었는데 왜 접속할 수 없는지 알아봅시다.

"manifest.yaml" 파일로 돌아가 몇 군데를 살펴보겠습니다. 우선 우리의 fastAPI 앱은 기본값으로 8000 번 포트가 지정되어 있습니다. 반면 쿠버네티스 매니페스트 파일에는 80 번 포트를 쓰겠다고 명시했습니다.

아래 매니페스트 파일의 두 군데에서 포트를 명시하고 있습니다. "containers"의 "containerPort"와 "LoadBalancer"의 "ports" 설정에서 "port"입니다.

```
...
kind: Deployment
...
      spec:
    nodeSelector:
      "kubernetes.io/os": linux
    containers:
    - name: fastapiapp
      image: devopsimages.azurecr.io/fastapiapp:latest
      ports:
      - containerPort: 80

...
---
apiVersion: v1
kind: Service
```

```
...

spec:
  type: LoadBalancer
  ports:
  - port: 80

...
```

그리고 이 명시에 따라 배포 된 파드의 서비스 세부 정보에 아래처럼 나타나 있습니다.

형식: LoadBalancer

클러스터 IP: 10.0.96.59

외부 IP: 20.200.224.181

노드 포트(nodeport): 32372

포트(port): 80

프로토콜(protocol): TCP

대상 포트(target port): 80

엔드포인트(endpoint): 10.244.0.14:80

"노드 포트", "포트", "대상 포트" 세 가지 포트를 언급하고 있네요. 문제를 해결하기 위해 도대체 어떤 포트를 다뤄야 하는지 알아보겠습니다.

1. "형식(Service Type): LoadBalancer"

이는 서비스의 유형을 나타냅니다. LoadBalancer 유형의 서비스는 쿠버네티스 클러스터 외부에서 접근 가능한 공개 IP 주소를 할당 받습니다. Azure 의 로드 밸런서를 사용하여 서비스에 대한 트래픽을 적절한 파드로 분산시킵니다.

2. "클러스터 IP: 10.0.96.59"

이는 쿠버네티스 클러스터 내부에서만 접근 가능한 IP 주소입니다. 마치 사무실 내부 전화 시스템과 같습니다. 사무실 내에서는 특정 번호(예: 내선 번호)만으로 서로 통화를 할 수 있지만 사무실 바깥에서는 접근할 수 없는 방식인 것과 비슷합니다.

예를 들어, 웹 애플리케이션과 데이터베이스가 동일한 클러스터 안에 있고 웹 애플리케이션이 데이터베이스에 연결해야 하는 경우에 클러스터 IP를 사용하게 됩니다. 웹 애플리케이션은 데이터베이스 서비스의 클러스터 IP 와 포트를 통해 데이터베이스에 접속하게 됩니다.

3. "외부 IP: 20.200.224.181"

이는 클러스터 외부에서 서비스에 접근할 수 있도록 하는 IP 주소입니다. 마치 공용 전화번호처럼 누구나 이 번호를 통해 특정 사람이나 부서에 전화를 걸 수 있는 것과 비슷합니다.

예를 들어, 쿠버네티스 클러스터에 배포된 웹 사이트에 사용자가 접속하려면 외부 IP 를 통해 접속하게 됩니다. 이 때 일반적으로 사용자는 웹 브라우저에서 외부 IP 주소(또는 해당 IP 와 매핑 된 도메인 이름)를 입력하게 됩니다.

4. "노드 포트(NodePort): 32372"

노드 포트 서비스는 클러스터의 모든 노드에서 이 동일한 포트를 통해 서비스를 외출에 노출합니다. 이는 외부에서 직접 노드에 접속해야 할 때 사용합니다.

예를 들어, 특정 보안 규정 때문에 로드 밸런서 같은 추가적인 계층 없이 직접 노드에 접속해야 하는 경우를 말합니다. 이 때 사용자는 "http://<노드의 IP>:<노드포트>" 형식으로 서비스에 직접 접근할 수 있습니다. 간단한 개발/테스트 환경에서 사용될 수 있습니다. 일반적으로 30000-32767 범위의 포트를 사용합니다.

5. "포트(port): 80"

서비스가 자신에게 오는 트래픽을 받아들이는 포트로 "서비스 포트(Service Port)"라고도 합니다. 클러스터 내부나 외부에서 특정 서비스에 접근하기 위해 사용됩니다. 예를 들어, 웹 애플리케이션이 80 포트를 사용하도록 설정되어 있다면 사용자는 웹 브라우저에서 "http://<외부 IP>:80"를 통해 웹 애플리케이션에 접속하게 됩니다.

6. "프로토콜(protocol): TCP"

서비스가 사용하는 프로토콜로, TCP 가 기본값 프로토콜입니다. 쿠버네티스는 다른 프로토콜도 지원합니다.

7. "대상 포트(Target Port): 80"

이는 서비스가 자신에게 온 트래픽을 전달할 "파드의 포트(Pod's port)"로, 어떤 파드의 어떤 포트로 요청을 전달해야 하는지를 결정하는데 사용합니다. 예를 들어, 웹 애플리케이션을 실행하는 파드가 5000 포트에서 동작하도록 설정되어 있다면 서비스의 대상 포트는 5000 으로 설정됩니다.

"포트"는 서비스 자체가 수신하는 포트이며, "대상 포트"는 서비스가 트래픽을 전달하는 파드 내의 포트입니다. 예를 들어, 서비스의 "포트"가 80 이고 "대상 포트"가 5000 인 경우 외부에서는 80 포트를 통해 서비스에 접근하지만 실제 트래픽은 5000 포트로 전달됩니다.

8. "엔드포인트(endpoint): 10.244.0.14:80"

쿠버네티스 서비스가 트래픽을 전달하는 대상, 즉 하나 이상의 파드를 나타냅니다. 이는 서비스가 네트워크 트래픽을 어디로 보낼 지 결정하는데 사용됩니다. 엔드포인트는 특정 IP 와 포트로 구성됩니다. 이 경우 IP 주소가 10.244.0.21 이고 포트가 80 인 파드를 대상으로 합니다.

쿠버네티스 서비스는 선택자(selector)라는 것을 사용하여 트래픽을 전달할 파드 그룹을 정의합니다. 서비스의 선택자에 일치하는 모든 파드를 식별한 뒤, 이 파드들의 IP 주소와 포트를 엔드포인트로 사용합니다.

만약 이런 파드가 생성되거나 종료된다면 쿠버네티스는 자동으로 엔드포인트를 업데이트합니다. 이는 서비스가 항상 사용 가능한 파드로만 트래픽을 라우팅하도록 보장해줍니다.

위 사항 중 우리가 쿠버네티스 매니페스트 파일로 변경하거나 지정할 수 있는 사항은 다음과 같습니다.

- "Service Type": "LoadBalancer", "NodePort", "ClusterIP" 등 서비스의 타입
- "Port (Service Port)": 서비스가 외부로 노출하는 포트
- "Target Port (Pod's port)": 서비스가 요청을 전달할 파드의 포트
- "NodePort": 서비스 타입이 "NodePort"로 설정된 경우, 특정 노드 포트를 직접 지정할 수 있습니다. 하지만 대부분의 경우 쿠버네티스가 자동으로 노드 포트를 할당합니다.

다음의 내용은 직접 지정하거나 변경할 수 없습니다.

- "클러스터 IP": 서비스를 생성하면 쿠버네티스 시스템이 자동으로 할당합니다.
- "외부 IP": 로드밸런서를 사용하는 경우 클라우드 제공업체(AWS, Google Cloud, Azure 등)가 자동으로 할당합니다.

따라서 우리의 상황에서는 "대상 포트"를 fastAPI 앱이 사용하는 8000 번 포트로 지정되어야 제대로 작동합니다. 서비스 포트(port)는 80 번이어도 괜찮습니다. "<외부 IP>:<서비스-포트>"로의 요청을 쿠버네티스 서비스가 8000 번 포트를 사용하는 애플리케이션 컨테이너로 보내주기만 하면 되기 때문입니다.

대상 포트를 8000 으로 명시하기 위해서는 어떻게 해야 할까요? "Service"의 "spec" 중 "ports" 필드에 "targetPort" 필드를 추가하여 대상 포트를 지정할 수 있습니다. 바로 아래처럼 말입니다.

```
...
kind: Service
...
spec:
  type: LoadBalancer
  ports:
  - port: 80
    targetPort: 8000 # 대상 포트 추가
...
```

"containerPort"와 "targetPort" 두 가지 필드의 차이점은 무엇일까요?

- "containerPort": 선택 사항으로, 컨테이너가 이 포트에서 수신을 대기하고 있다고 명시적으로 표현하는 것입니다. 작성하지 않으면 쿠버네티스는 해당 컨테이너가 몇 번 포트에서 수신 대기 하고 있는지 알 수 없습니다.
- "targetPort": 선택 사항으로, 작성하지 않으면 "자동으로 port의 값을 참조"합니다.

이제 아래처럼 포트 설정을 마무리합니다. "targetPort"가 "containerPort"를 참조할 수 있도록 "name" 필드를 사용해 변수처럼 사용했습니다. 이때 15 자를 넘지 않도록 합니다. 이렇게 따로 "targetPort"를 명시하지 않으면 "port" 값인 80번 포트로 기본 지정됩니다.

```
...
kind: Deployment
...
      spec:
    nodeSelector:
      "kubernetes.io/os": linux
    containers:
    - name: fastapiapp
      image: devopsimages.azurecr.io/fastapiapp:latest
      ports:
      - containerPort: 8000   # fastAPI 앱의 기본값 포트로 변경
        name: fastapi-port    # name을 지정하여 변수처럼 사용

...
---
apiVersion: v1
kind: Service
...
spec:
  type: LoadBalancer
  ports:
  - port: 80
```

```
    targetPort: fastapi-port   # 변수를 사용하여 대상 포트 지정
...
```

Azure 대시보드에서 아래와 같이 대상 포트가 "fastapi-port"로 변경된 것을 확인할 수 있습니다.

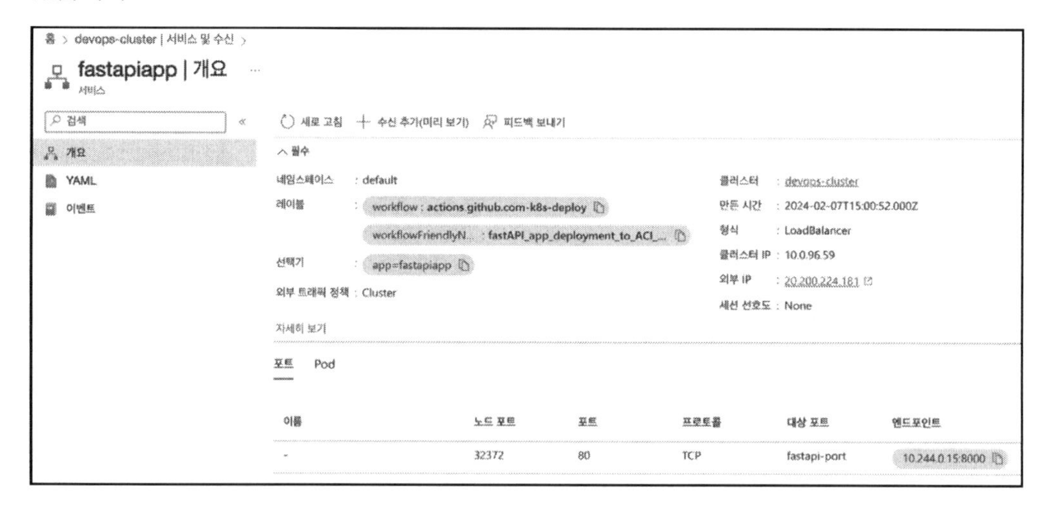

그리고 외부 IP로 접속하여 "FastAPI World!!" 메시지가 보인다면 성공입니다.

5.4. AKS, ACI 동시 배포 시 조심해야 할 점 (ACI 포트 매핑)

최종적으로 ACI, AKS에 동시 배포 하기 위해 "cd-azure.yaml" 파일에서 ACI 배포하는 부분을 주석 해제하겠습니다.

여기서 주의해야 할 점을 짚어보겠습니다.

1. GitHub Actions의 작업(Job) 이름이 서로 중복되면 안 됩니다.

"deploy-to-ACI", "deploy-to-AKS"와 같이 서로 다른 이름을 붙입니다.

2. ACI는 80번 포트만을 지원합니다.

ACI의 경우 간단한 테스트 목적으로 빠르게 앱을 띄우는 것이 목적인 만큼, 일반적인 도커 설정을 통한 포트 매핑을 지원하지 않습니다. 결론적으로 ACI와 AKS 동시 배포를 위해서 FastAPI 앱의 기본값 포트를 80으로 지정할 것을 추천합니다. 그리고 이전 단계에서 다룬

AKS 배포를 위한 쿠버네티스 매니페스트 파일에서 "containerPort"를 "80"으로 변경합니다.

그러면 아래처럼 ACI를 통해 배포한 웹 서버에 접속할 수 있습니다.

마지막으로 AKS를 통해 배포한 웹 서버에도 접속할 수 있습니다.

이로써 ACI, AKS 자동 배포화를 성공적으로 마무리했습니다.

Chapter 2. GCP CD

지금까지 Azure 로 DevOps 를 진행하였습니다. 이번 과정은 GCP(Google Cloud Platform)에서 DevOps 를 하는 과정을 배워봅니다.

1. GCP 새 프로젝트 생성하기

새 프로젝트를 생성합니다. 생성할 프로젝트의 식별자는 ID 입니다. 보통 생성한 프로젝트명과 임의의 번호로 생성됩니다.

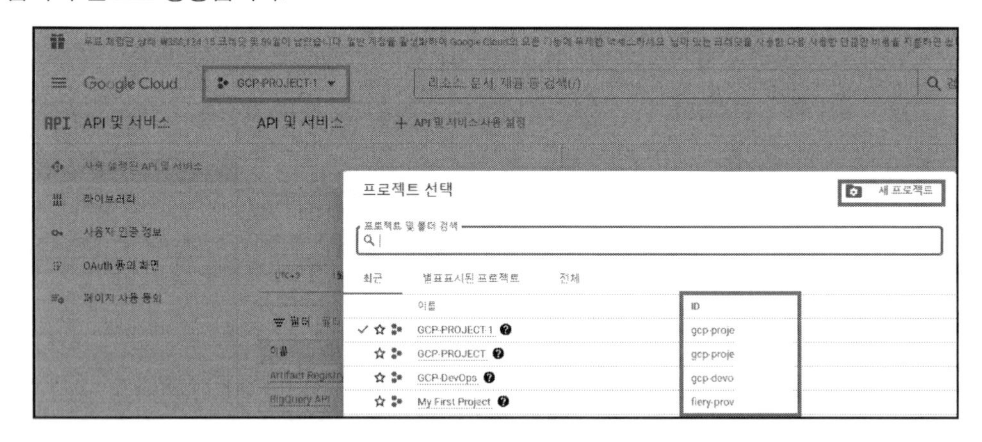

2. GCP API 서비스 추가하기

사용할 API 서비스를 검색하여 추가합니다: API 및 서비스 → 라이브러리 → API 검색

추가할 서비스는 Cloud Run API, Compute Engine API, Artifact Registry API 입니다.

Cloud Run API[12]

Cloud Run API는 Google Cloud Platform(GCP)에서 호스팅 되는 서버리스 컨테이너 플랫폼인 Cloud Run을 관리하기 위한 API 입니다.

Cloud Run 은 개발자가 컨테이너화 된 애플리케이션을 빠르게 배포하고 실행할 수 있도록 지원합니다.

이 API 를 사용하면 사용자는 CLI, SDK 또는 다른 서비스와 통합하여 애플리케이션을 배포, 관리 및 모니터링할 수 있습니다.

Compute Engine API[13]

Compute Engine API는 Google Cloud Platform(GCP)의 가상 머신(VM)을 생성하고 관리하기 위한 API 입니다.

이 API를 사용하면 사용자는 컴퓨팅 리소스를 프로그래밍 방식으로 생성, 시작, 정지, 삭제 및 관리할 수 있습니다.

Compute Engine API 를 통해 사용자는 가상 머신의 사양을 구성하고 인스턴스를 시작하여 클라우드 환경에서의 계산 리소스를 유연하게 활용할 수 있습니다.

Artifact Registry API[14]

Artifact Registry API 는 Google Cloud 의 Artifact Registry 서비스를 사용하여 소프트웨어 패키지 및 종속성을 저장, 관리 및 검색하기 위한 API 입니다.

Artifact Registry 는 Docker 이미지 및 Maven, npm 등의 패키지를 저장하고 관리하는 데 사용됩니다.

이 API 를 사용하면 개발자 및 운영팀은 소프트웨어 패키지를 중앙 집중식으로 관리하고 배포할 수 있으며, 보안 및 규정 준수를 강화할 수 있습니다.

---

[12]https://console.cloud.google.com/marketplace/product/google/run.googleapis.com
[13]https://console.cloud.google.com/marketplace/product/google/compute.googleapis.com
[14]https://console.cloud.google.com/marketplace/product/google/artifactregistry.googleapis.com

API 란?

API(Application Programming Interface)는 응용 프로그램 간에 데이터를 교환할 수 있는 인터페이스를 제공하는 소프트웨어 도구입니다.

소프트웨어 간 통신을 위한 규격이나 규약을 의미합니다. API 를 통해 다른 응용 프로그램이나 서비스에게 요청을 보내고, 데이터를 전송하며, 그 결과를 받아올 수 있습니다.

GCP API 는?

GCP API 는 Google 이 제공하는 클라우드 컴퓨팅 서비스입니다. GCP 는 다양한 서비스와 기능을 제공하며, 이러한 기능들을 활용하기 위해 GCP API 를 사용할 수 있습니다. GCP API 는 다양한 서비스와 상호작용하고 데이터를 관리하기 위한 메서드와 인터페이스를 제공합니다.

3. 서비스 계정(SA) 생성 및 자격 증명 저장 - CLI

서비스 계정 생성 과정은 gcloud CLI 를 사용하여 진행합니다.

3.1. gcloud CLI 설치 및 초기화

gcloud CLI 를 설치합니다. 설치 가이드 문서[15]를 참조하세요. 설치 후, 터미널을 새로 열고 아래 명령어를 입력하면 계정 연결을 위한 주소가 출력됩니다. 링크로 들어가서 계정을 연결하고, 프로젝트와 리전을 선택하면 초기 세팅은 끝납니다.

```
$ ./google-cloud-sdk/bin/gcloud init
```

[15] "gcloud CLI" (https://cloud.google.com/sdk/docs/install?hl=ko)

3.2. 서비스 계정 생성하기

서비스 계정이란?

GCP 리소스에 대한 액세스를 제어하는 데 사용되는 특별한 유형의 계정입니다. 다른 GCP 서비스와 상호 작용하거나 GCP API를 사용하는 애플리케이션, 프로세스 또는 인프라에 대해 인증 및 권한 부여를 담당합니다.

서비스 계정을 생성합니다.

```
$ SA="gcp-project-sa1"
$ gcloud iam service-accounts create $SA
```

서비스 계정 리스트를 확인합니다.

```
$ gcloud iam service-accounts list
```

SA 계정 식별자는 아래 빨간 박스안의 EMAIL 입니다.

EMAIL 은 아래 형식으로 생성됩니다.

```
<생성한 SA 계정>@<프로젝트 ID>.iam.gserviceaccount.com
```

생성된 계정은 GCP IAM 및 관리자 페이지에서도 확인 가능합니다.

3.3. 서비스 계정 역할 추가

```
$ SA_EMAIL="gcp-project-asdfadsfsda113@gcp-project-1-009999"\
".iam.gserviceaccount.com"

$ GCP_PROJECT="gcp-project-1-412715"

$ gcloud projects add-iam-policy-binding $GCP_PROJECT \
  --member=serviceAccount:$SA_EMAIL \
  --role=roles/run.developer
$ gcloud projects add-iam-policy-binding $GCP_PROJECT \
  --member=serviceAccount:$SA_EMAIL \
  --role=roles/storage.admin
```

추가한 역할에 대한 내용은 아래와 같습니다.

roles/run.developer

- 역할

Cloud Run 서비스를 개발하는 데 필요한 권한을 부여합니다. 해당 서비스 계정은 Cloud Run 서비스를 배포하고 관리할 수 있습니다.

- 권한

Cloud Run 서비스를 배포하고 업데이트할 수 있습니다.

서비스에 대한 트래픽을 라우팅하고 관리할 수 있습니다.

서비스의 권한 및 환경 설정을 변경할 수 있습니다.

roles/storage.admin

- 역할

GCP 스토리지 관리자 권한을 부여합니다. 해당 서비스 계정은 GCP 스토리지 리소스를 관리할 수 있습니다.

- 권한

GCP 스토리지 버킷과 객체를 생성, 수정, 삭제할 수 있습니다.

버킷 및 객체에 대한 액세스 권한을 설정하고 관리할 수 있습니다.

버킷의 보기 권한 및 정책 설정, 객체에 대한 ACL(Access Control List) 관리 등을 할 수 있습니다.

3.4. 서비스 계정 자격증명 저장

서비스 계정에 대한 JSON 키 파일을 다운로드 합니다. JSON 키 파일은 서비스 계정 인증에 사용됩니다.

```
$ gcloud iam service-accounts keys create key.json --iam-
account=$SA_EMAIL
```

서비스 계정을 출력합니다.

```
$ cat key.json
```

출력한 내용은 아래와 같은 형식으로 출력됩니다.

```
{
  "type": "..............",
  "project_id": "............",
  "private_key_id": "..................a",
  "private_key": "-----BEGIN PRIVATE KEY-----
\nMIIE........................+ibHnZqLKs=\n-----END PRIVATE KEY---
--\n",
  "client_email": "...............",
  "client_id": "................",
  "auth_uri": "............",
  "token_uri": "..................",
  "auth_provider_x509_cert_url": "................",
  "client_x509_cert_url": ".................",
  "universe_domain": "...................."
}
```

전체 json을 복사하여 저장합니다.

4. 서비스 계정(SA) 생성 및 자격 증명 저장 - GCP Console

앞선 과정은 GCP 웹 인터페이스(GCP Console)에서도 진행 가능합니다.(IAM 및 관리자 → 서비스 계정)

4.1. 서비스 계정 생성

서비스 계정에서 "서비스 계정 만들기" 를 클릭합니다.

세부정보를 그림과 같이 설정합니다: 세부정보 세팅 - 계정 명 및 계정 ID

서비스 계정 만들기

서비스 계정 세부정보

서비스 계정 이름

GCP_DEVOPS_TEST

이 서비스 계정의 표시 이름입니다.

서비스 계정 ID *

gcp-devops-test

이메일 주소: gcp-devops-test@gcp-devops-412606.iam.gserviceaccount.com

서비스 계정 설명

이 서비스 계정에서 수행할 작업을 설명하세요.

만들고 계속하기

이 서비스 계정에 프로젝트에 대한 액세스 권한 부여 (선택사항)

사용자에게 이 서비스 계정에 대한 액세스 권한 부여 (선택사항)

완료 취소

세부정보 세팅에서 역할을 추가합니다.

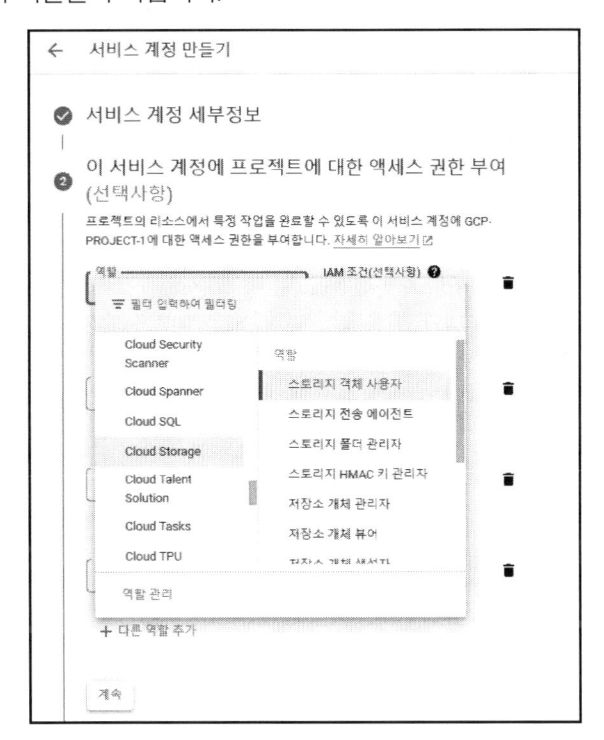

4.2. 서비스 계정 자격증명 저장

서비스 계정 리스트를 확인하고 선택합니다.

선택한 계정에서 "새 키 만들기"를 클릭합니다.

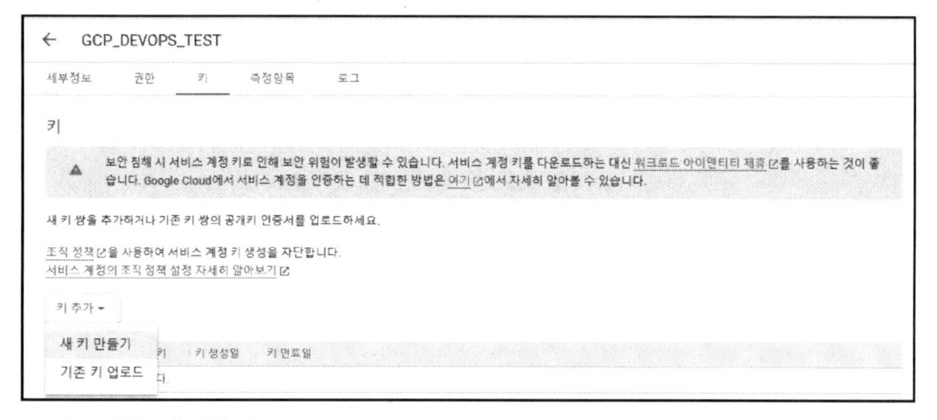

JSON 키 파일을 생성합니다.

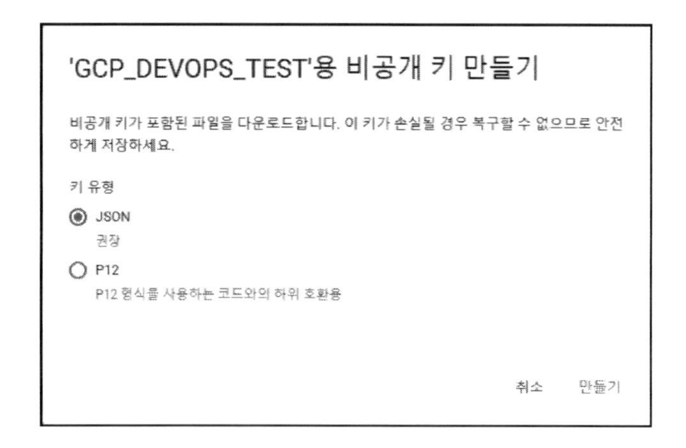

다운로드 알림 창에서 확인 할 수 있습니다.

5. GitHub Actions 세팅

이제 "GitHub 리포지토리 → Settings → Secrets and variables → Actions" 항목으로 들어가서 Repository secrets에 시크릿 값을 추가 합니다.

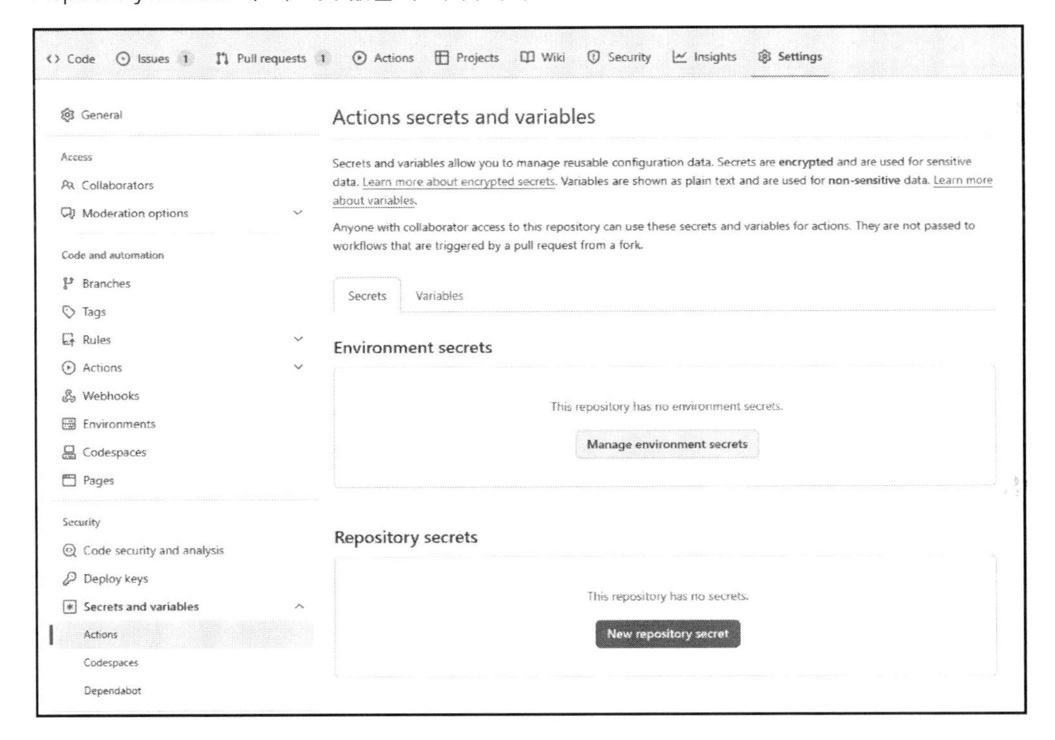

Actions secrets / New secret

Name *

GCP_PROJECT_ID

Secret *

gcp-project-1-412715

Add secret

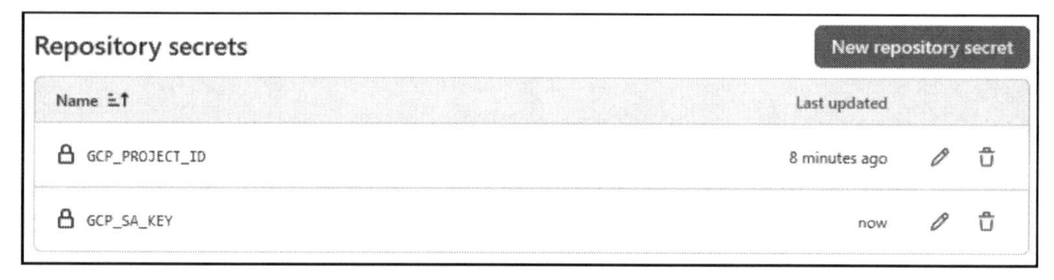

6. 워크플로우 생성

6.1. CD 워크플로우 YAML 파일 생성

다음은 ".github/workflows/gcp-cd.yml" 파일입니다.

```
name: Build and Deploy to GCP

on:
 push:
  branches:
   - main

env:
 PROJECT_ID: ${{ secrets.GCP_PROJECT_ID }}
 IMAGE: static-site

jobs:
 setup-build-publish-deploy:
  name: Setup, Build, Publish, and Deploy
  runs-on: ubuntu-latest
  environment: production

  steps:
  - name: Checkout
   uses: actions/checkout@v4

  # GCP CLI 를 설정합니다.
  - uses: google-github-actions/setup-
gcloud@1bee7de035d65ec5da40a31f8589e240eba8fde5
   with:
    service_account_key: ${{ secrets.GCP_SA_KEY }}
    project_id: ${{ secrets.GCP_PROJECT_ID }}

  # Docker 가 gcloud 명령줄 도구를 사용하여 인증할 수 있도록 Docker 를
구성하는 단계입니다.
  - run: |-
    gcloud --quiet auth configure-docker

  # GCP(Google Cloud Platform) 자격 증명을 가져오는 단계입니다.
  - name: google auth
   id: "auth"
   uses: "google-github-actions/auth@v1"
   with:
     credentials_json: ${{ secrets.GCP_SA_KEY }}
```

```
    # Docker 이미지 빌드
    - name: Build
      run: |-
        docker build \
          --tag "gcr.io/$PROJECT_ID/$IMAGE:$GITHUB_SHA" \
          --build-arg GITHUB_SHA="$GITHUB_SHA" \
          --build-arg GITHUB_REF="$GITHUB_REF" \
          .

    # 빌드 된 Docker 이미지를 Google Container Registry 로 푸시하는
단계입니다.
    - name: Publish
      run: |-
        docker push "gcr.io/$PROJECT_ID/$IMAGE:$GITHUB_SHA"

    # 빌드 된 Docker 이미지를 GCP 로 배포하는 단계입니다.
    - name: 'Deploy to Cloud Run'
      run: |
        gcloud run deploy fastapp-service --
image=gcr.io/$PROJECT_ID/$IMAGE:$GITHUB_SHA \
        --platform=managed \
        --region=asia-northeast3 \
        --allow-unauthenticated
```

6.2. 리포지토리에 YAML 파일 푸시하기

```
$ git add .github/workflows/cd.yml
$ git commit -m "Commit CD"
$ git push origin main
```

이때, 워크플로우가 main 브랜치에 push 될 때 동작하므로 브랜치가 main 으로 지정되어 있어야 합니다.

6.3. GitHub Actions 에서 워크플로우 확인하기

GitHub 리포지토리 → Actions 에서 동작하고 있는 워크플로우를 확인 할 수 있습니다. 하지만 워크플로우가 아래와 같이 실패하였습니다.

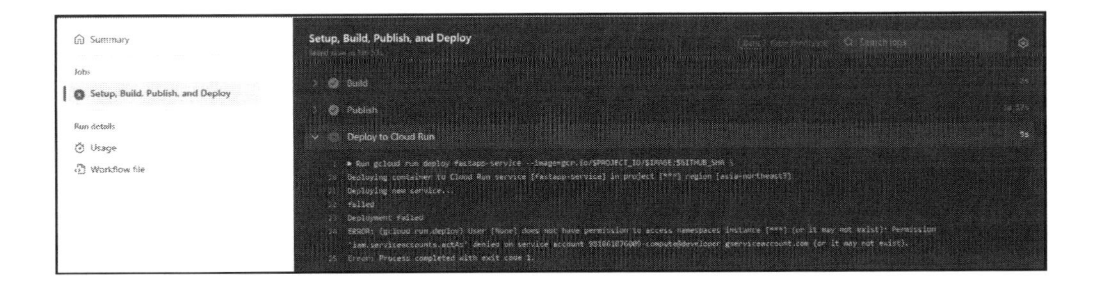

⚠ 워크플로 에러 메시지

> ERROR: (gcloud.run.deploy) User [None] does not have permission to access namespaces instance [***] (or it may not exist): Permission 'iam.serviceaccounts.actAs' denied on service account 981861876009-compute@developer.gserviceaccount.com (or it may not exist).
>
> Error: Process completed with exit code 1.
>
> → 사용자가 클라우드 서비스 계정 (981861876009-compute@developer.gserviceaccount.com)에 대한 iam.serviceaccounts.actAs 권한이 거부되었거나 해당 서비스 계정이 존재하지 않습니다.

"iam.serviceaccounts.actAs" 역할을 추가합니다.

```
$ gcloud projects add-iam-policy-binding $GCP_PROJECT \
  --member=serviceAccount:$SA_EMAIL \
  --role=roles/iam.serviceaccounts.actAs
```

⚠ 역할 추가 에러발생

> ERROR: Policy modification failed. For a binding with condition, run "gcloud alpha iam policies lint-condition" to identify issues in condition.
>
> ERROR: (gcloud.iam.service-accounts.add-iam-policy-binding) INVALID_ARGUMENT: Role roles/iam.serviceaccounts.actAs is not supported for this resource.

→ "iam.serviceaccounts.actAs" 권한을 부여할 수 없습니다.

GCP DOCS 를 참조하면 아래와 같이 설명되어 있습니다.[16]

애플리케이션을 배포하는 모든 사용자가 App Engine 기본 서비스 계정을 가장할 수 있는지 확인합니다.

이 기능을 제공하려면 서비스 계정 사용자 역할 "roles/iam.serviceAccountUser"과 같이 "iam.serviceAccounts.actAs" 권한이 있는 역할을 사용자에게 부여합니다. 이 역할을 프로젝트 또는 App Engine 기본 서비스 계정에 부여할 수 있습니다. 자세한 안내는 서비스 계정 가장 관리를 참조하세요.

추가하려는 역할을 서비스 계정 사용자 "roles/iam.serviceAccountUser" 로 변경하여 추가합니다.

```
$ gcloud projects add-iam-policy-binding $GCP_PROJECT \
  --member=serviceAccount:$SA_EMAIL \
  --role=roles/iam.serviceAccountUser
```

"re-run jobs" 버튼을 클릭하여 워크플로를 재실행 합니다.

간혹 권한을 부여하였는데도 권한이 없다는 오류가 다시 발생할 때가 있습니다. 그럴 경우 JSON 키 파일을 새로 받아서 Settings>action 의 "GCP_SA_KEY"를 변경해주면 됩니다.

워크플로우가 성공적으로 끝나면 "Deploy to Cloud Run"에서 배포정보를 확인 할 수 있습니다.

---

[16] https://cloud.google.com/iam/docs/service-accounts-actas?hl=ko#appengine 2번 항목

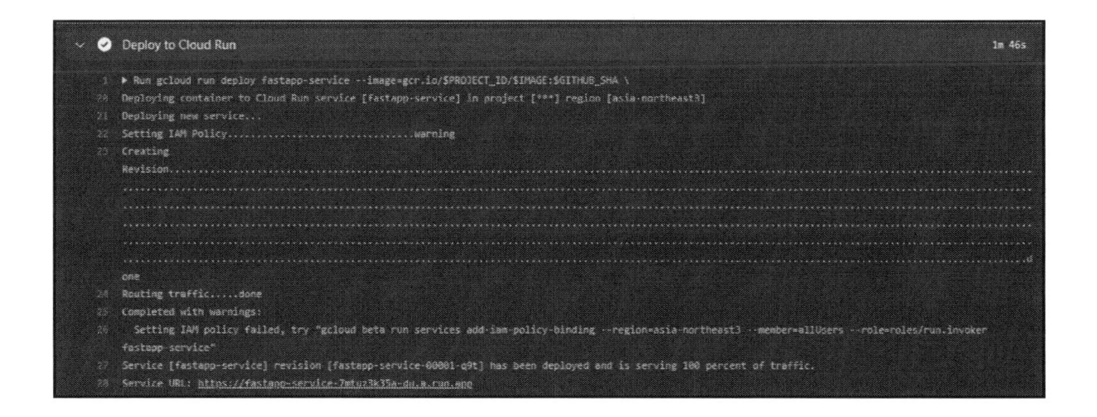

Completed with warnings 와 URL 정보가 나오는데 우선 URL 으로 바로 접속하면 403 에러가 발생합니다.

이제 다시 warnings 내용을 살펴보면 메시지 내의 명령어를 사용하여 IAM 정책을 설정할 수 있습니다.

Completed with warnings: Setting IAM policy failed, try "gcloud beta run services add-iam-policy-binding –region=asia-northeast3 –member=allUsers –role=roles/run.invoker fastapp-service" → IAM 정책 설정이 실패하였습니다. gcloud beta run services add-iam-policy-binding –region=asia-northeast3 –member=allUsers –role=roles/run.invoker fastapp-service 를 시도하십시오.

```
$ gcloud beta run services add-iam-policy-binding --region=asia-
northeast3 --member=allUsers --role=roles/run.invoker fastapp-
service
```

해당 명령어를 실행하고 다시 접속하면 정상적으로 "FastAPI World!!" 문구가 나오는 것을 확인 할 수 있습니다.

이로써 GCP 로 배포 자동화 과정이 마무리 되었습니다.

Chapter 3. AWS CD

이전 챕터에서는 Azure 와 GCP 를 이용한 배포 자동화를 진행했습니다.

이번에는 유사한 서비스인 AWS 의 ECR(Elastic Container Registry)과 ECS(Elastic Container Service)를 통해 배포 자동화를 구축해보겠습니다.

ECR 과 ECS 에 관한 상세한 내용은 각각의 섹션에서 자세히 다루게 됩니다. 지금은 이러한 서비스들이 있다는 것만 알고 넘어가면 됩니다.

1. AWS 계정 생성하기

이미 AWS 계정을 가지고 있다면 바로 실습을 진행할 수 있으나 계정이 없다면 먼저 AWS 계정을 만들어야 합니다. 관리자 권한이 있는 AWS 계정이 아직 없는 경우 아래 절차를 참고해 회원가입을 진행합니다.

1. AWS 웹사이트[17]에 접속하여 우측 상단의 "AWS 계정 생성" 버튼을 클릭합니다.

[17] https://aws.amazon.com/ko/

2. 루트 사용자 이메일 주소와 AWS 계정 이름을 입력한 다음 이메일 주소를 확인합니다.

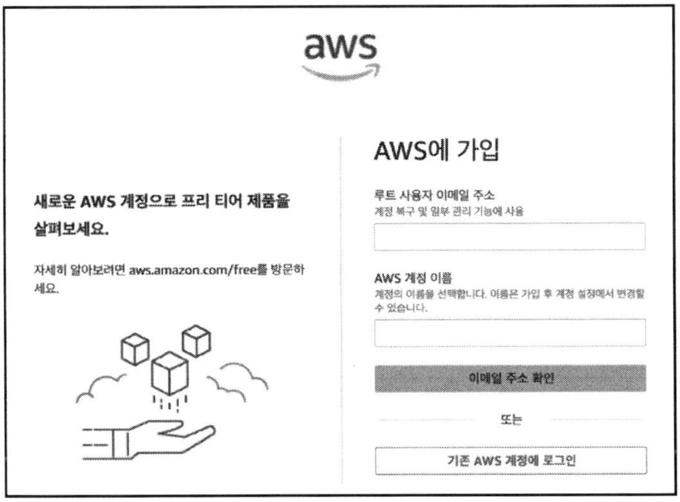

aws

새로운 AWS 계정으로 프리 티어 제품을 살펴보세요.

자세히 알아보려면 aws.amazon.com/free를 방문하세요.

AWS에 가입

루트 사용자 이메일 주소
계정 복구 및 일부 관리 기능에 사용

AWS 계정 이름
계정의 이름을 선택합니다. 이름은 가입 후 계정 설정에서 변경할 수 있습니다.

이메일 주소 확인

또는

기존 AWS 계정에 로그인

3. 연락처 정보를 추가한 후 AWS 이용계약을 읽고 동의합니다.

aws

프리 티어 혜택

모든 AWS 계정은 사용하는 제품에 따라 3가지 유형의 무료 혜택을 탐색할 수 있습니다.

항상 무료
만료되지 않음

12개월 무료
최초 가입 날짜부터 시작

평가판
서비스 활성화 날짜부터 시작

AWS에 가입

연락처 정보

AWS를 어떻게 사용할 계획이신가요?
비즈니스 – 업무, 학교 또는 조직의 경우
개인 - 자체 프로젝트의 경우

이 계정에 대해 누구에게 문의해야 하나요?

전체 이름

전화 번호
+1 222-333-4444

국가 또는 리전
미국

주소

시

시, 도 또는 리전

우편 번호

AWS 이용계약을 읽었으며 이에 동의합니다.

계속(2/5단계)

4. 결제 정보를 입력하고 다음 단계를 진행합니다.

5. 전화번호를 통해 자격 증명을 확인합니다.

6. 지원 플랜 선택 페이지에서 사용 가능한 지원 플랜 중 하나를 선택합니다. 이 책에서는 기본 지원을 선택하여 진행합니다.

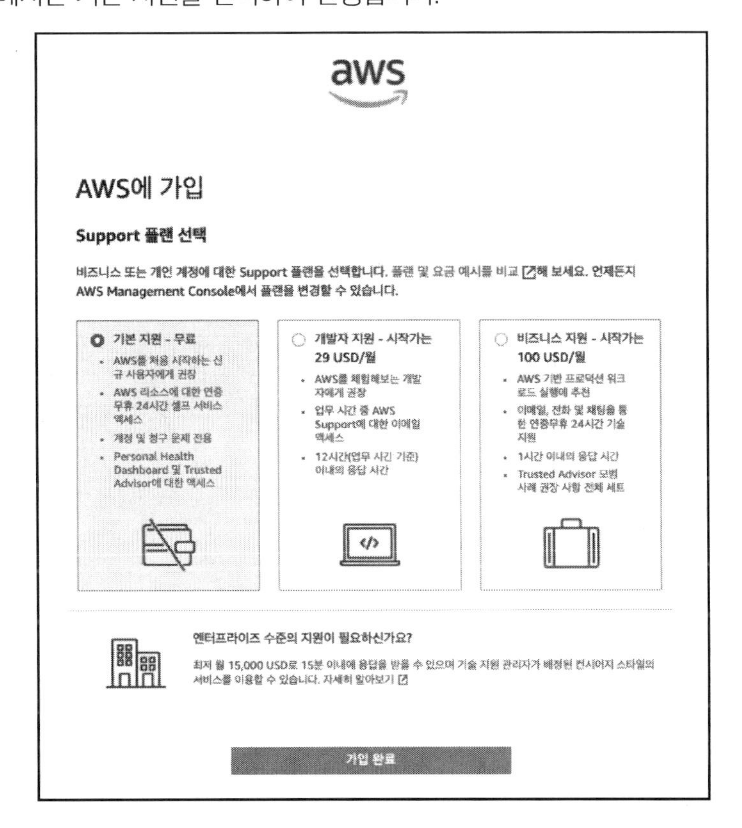

2. IAM 사용자 생성하기

AWS 계정이 준비되었다면, AWS 의 다양한 서비스에 안전하게 접근할 수 있도록 IAM 사용자를 생성해야 합니다.

IAM(Identity and Access Management) 란?

IAM 은 AWS 리소스에 대한 액세스를 안전하게 관리할 수 있는 웹 서비스로, 사용자, 그룹, 역할 및 정책을 통해 세밀한 권한 관리를 제공합니다. 이를 통해 특정 사용자가 AWS 서비스와 리소스에 접근하고, 어떤 작업을 수행할 수 있는지를 정확하게 제어할 수 있으며, 안전한 API 호출을 위한 액세스 키를 관리할 수 있습니다.

이번 챕터에서는 FastAPI 애플리케이션 배포를 진행합니다. 이를 위해 ECR 과 ECS 에 접근 권한이 있는 IAM 사용자를 생성하고 설정하는 과정을 진행해 보겠습니다.

1. AWS 관리 콘솔에 로그인한 후, 서비스 메뉴에서 "IAM"을 검색하여 IAM 서비스 페이지로 이동합니다.

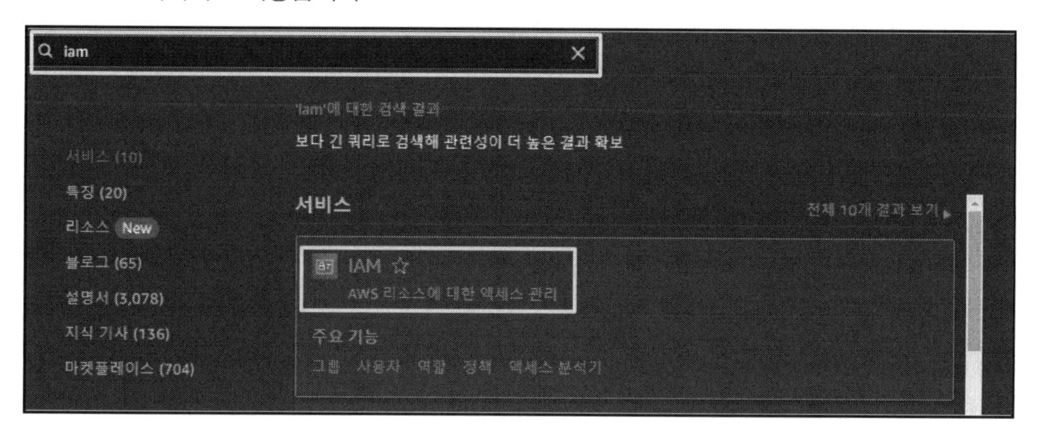

2. IAM 대시보드에서 "액세스 관리 > 사용자" 메뉴를 선택하고, "사용자 생성" 버튼을 클릭합니다.

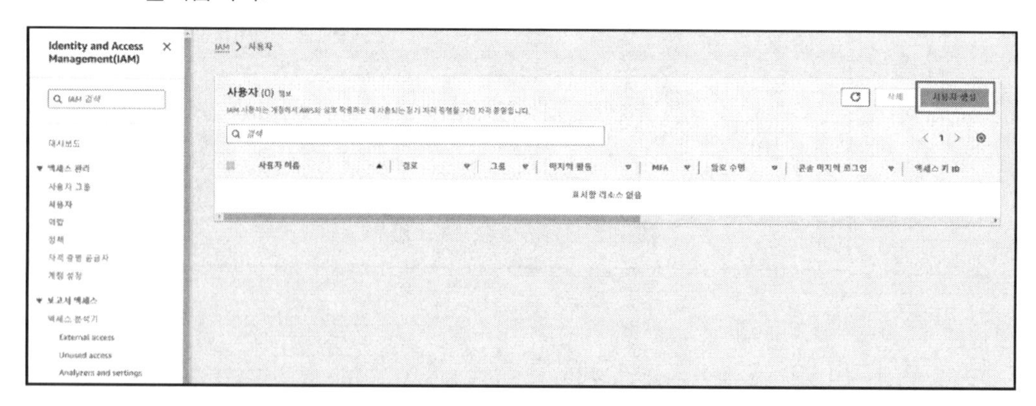

3. 사용자의 이름을 입력하고 "다음" 버튼을 클릭합니다.

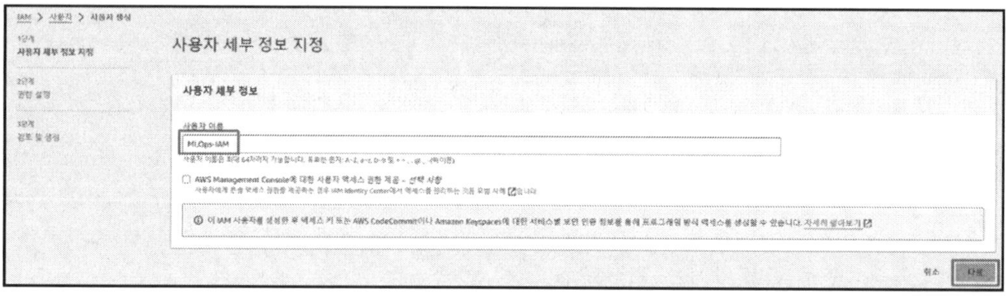

4. 사용할 권한들은 직접 선택하기 위해 권한 옵션에서 “직접 정책 연결”을 선택합니다. 그 후 ECR 사용을 위해 “AmazonEC2ContainerRegistryFullAccess” 을 검색하고 해당 권한을 선택합니다.

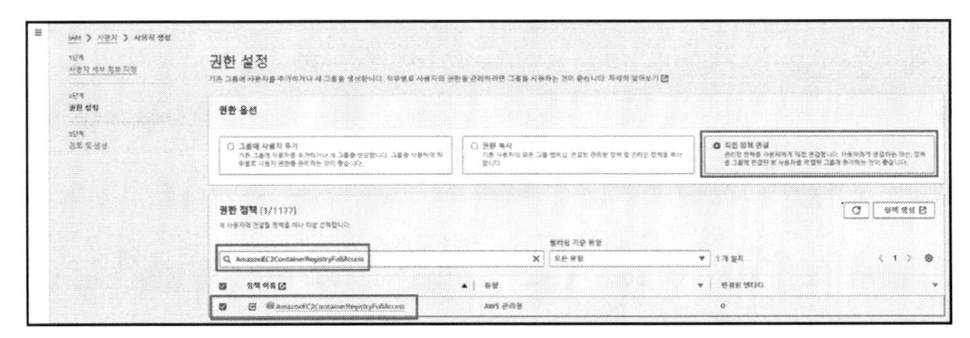

5. 이어서 ECS 사용을 위한 “AmazonECS_FullAccess” 권한을 선택한 후 “다음"을 클릭해 계속 진행합니다.

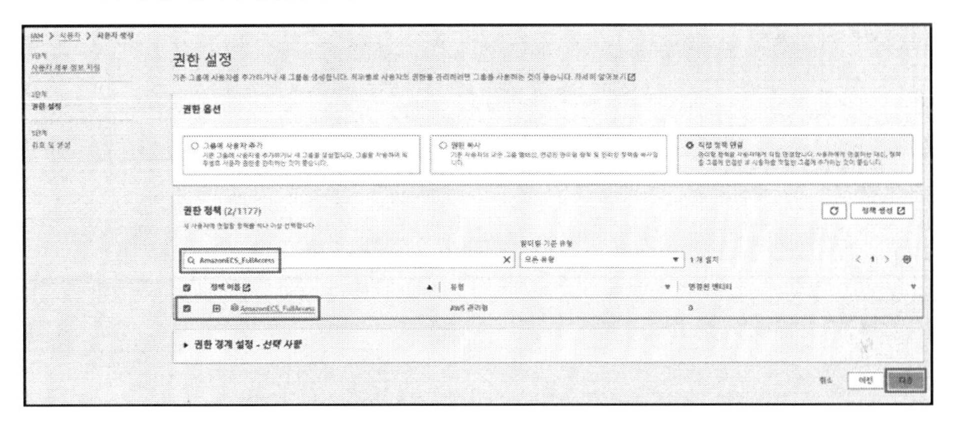

6. “AmazonEC2ContainerRegistryFullAccess”와 “AmazonECS_FullAccess” 권한이 부여된 것을 확인하고, “사용자 생성” 버튼을 클릭하여 IAM 생성을 완료합니다.

검토 및 생성

사용자 세부 정보

None

권한 요약

AmazonEC2ContainerRegistryFullAccess

AmazonECS_FullAccess

태그 - 선택 사항

새 태그 추가

3. GitHub Secrets 등록

GitHub Actions 를 사용할 때, AWS 리소스에 직접 접근이 불가능합니다. 따라서 ECR 이나 ECS 와 같은 서비스와의 상호 작용을 위해 AWS 액세스 키가 필요합니다. 방금 생성한 IAM 에서 액세스 키를 생성하고, 이를 GitHub secrets 에 등록하는 작업을 진행해봅시다.

3.1. 액세스 키 생성

1. 먼저 액세스키를 생성해야 합니다. IAM 콘솔에서 "액세스 관리 > 사용자" 메뉴로 이동한 다음, ECR 과 ECS 에 대한 권한이 부여된 IAM 사용자를 선택합니다.

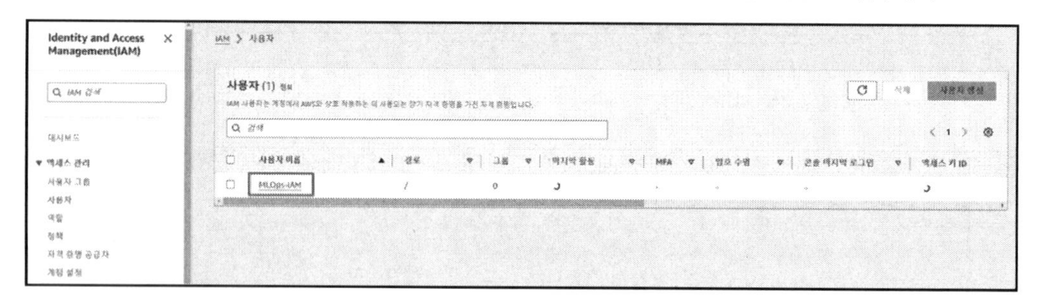

2. 요약 영역의 "액세스 키 만들기" 버튼을 클릭합니다.

3. 액세스 키 모범 사례 및 대안 단계에서 "Command Line Interface(CLI)" 사용 사례를 선택한 후 권장 사항을 확인하여 체크한 후 "다음" 버튼을 클릭합니다.

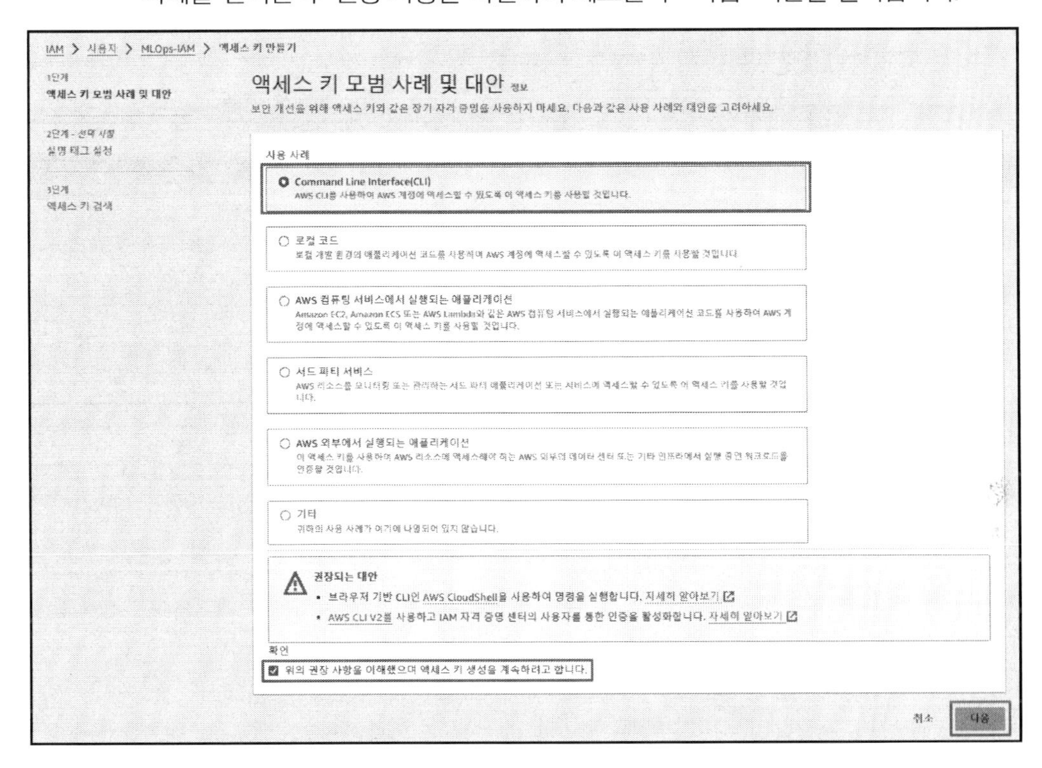

4. 액세스 키에 추가 설명을 위한 태그를 설정할 수 있는 옵션이 제공됩니다. 이는 선택 사항이므로, 필요하지 않다면 빈 상태로 진행할 수 있습니다.

IAM > 사용자 > MLOps-IAM > 액세스 키 만들기

1단계
액세스 키 모범 사례 및 대안
2단계 - 선택 사항
설명 태그 설정
3단계
액세스 키 검색

설명 태그 설정 - 선택 사항

설명 태그 값

취소 이전 액세스 키 만들기

5. 마지막으로, ".csv 파일 다운로드" 버튼을 클릭하여 생성된 액세스 키 정보를 포함한 파일을 저장합니다. 그 후 "완료" 버튼을 클릭하여 액세스 키 생성 절차를 마무리합니다. 다운로드한 파일에는 인증 정보가 포함되어 있으며, 분실 시 재발급 받아야 하기 때문에 안전하게 보관해야 합니다.

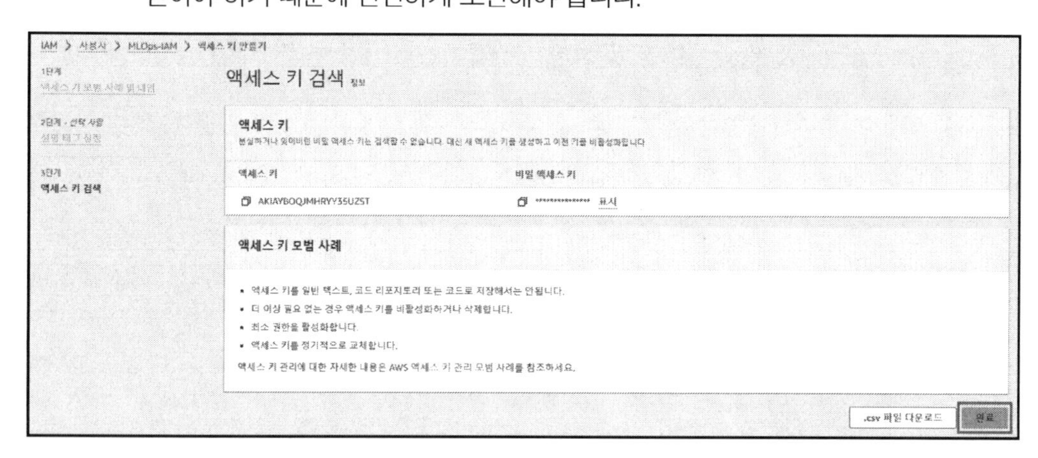

3.2. GitHub Secrets 등록

액세스 키를 생성한 후, 이를 GitHub 프로젝트의 Secrets에 등록해야 합니다. 이 과정을 통해 GitHub Actions 가 AWS 서비스에 안전하게 접근할 수 있도록 합니다. GitHub Secrets 에 생성한 액세스 키를 등록해봅시다.

1. 깃 허브 홈페이지에서 저장소의 기본 페이지로 이동합니다.
2. 저장소 이름 아래에 "Settings" 메뉴를 클릭합니다. 만약 "Settings" 메뉴가 보이지 않는다면 "…" 버튼을 클릭해 드롭다운 메뉴에서 "Settings" 메뉴를 선택합니다.

3. 사이드바의 "Security" 영역에서 "Secrets and variables" 메뉴를 펼치고, "Actions" 메뉴를 클릭합니다.

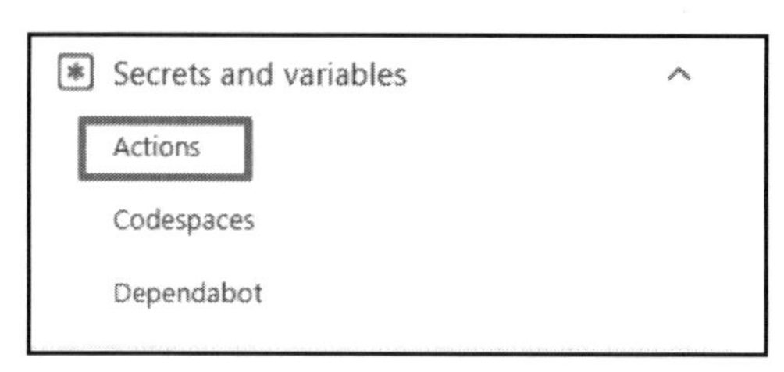

4. Secrets 탭의 "New repository secret" 버튼을 클릭하여 새로운 Secret 생성을 진행합니다. 이전에 저장했던 액세스 키가 담긴 csv 파일을 참조합니다.

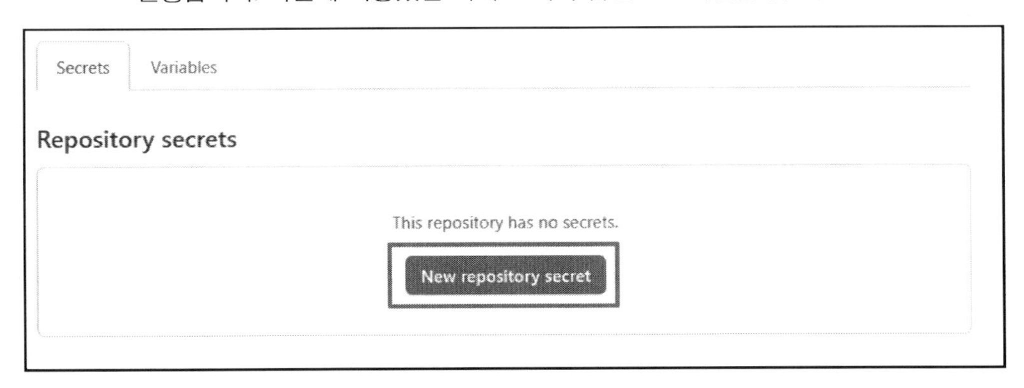

5. 액세스 키 CSV 파일의 Access key ID 값을 복사하여 Secret 필드에 붙여 넣습니다. Secret 의 이름은 "AWS_ACCESS_KEY_ID"으로 설정하고, "Add secret"을 클릭하여 Secret 을 저장합니다.

6. 마찬가지로, Secret access key 값을 복사하여 Secret 필드에 붙여 넣습니다. Secret 의 이름은 “AWS_SECRET_ACCESS_KEY”로 설정하고, "Add secret"을 클릭하여 Secret을 저장합니다.

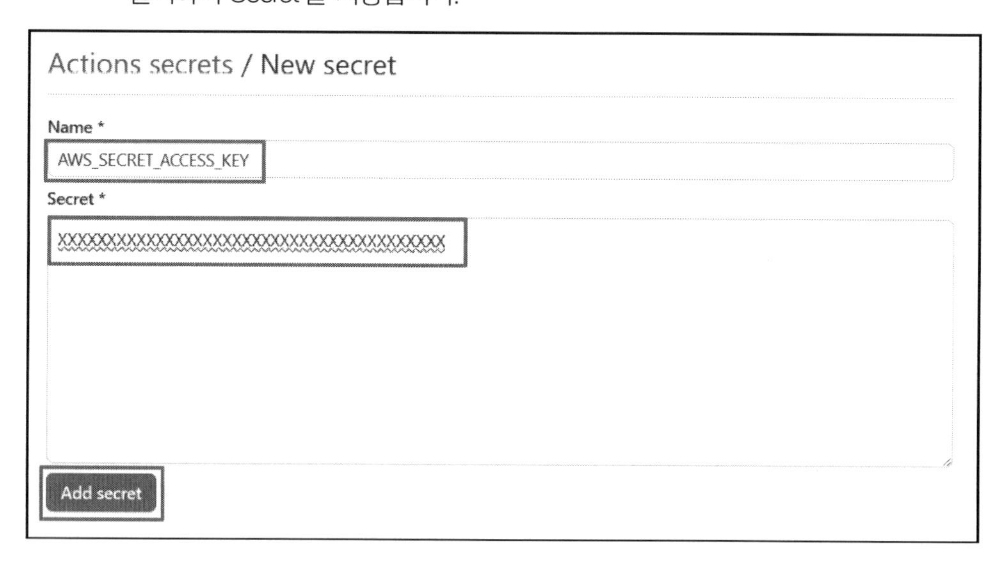

7. secrets 등록을 확인합니다.

4. VPC 생성하기

VPC 란?

AWS 의 VPC(Virtual Private Cloud)는 사용자가 AWS 클라우드 내에서 정의할 수 있는 가상 네트워크로, AWS 리소스를 실행할 수 있는 격리된 환경을 제공합니다. 사용자는 IP 주소 범위를 선택하고, 서브넷을 생성하며, 라우트 테이블과 네트워크 게이트웨이를 설정하는 등 네트워크 구성을 자유롭게 설정할 수 있습니다.

1. AWS 관리 콘솔에 접속하여 서비스 메뉴에서 "VPC"를 검색해 VPC 대시보드로 이동합니다.

2. VPC 대시보드에서 "VPC 생성" 버튼을 클릭합니다.

3. VPC 설정에서 생성할 리소스를 "VPC 등"으로 선택하고 이름 태그 자동 생성에 이름을 입력합니다. 이 책에서는 MLOps 라는 이름 태그를 통해 VPC 를 생성합니다.

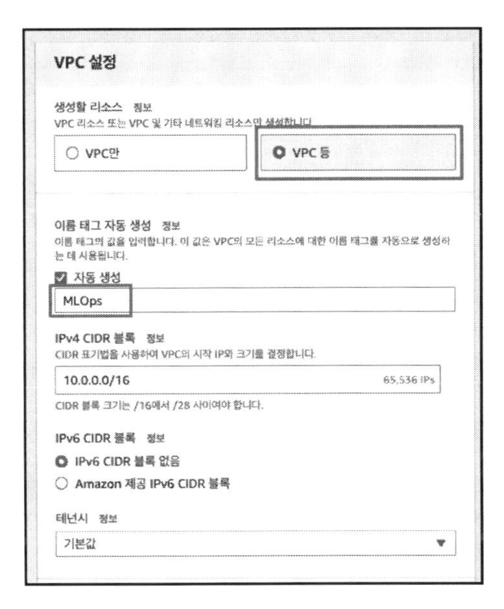

4. 프라이빗 서브넷은 생성하지 않을 예정이므로 개수를 0 으로 설정합니다. 그 후 퍼블릭 서브넷의 CIDR 블록을 "/20"에서 "/24"과 같은 형태로 변경합니다. 설정이 완료됐다면 우측 하단에 "VPC 생성" 버튼을 통해 VPC를 생성합니다.

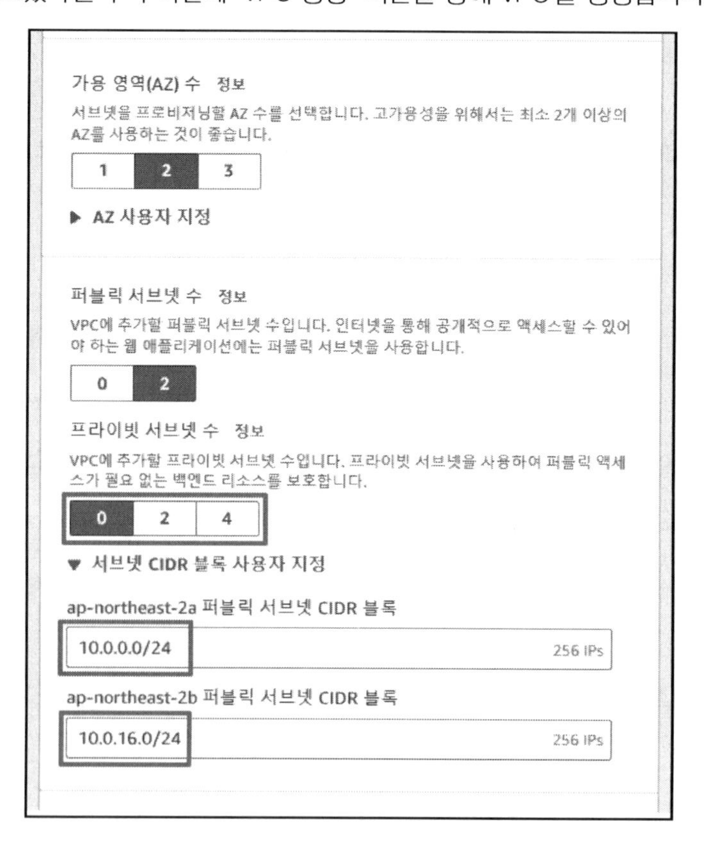

"/20"과 "/24"의 차이

CIDR(Classless Inter-Domain Routing)에서 사용하는 "/20"과 "/24"는 서브넷 마스크를 나타냅니다. 이러한 표기법은 서브넷 내에서 사용할 수 있는 호스트의 수를 정의하는 데 사용됩니다.

"/20"은 서브넷 마스크 255.255.240.0 을 의미하며, 212(4096)개의 IP 주소 공간을 제공합니다. 그러나 이 중 실제로 사용할 수 있는 주소는 네트워크 주소와 브로드캐스트 주소를 제외한 4094 개 입니다.

반면, "/24"는 서브넷 마스크 255.255.255.0 을 의미하며, 이는 28(256)개의 IP 주소 공간을 제공합니다. 여기에서도 실제로 사용할 수 있는 주소는 네트워크 주소와 브로드캐스트 주소를 제외한 254 개입니다.

이 책에서는 네트워크 관련 세부사항은 다루지 않지만, 서브넷 마스크의 선택에 따라서 할당할 수 있는 IP 주소의 개수의 차이가 있다는 점만 이해하고 넘어가도 충분합니다.

5. 잠시 대기하면 VPC 생성이 완료된 것을 확인할 수 있습니다.

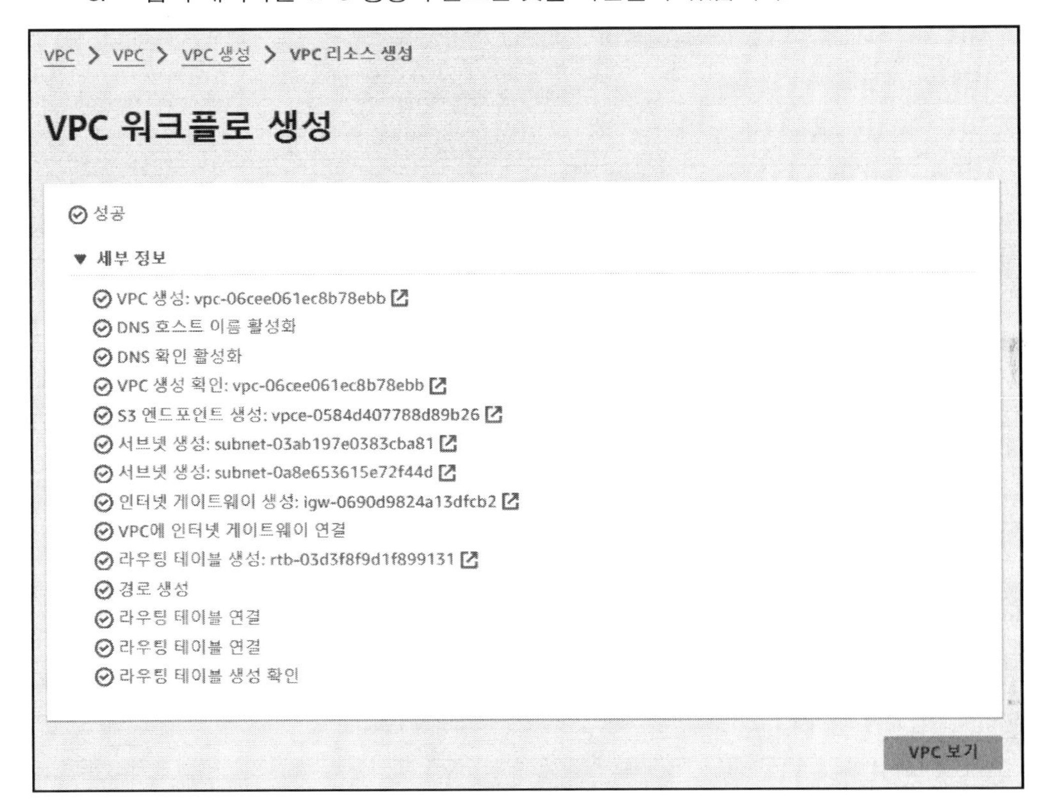

5. Github Actions Workflow 생성하기

GitHub Actions 를 활용하여 ECS 에 애플리케이션을 배포하는 워크플로우를 생성하는 과정을 진행합니다.

1. 깃 허브 홈페이지에서 저장소의 기본 페이지로 이동합니다. 저장소 이름 아래에 "Actions" 메뉴를 클릭한 후 "New workflow" 버튼을 클릭합니다.

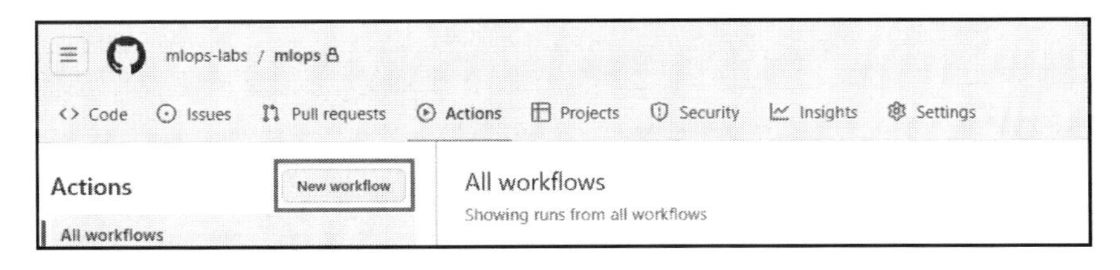

2. Workflow 선택 화면의 검색창에 "Deploy to Amazon ECS"를 검색합니다.

Choose a workflow

Build, test, and deploy your code. Make code reviews, branch management, and issue triaging work the way you want. Select a workflow to get started.

Skip this and set up a workflow yourself →

Deploy to Amazon ECS

3. "Configure" 버튼을 클릭해 워크플로우를 생성합니다.

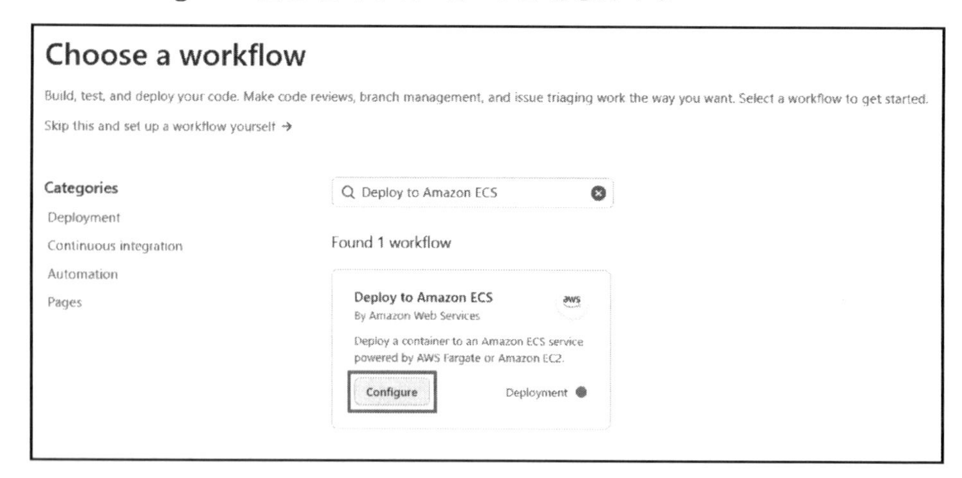

4. 워크플로우가 생성되면 commit 을 진행합니다. 자세한 설정은 각 섹션에서 진행하기 때문에 지금은 워크플로우 파일만 생성합니다.

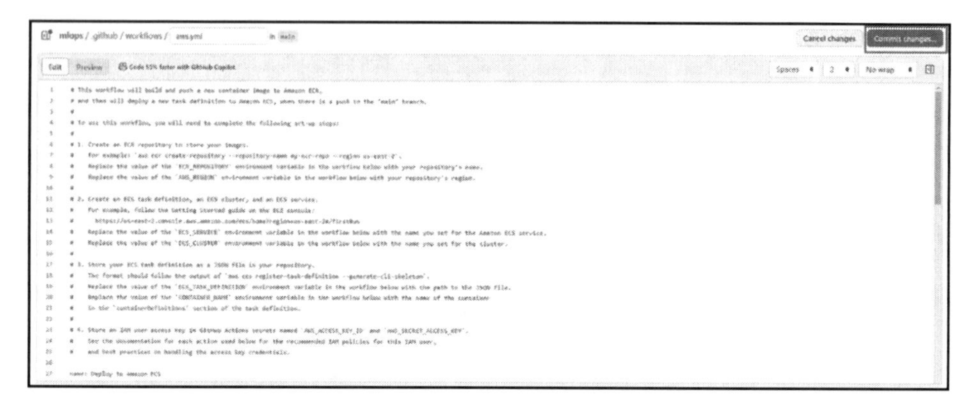

6. ECR 에 이미지 업로드하기

컨테이너를 실행하기 전에, 먼저 컨테이너 이미지를 저장할 공간을 마련해야 합니다. 이를 위해 ECR 에 프라이빗 리포지토리를 생성하고, 워크플로우 수정을 통해 컨테이너 이미지를 업로드해보겠습니다.

ECR(Elastic Container Registry)이란?

ECR 은 컨테이너 이미지를 손쉽게 저장, 관리 및 배포할 수 있도록 설계된 AWS 관리형 컨테이너 레지스트리 서비스입니다. 이 서비스를 활용하면 애플리케이션의 개발, 테스트, 배포 단계에서 필요한 이미지를 신속하게 찾아서 다운로드할 수 있습니다.

6.1. 프라이빗 리포지토리 생성

컨테이너 이미지를 업로드할 프라이빗 리포지토리를 생성해봅시다.

1. 서비스 메뉴에서 "Elastic Container Registry"를 검색하여 ECR 서비스 페이지로 이동합니다.

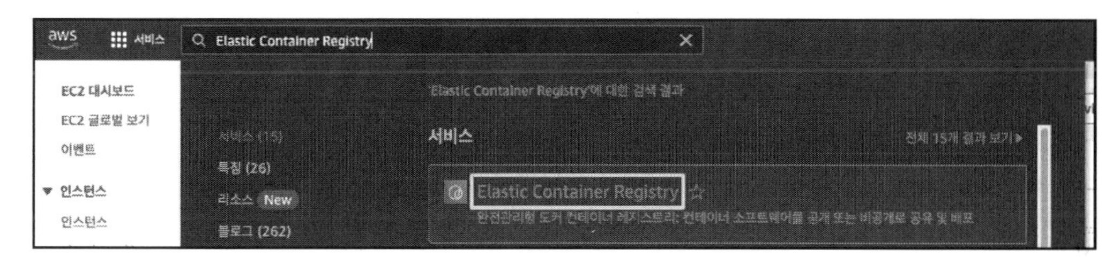

2. "시작하기" 버튼을 클릭해 리포지토리 생성을 시작합니다.

3. 리포지토리 이름을 입력 후 "리포지토리 생성" 버튼을 클릭합니다.

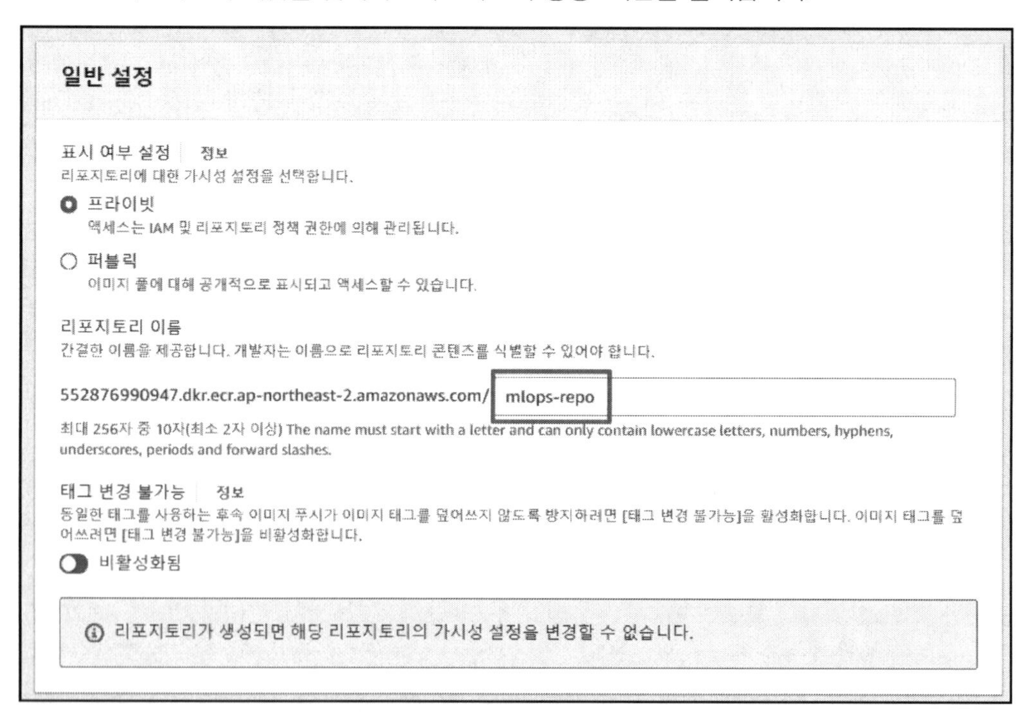

4. 리포지토리가 성공적으로 생성되는 것을 확인할 수 있습니다.

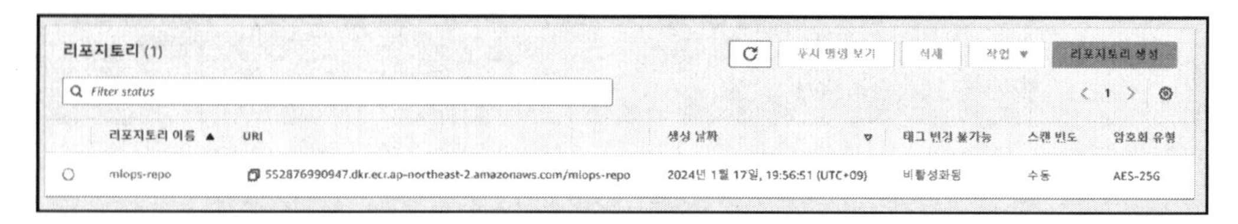

6.2. 이미지 업로드하기

프라이빗 리포지토리 생성을 완료한 이후 Github Actions 워크플로우 파일을 수정하여, 컨테이너 이미지를 생성된 프라이빗 리포지토리에 업로드해봅시다.

1. 워크플로우 파일의 env 영역에서 "AWS_REGION"과 "ECR_REPOSITORY"의 값을 본인이 설정한 환경에 맞게 수정합니다.

```
env:
  AWS_REGION: <AWS 리전>
```

```
ECR_REPOSITORY: <프라이빗 리포지토리 이름>
ECS_SERVICE: MY_ECS_SERVICE
ECS_CLUSTER: MY_ECS_CLUSTER
ECS_TASK_DEFINITION: MY_ECS_TASK_DEFINITION
CONTAINER_NAME: MY_CONTAINER_NAME
```

2. 수정한 내용을 Github 리포지토리에 Push 하면, Github Actions 워크플로우가 실행되어 ECR에 컨테이너 이미지가 업로드 되는 것을 확인할 수 있습니다.

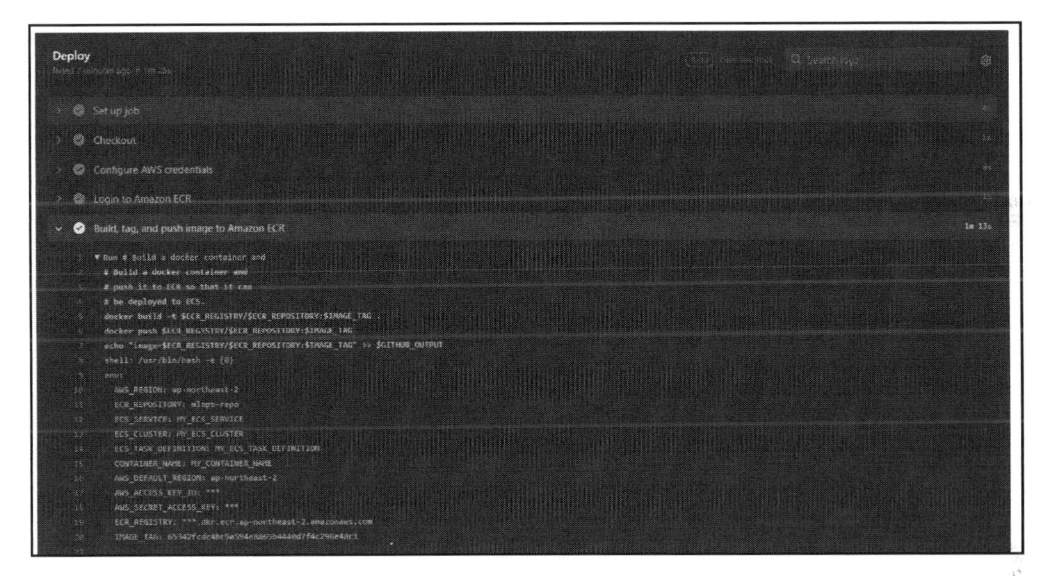

3. AWS 프라이빗 리포지토리를 확인하면, Docker 이미지가 성공적으로 업로드 된 것을 볼 수 있습니다. 생성된 이미지의 URI를 복사하여 메모장에 저장합니다.

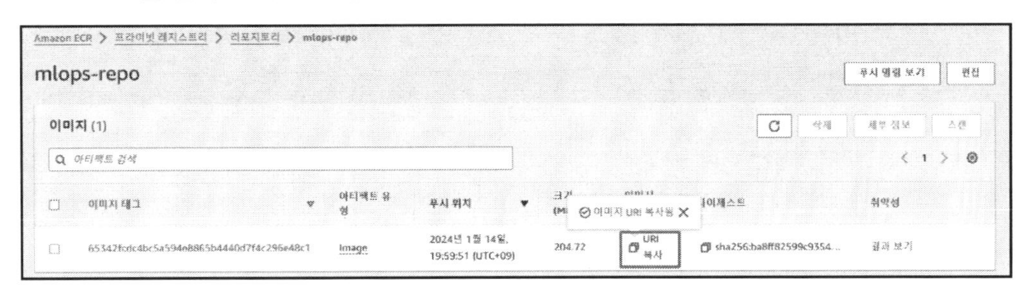

⚠ "Fill in the new image ID in the Amazon ECS task definition" 스텝에서 에러가 발생한다면?

이번 섹션에서는 ECR 에 컨테이너 이미지를 업로드 하기 위한 환경 변수만 설정만 하고, ECS 배포에 필요한 환경변수는 아직 설정하지 않았기 때문에, 워크플로우가 실패하는 것은 당연한 결과입니다. 이후 챕터에서 ECS 관련 환경변수에 대한 설정을 진행한 후 워크플로우의 전 과정이 실행되는 것을 확인해봅시다.

7. ECS 배포하기

ECR 에 Docker 이미지 업로드를 완료했다면 ECS 클러스터를 생성하여 업로드한 Docker 이미지를 사용해 애플리케이션을 배포할 수 있습니다. CD 를 구축하기 전에 수동으로 애플리케이션을 배포해보도록 하겠습니다.

ECS 란?

ECS 는 컨테이너화 된 애플리케이션을 쉽게 배포, 관리 및 확장할 수 있는 서비스입니다. ECS 를 사용하면 Docker 컨테이너를 서버리스 인프라나 관리형 인스턴스 클러스터에서 실행할 수 있습니다.

이 책에서는 서버리스 옵션인 AWS Fargate 를 사용하여 진행합니다.

7.1. 클러스터 생성

1. AWS 관리 콘솔에 로그인한 후, 서비스 메뉴에서 "Elastic Container Service"를 검색하여 ECS 서비스 페이지로 이동합니다.

2. "시작하기" 버튼을 클릭해 클러스터 메뉴로 이동 후 "클러스터 생성" 버튼을 클릭해 클러스터 생성을 시작합니다.

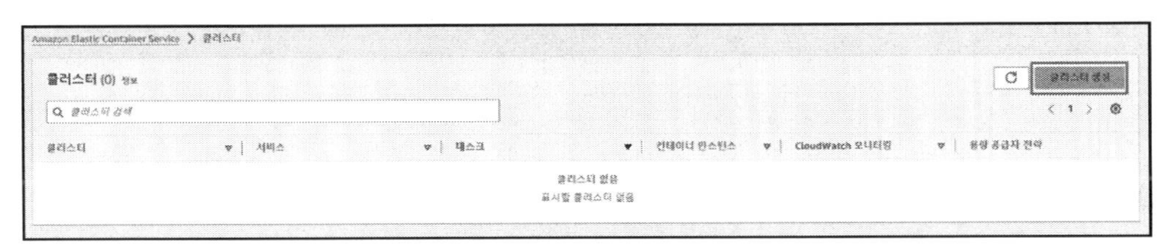

3. 클러스터 이름을 입력하고, AWS Fargate(서버리스) 체크를 확인합니다. 확인이 완료됐으면, "생성" 버튼을 클릭하여 클러스터를 생성합니다.

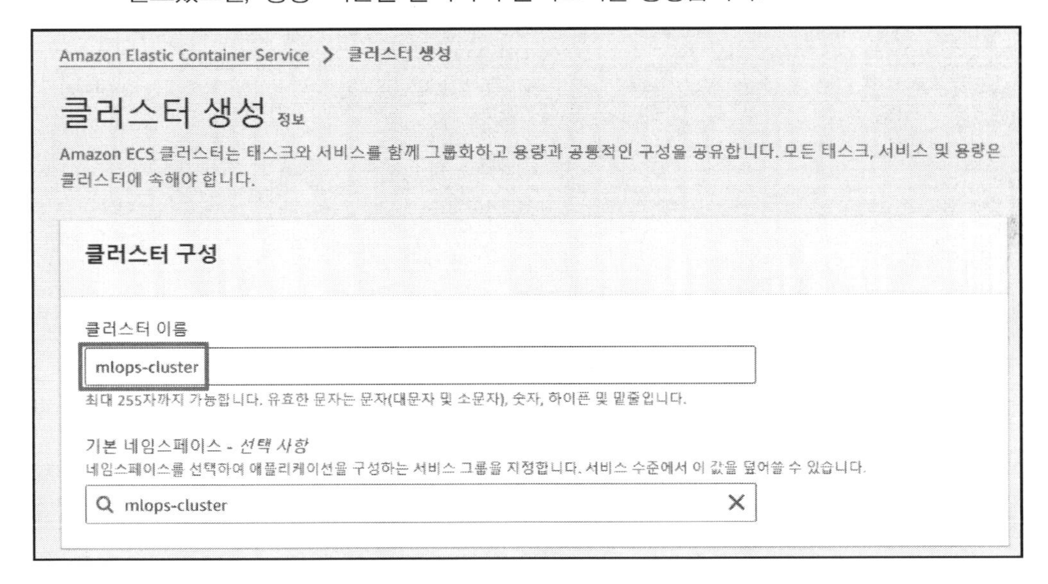

4. 클러스터 생성이 완료될 때까지 대기한 후, 클러스터가 정상적으로 생성된 것을 확인합니다.

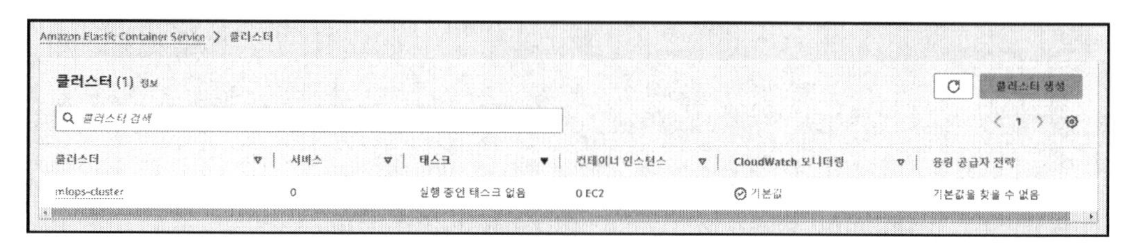

7.2. 태스크 정의 생성

태스크 정의에서는 애플리케이션을 구성하는 하나 이상의 컨테이너에 대한 설정을 지정합니다. 이 설정에는 사용할 이미지, 사용할 포트, 사용할 볼륨, 컨테이너가 필요로 하는 CPU 및 메모리 양, 환경 변수 설정 등이 포함됩니다.

태스크 정의란?

태스크 정의를 통해 ECS는 지정된 설정에 따라 컨테이너를 정확하게 실행할 수 있습니다. 각 태스크 정의는 태스크 내의 모든 컨테이너에 대한 정보를 포함하며, ECS 서비스를 통해 이 태스크 정의를 사용하여 실제 태스크 인스턴스를 시작하고 관리할 수 있습니다.

1. 좌측 메뉴 목록에서 "태스크 정의"를 통해 태스크 정의 화면에 접속 후 "새 태스크 정의 생성 > 새 태스크 정의 생성" 버튼을 클릭합니다.

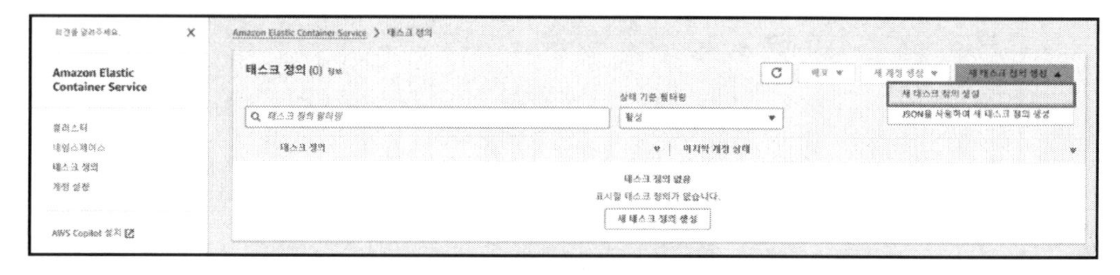

2. 태스크 정의 패밀리를 입력합니다.

3. 인프라 요구 사항에서 "AWS Fargate"를 선택한 다음, 비용을 줄이기 위해 태스크 크기를 "CPU .25 vCPU"와 메모리 ".5GB"로 조정합니다. 기본 설정된 태스크 크기를 사용해도 됩니다.

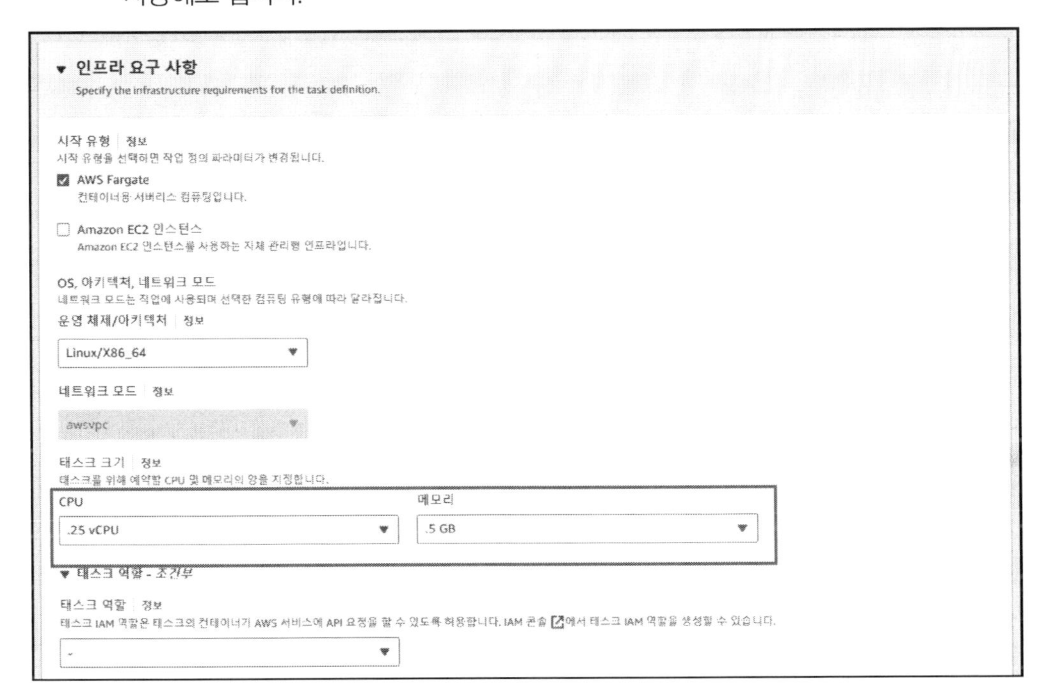

4. 컨테이너 설정에서 컨테이너 이름을 입력하고, 이미지 URI 에 이전에 메모장에 저장해둔 이미지 URI 를 입력합니다. 앞서 ACI 배포를 위해 FastAPI 포트를 80 을 사용하도록 설정했으므로 이 포트를 컨테이너 포트로 지정합니다.

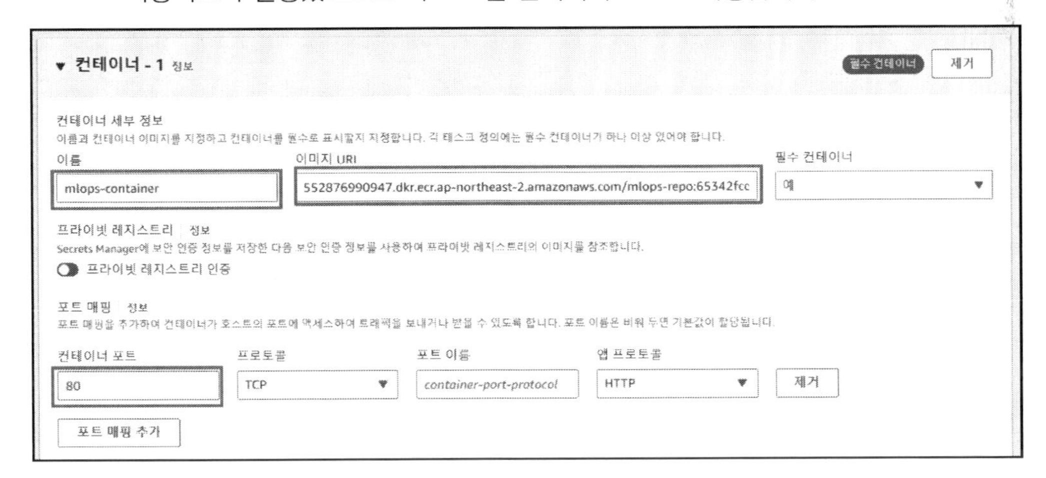

5. 그 후 생성 버튼을 통해 태스크 정의 생성을 완료하고, 태스크 정의 생성을 확인합니다.

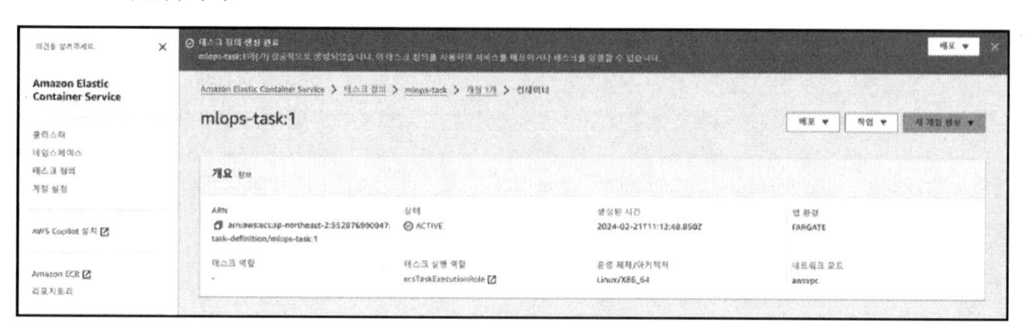

7.3. 서비스 생성

서비스란?

서비스는 특정 태스크 정의를 바탕으로 작동하며, 지정된 수의 태스크를 지정된 상태로 유지합니다. 앞서 정의한 태스크를 바탕으로 서비스 배포를 진행합니다.

1. “배포 > 서비스 생성” 버튼을 클릭하여 서비스 생성 화면으로 이동합니다.

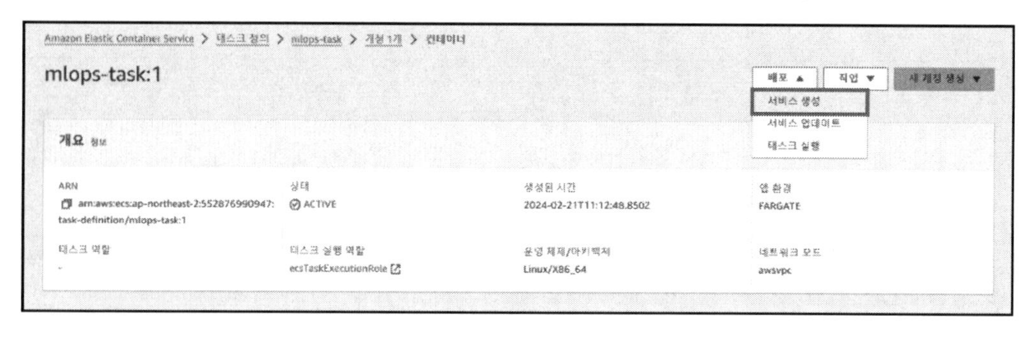

2. 배포 구성 영역에서 원하는 서비스 이름을 입력합니다.

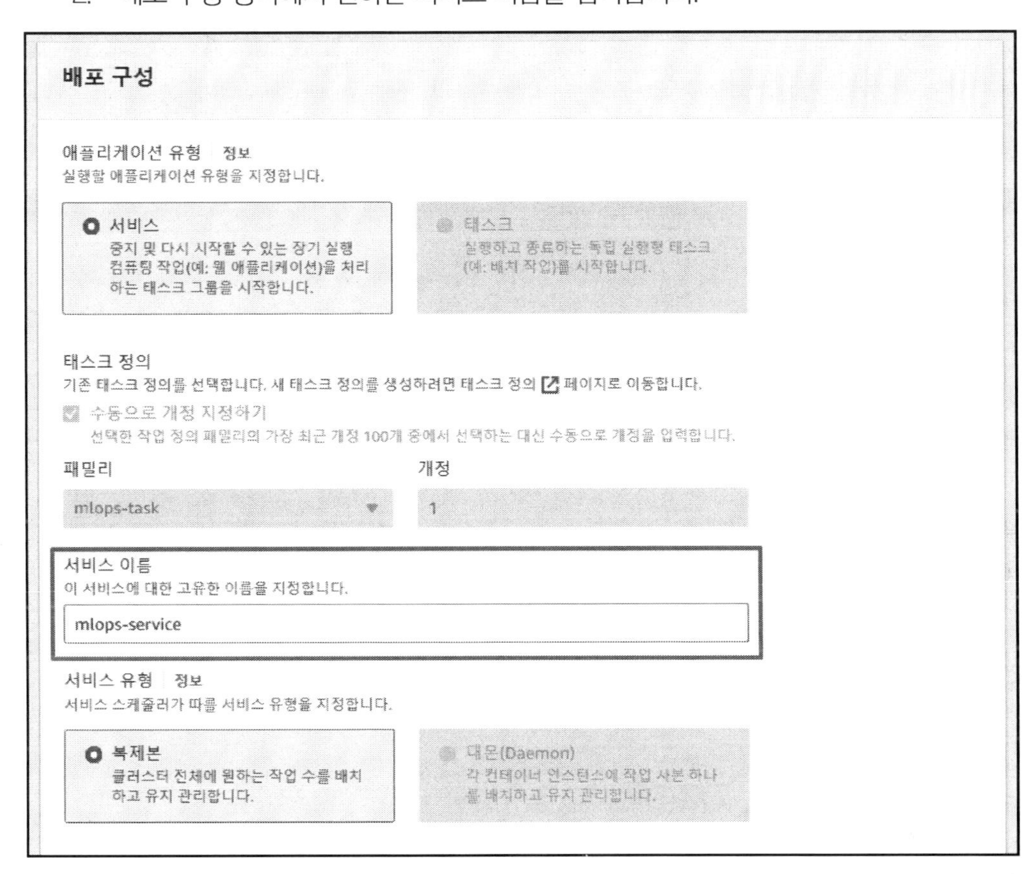

3. 네트워킹 영역에서 VPC를 앞서 생성한 VPC로 변경합니다.

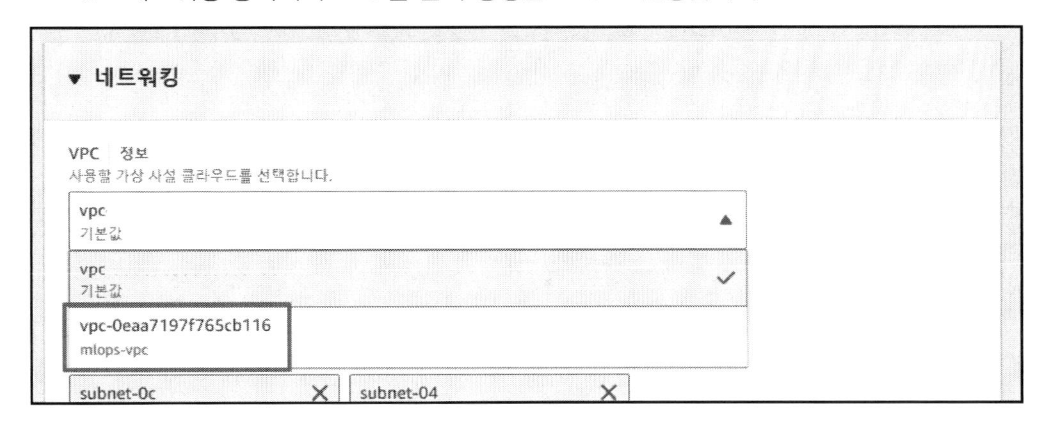

4. VPC 를 설정한 후, 보안 그룹 설정을 진행합니다. "새 보안 그룹 생성"을 선택하고, 보안 그룹의 이름과 설명을 입력합니다. 인바운드 규칙 설정에서는 유형으로 "HTTP"를 검색하여 선택하고, 소스는 "Anywhere"로 지정합니다. 이렇게 설정한 보안 그룹은 어디서든 HTTP 프로토콜을 사용해 애플리케이션에 접근할 수 있도록 구성됩니다.

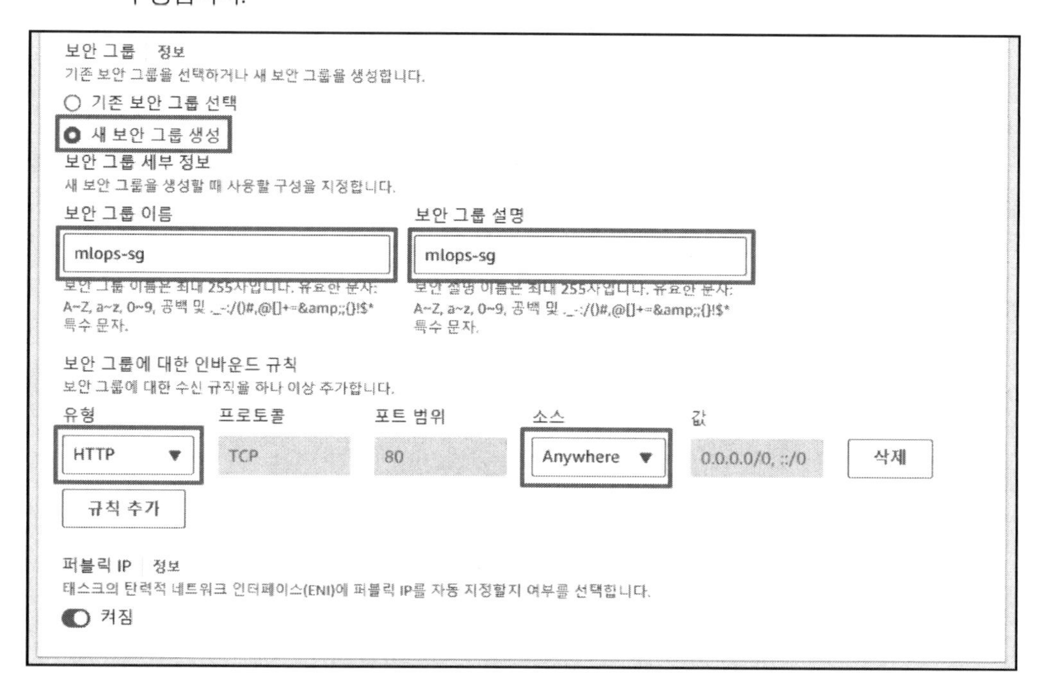

5. 서비스 배포가 완료될 때까지 대기 후 서비스 배포를 확인합니다.

7.4. 서비스 확인

이제 배포한 서비스의 상태와 작동 여부를 확인해봅시다.

1. 태스크 항목으로 이동한 후 생성된 태스크를 클릭합니다.

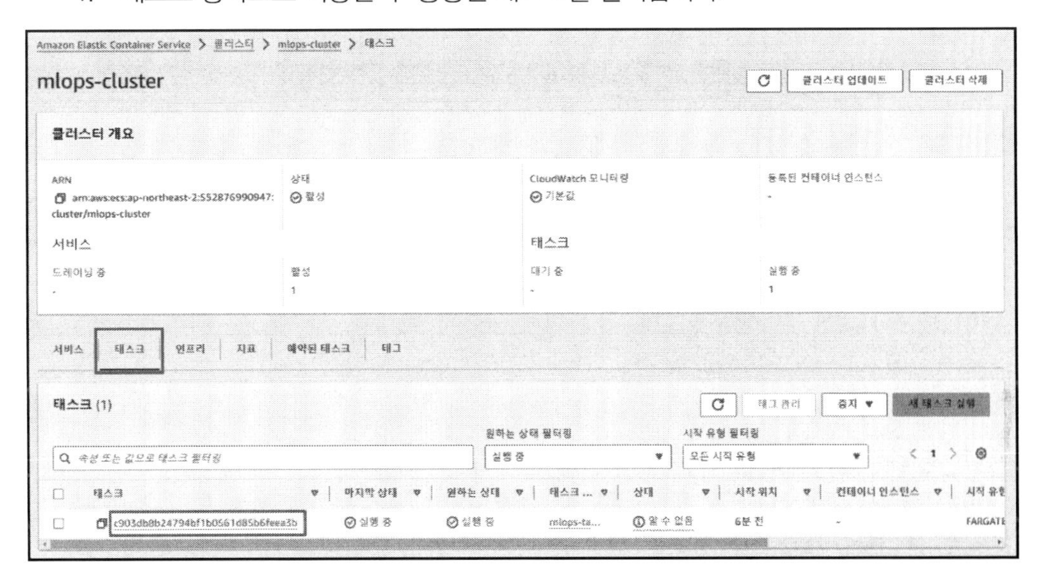

2. 구성 > 퍼블릭 IP 영역의 "주소 열기" 버튼을 클릭합니다.

Amazon Elastic Container Service > 클러스터 > mlops-cluster > 태스크 > c903db8b24794bf1b0561d85b6feea3b > 구성

c903db8b24794bf1b0561d85b6feea3b

중지

구성 | 로그 | 네트워킹 | 볼륨(0) | 태그

작업 개요

ARN: arn:aws:ecs:ap-northeast-2:task/mlops-cluster/c903db8b24794bf1b0561d85b6feea3b

마지막 상태: 실행 중

원하는 상태: 실행 중

시작/생성 날짜: 2024-02-22T17:51:24.022Z 2024-02-22T17:50:55.577Z

구성

운영 체제/아키텍처: Linux/X86_64

용량 공급자: FARGATE

ENI ID: eni-04125cb6d33190327

퍼블릭 IP: 43.202.158.74 주소 열기

CPU | 메모리: .25 vCPU | .5 GB

시작 유형: FARGATE

네트워크 모드: awsvpc

프라이빗 IP: 10.0.16.153

플랫폼 버전: 1.4.0

컨테이너 인스턴스 ID: -

서브넷 ID: subnet-0a8e653615e72f44d

MAC 주소: 06:a3:40:08:01:2f

3. 이전에 만들었던 FastAPI 애플리케이션이 정상적으로 실행되는 것을 확인할 수 있습니다.

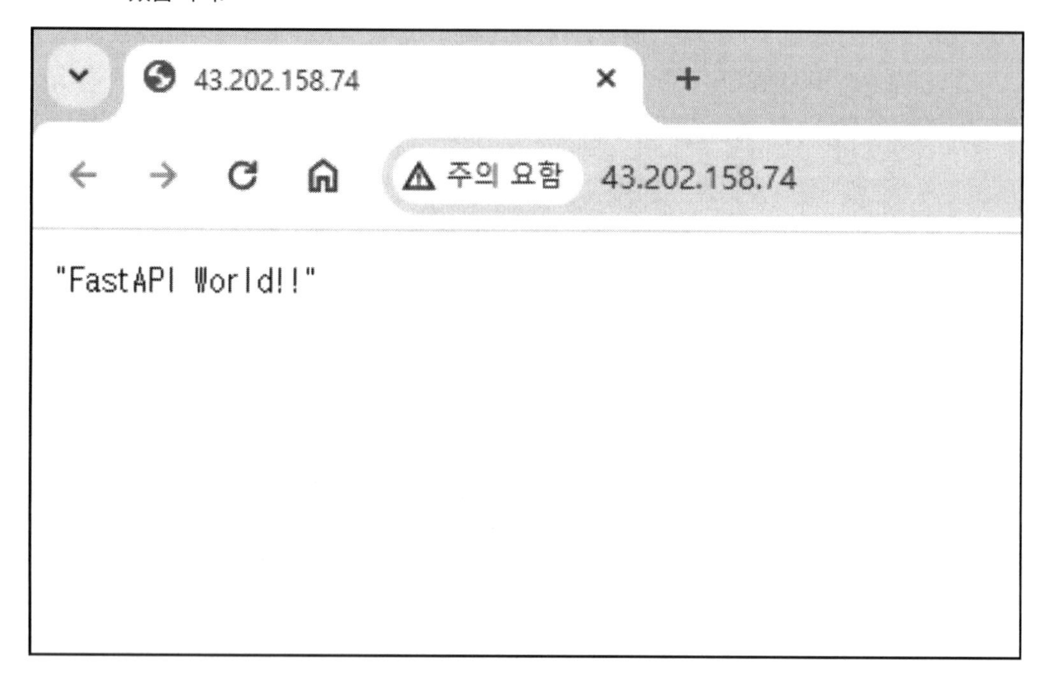

8. Github Actions 수정

이번 챕터에서는 GitHub Actions 의 워크플로우를 수정하여 ECS 에서의 자동 배포를 진행해보겠습니다.

8.1. Github Actions workflows 수정

".github/workflows" 디렉토리 내에 생성한 워크플로우 YAML 파일을 수정합니다. 워크플로우 파일의 env 영역에서 "ECS_SERVICE"와 "ECS_CLUSTER", "CONTAINER_NAME" 의 값을 본인이 설정한 환경에 맞게 수정합니다. 이 책에서는 "ECS_TASK_DEFINITION"의 경로를 ".aws/task-definition.json"으로 설정합니다. 본인이 생성할 json 파일의 위치에 맞게 변경합니다.

```
env:
  AWS_REGION: <AWS 리전>
  ECR_REPOSITORY: <프라이빗 리포지토리 이름>
  ECS_SERVICE: <서비스 이름>
```

```
ECS_CLUSTER: <클러스터 이름>
ECS_TASK_DEFINITION: <태스크 정의 파일 경로>
CONTAINER_NAME: <컨테이너 이름>
```

8.2. ECS 자동 배포를 위한 태스크 정의 파일 생성

Github actions 에서 자동으로 배포될 수 있도록 태스크 정의 파일을 추가합니다.

워크플로우에서 정의한 경로에 태스크 정의 파일을 생성하고 미리 생성한 태스크 정의에서 내용을 가져와봅시다.

1. AWS 의 ECS 에서 태스크 정의 중 생성한 태스크 정의를 클릭합니다.

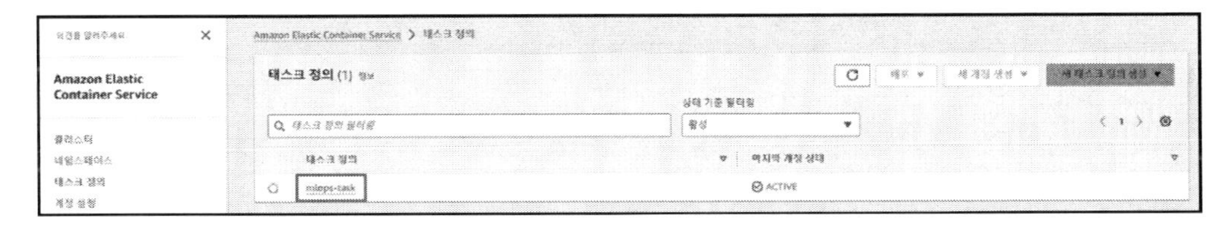

2. 태스크 정의를 선택 후 "새 개정 생성 > JSON 을 이용하여 새 개정 생성"을 클릭합니다.

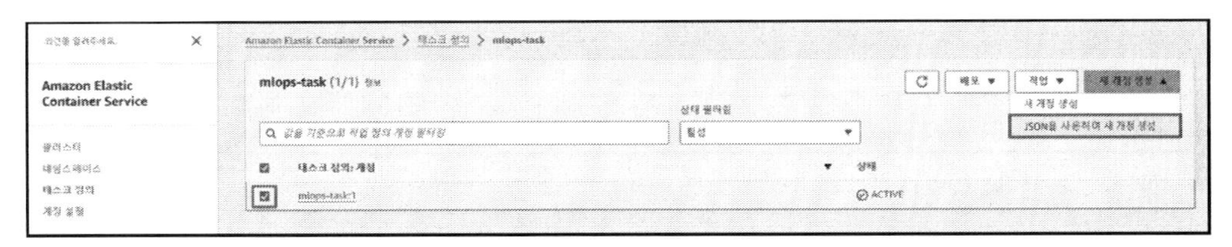

3. 출력 내용을 복사하여 워크플로우에서 환경변수로 설정한 경로에 파일을 만들고 내용을 붙여 넣은 후 저장합니다.

Amazon Elastic Container Service > 태스크 정의 > mlops-task > 개정 17개 > JSON을 사용하여 개정 생성

새 개정 생성 정보

Amazon ECS 작업에 대한 컨테이너 및 볼륨 정의를 정의하는 JSON 파일을 생성하거나 편집합니다.

```
1  {
2      "family": "mlops-task",
3      "containerDefinitions": [
4          {
5              "name": "mlops-container",
6              "image": "            .dkr.ecr.ap-northeast-2.amazonaws.com/mlops-repo:ac05293a59eb
7              "cpu": 0,
8              "portMappings": [
9                  {
10                     "name": "mlops-container-80-tcp",
11                     "containerPort": 80,
12                     "hostPort": 80,
13                     "protocol": "tcp",
14                     "appProtocol": "http"
15                 }
16             ],
17             "essential": true,
18             "environment": [],
19             "environmentFiles": [],
20             "mountPoints": [],
21             "volumesFrom": [],
22             "ulimits": [],
23             "logConfiguration": {
24                 "logDriver": "awslogs",
25                 "options": {
26                     "awslogs-create-group": "true",
27                     "awslogs-group": "/ecs/mlops-task",
28                     "awslogs-region": "ap-northeast-2",
29                     "awslogs-stream-prefix": "ecs"
30                 },
31
```

ⓧ0 ⚠0 1:1 JSON 공백: 4

취소 생성

4. 태스크 정의 파일과 워크플로우 파일의 수정을 확인하고, 변경사항을 GitHub 에 푸시합니다.

```
git add .
git commit -m "AWS CD"
git push origin main
```

이제 코드의 변경사항이 GitHub 리포지토리에 푸시될 때 자동으로 ECS 에 배포가 이루어지는 것을 확인할 수 있습니다.

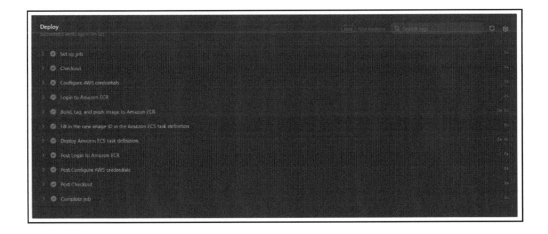

워크플로우가 완료된 후 태스크 정의의 번호가 변경된 것을 확인할 수 있습니다.

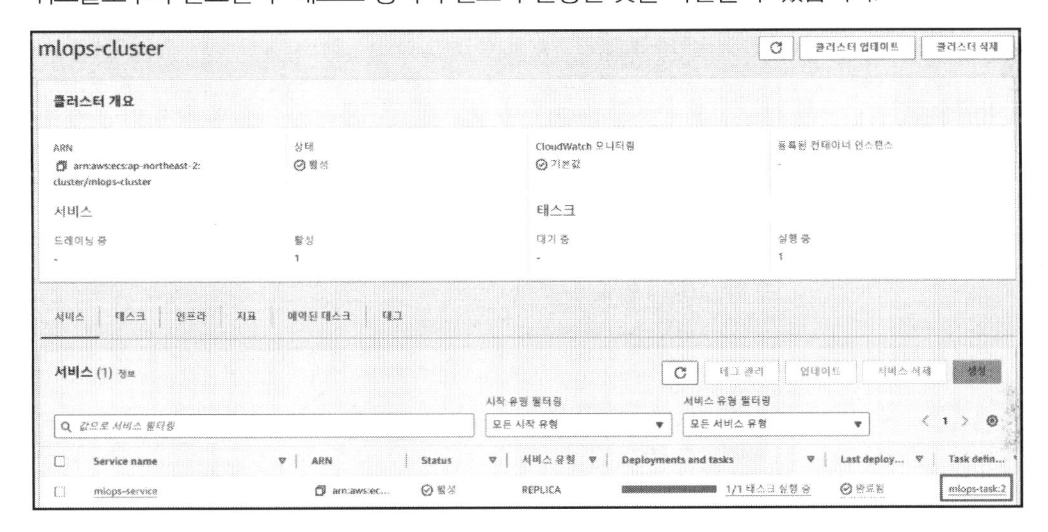

⚠ 자동 배포를 적용했지만 웹 페이지의 변화가 없다면?

위 내용에서는 코드에 대한 변경이 없기 때문에 새로 배포된 내용이 잘 적용되는지 확인하는데 어려움이 있습니다. 웹 애플리케이션의 코드를 변경해보고 변경사항이 잘 적용되는지 확인해봅시다.

⚠ 태스크는 정상적으로 실행 중인데 접속이 되지 않는다면?

ECS 에서 태스크를 실행할 때, 퍼블릭 IP 주소가 태스크의 네트워크 인터페이스에 할당됩니다. 이 주소는 태스크의 수명 동안 유지됩니다. 따라서, 기존 태스크가 종료되고 새 태스크가 시작될 때는 새로운 IP 주소가 할당되므로, 접속 시 올바른 IP 주소를 사용하고 있는지 확인해야 합니다.

⚠ 고정된 주소를 사용하려면?

ECS 에서 애플리케이션을 배포할 때 Application Load Balancer (ALB)를 활용하여 고정된 주소를 확보할 수 있습니다. ALB 를 설정하면 고정된 DNS 이름을 할당 받게 되고, 이를 통해서 웹 애플리케이션에 접근하게 됩니다. 서비스 생성 시 아래 예시와 같이 로드 밸런싱을 추가할 수 있습니다.

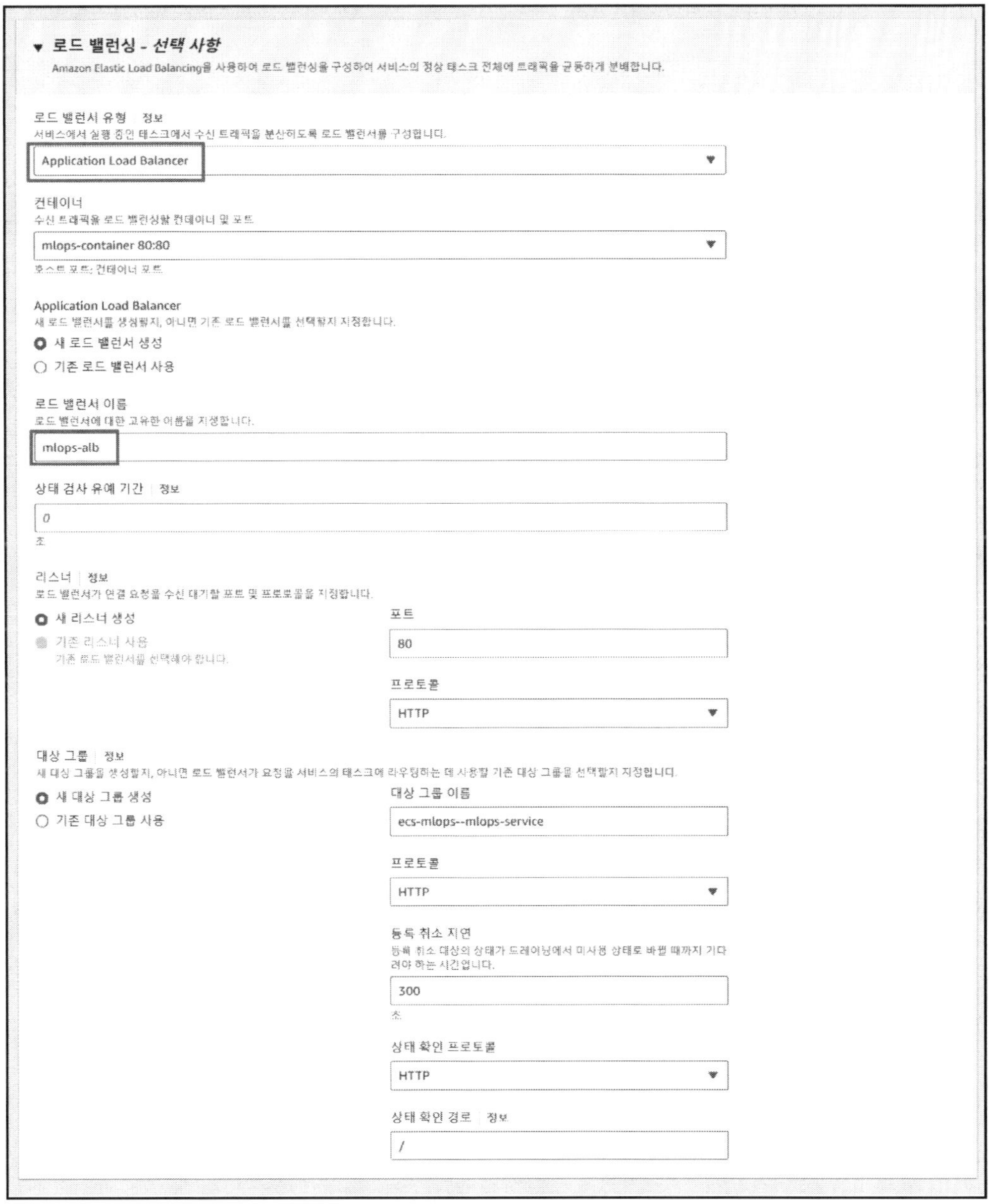

▼ 로드 밸런싱 - *선택 사항*

Amazon Elastic Load Balancing을 사용하여 로드 밸런싱을 구성하여 서비스의 정상 태스크 전체에 트래픽을 균등하게 분배합니다.

로드 밸런서 유형 정보

서비스에서 실행 중인 태스크에서 수신 트래픽을 분산하도록 로드 밸런서를 구성합니다.

Application Load Balancer

컨테이너

수신 트래픽을 로드 밸런싱할 컨테이너 및 포트

mlops-container 80:80

호스트 포트: 컨테이너 포트

Application Load Balancer

새 로드 밸런서를 생성할지, 아니면 기존 로드 밸런서를 선택할지 지정합니다.

- 새 로드 밸런서 생성
- 기존 로드 밸런서 사용

로드 밸런서 이름

로드 밸런서에 대한 고유한 이름을 지정합니다.

mlops-alb

상태 검사 유예 기간 | 정보

0

초

리스너 | 정보

로드 밸런서가 연결 요청을 수신 대기할 포트 및 프로토콜을 지정합니다.

- 새 리스너 생성
- 기존 리스너 사용
  기존 로드 밸런서를 선택해야 합니다.

포트

80

프로토콜

HTTP

대상 그룹 | 정보

새 대상 그룹을 생성할지, 아니면 로드 밸런서가 요청을 서비스의 태스크에 라우팅하는 데 사용할 기존 대상 그룹을 선택할지 지정합니다.

- 새 대상 그룹 생성
- 기존 대상 그룹 사용

대상 그룹 이름

ecs-mlops--mlops-service

프로토콜

HTTP

등록 취소 지연

등록 취소 대상의 상태가 드레이닝에서 미사용 상태로 바뀔 때까지 기다려야 하는 시간입니다.

300

초

상태 확인 프로토콜

HTTP

상태 확인 경로 | 정보

/

이로써 실습을 통해 FastAPI 애플리케이션을 AWS에서 지속적으로 배포하는 방법을 배우고, GitHub Actions를 활용한 AWS CD 과정을 구현해보았습니다. 실습을 마친 후에는 추가 요금이 발생하지 않도록 사용하지 않는 AWS 리소스를 반드시 삭제해야 합니다. 리소스 정리를 완료했다면, 이제 MLOps에 대해 알아보도록 합시다.

PART Ⅲ

MLOps 따라하기

Chapter 1. Azure MLOps 실습

1. MLOps 란?

MLOps 란 Machine Learning Operations 의 줄임말로, 간단히 말하자면 머신러닝 모델의 개발과 운영을 관리하고 자동화하는 접근 방식입니다. 우리는 이전 편까지 DevOps 를 살펴보고 CI/CD 를 구축하는 단계를 진행하며 DevOps 의 원칙을 익혔습니다. 이러한 전통적인 소프트웨어 개발의 DevOps 원칙에 머신러닝에 필요한 요구사항을 통합한 것이 MLOps 의 핵심입니다.

그렇다면 어떤 이유로 MLOps 가 탄생하게 되었을까요? 먼저 아래 이미지를 통해 기존의 머신러닝 개발 사이클을 살펴보겠습니다.

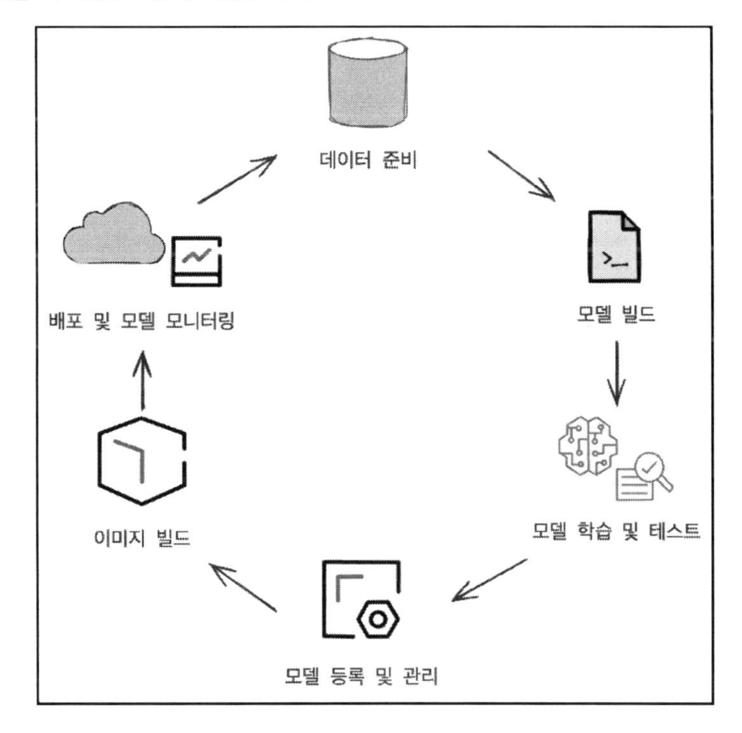

일반적으로 머신 러닝 개발은 다음과 같은 과정을 거칩니다.

1. 데이터 준비
    - 목적: 머신 러닝 모델이 학습할 수 있는 데이터를 수집하고, 이를 처리/정제하는 단계입니다.
    - 작업: 데이터를 수집, 정리, 탐색 및 전처리합니다. 결측치 처리, 특성 추출, 데이터 정규화, 데이터 분할(학습/테스트 세트) 등이 포함될 수 있습니다.

2. 모델 빌드
    - 목적: 머신 러닝 알고리즘을 선택하고 문제에 적합한 모델 구조를 만드는 단계입니다.
    - 작업: 알고리즘 선택, 특성 선택, 모델 구조 설계 등을 수행합니다.
3. 모델 학습 & 테스트
    - 목적: 준비된 데이터를 사용하여 모델을 학습시키고 모델의 성능을 평가하는 단계입니다.
    - 작업: 학습 데이터를 사용하여 모델을 학습시키고, 테스트 데이터를 사용하여 모델의 예측 성능을 평가합니다.
4. 모델 등록 및 관리
    - 목적: 학습된 모델을 저장하고, 버전 관리를 통해 모델의 이터레이션을 추적하는 단계입니다.
    - 작업: 모델을 모델 저장소에 등록하고 버전 관리합니다. 모델의 성능 지표를 기록하고, 모델을 재학습시킬 필요가 있을 때 이전 버전으로 쉽게 롤백할 수 있도록 합니다.
5. 이미지 빌드
    - 목적: 모델을 포함하는 컨테이너 이미지를 빌드하여, 배포를 위한 패키징을 하는 단계입니다.
    - 작업: 학습된 모델을 컨테이너화 하여 Docker 이미지를 생성하고, 이를 레지스트리에 등록합니다. 이는 모델을 쉽게 배포하고 확장할 수 있게 합니다.
6. 서비스로 배포
    - 목적: 빌드 된 이미지를 사용하여 모델을 실제 서비스 환경에 배포하는 단계입니다.
    - 작업: 모델을 웹 서비스로 배포합니다. 사용자의 요청에 응답하여 예측을 제공합니다.

하지만 머신 러닝 작업이 변화하고 고도화되면서 여러 요구 사항이 생겨났습니다.

1.1. MLOps 의 필요성

기존의 머신러닝 개발 패턴에서 어떤 문제점이 있었길래 MLOps 가 등장하게 되었을까요?

머신러닝의 라이프사이클은 기존의 소프트웨어 개발 라이프사이클보다 더 복잡합니다. 머신러닝 프로젝트에는 데이터와 모델이라는 두 가지 중요한 구성 요소가 포함되기 때문입니다. 그에 따라 데이터 수집, 데이터 전처리, 모델 설계, 모델 학습, 모델 검증 등과 같은 단계가 필요하며, 각 단계마다 복잡한 의존성과 파라미터를 갖습니다. 이를 자동화 없이 사람이 일일이 관리하고 기록을 남겨야 한다면 많은 노력과 비용이 소요됩니다.

현대의 머신러닝 프로젝트에서 MLOps 가 필요한 이유를 크게 다음 네 가지로 정리해보겠습니다.

1. 데이터 의존성이 크다

DevOps 는 코드와 인프라에 중점을 둡니다. 반면 MLOps 의 데이터는 머신러닝의 핵심 구성 요소로서 데이터의 품질과 데이터의 처리는 모델의 성능에 큰 영향을 미칩니다. MLOps 는 이러한 데이터 관리와 버전 관리를 포함해야 합니다.

2. 모델의 유지 및 최적화가 중요하다

DevOps 는 어플리케이션의 성능 모니터링과 최적화에 중점을 둡니다. MLOps 는 이에 더하여 모델의 성능도 중요하게 다룹니다. 다양한 데이터로 여러 번 모델 학습이 진행되어야 하며 이후에도 성능이 저하되지 않도록 지속적인 모델 모니터링이 필요합니다.

3. 머신러닝의 다양한 요소를 재현할 수 있어야 한다

DevOps 는 코드의 재현성에 중점을 둡니다. MLOps 는 데이터, 코드, 하이퍼파라미터 등 여러 가지 요소의 재현성이 중요합니다. 모델의 결과를 설명하고 재현할 수 있어야 하기 때문입니다. 그를 위해서는 하이퍼파라미터, 데이터 정보 등 모든 것이 기록되어야 하고 한 눈에 볼 수 있어야 합니다.

4. 다양한 역할의 협업

머신러닝 프로젝트에는 데이터 과학자, 데이터 엔지니어, ML 엔지니어, 운영 팀 등 더 다양한 역할 간의 협업이 필요합니다. 기존의 소프트웨어 개발 프로젝트보다 더 많은 역할이 앞서 말한 복잡한 ML 라이프 사이클 안에서 원활히 협업할 수 있어야 합니다.

머신 러닝 프로젝트는 기존의 소프트웨어 개발 프로세스에서는 없었던 특수한 요구사항이 존재합니다. MLOps 는 이런 머신러닝 라이프사이클 각 단계를 최적화하고 파이프라인을 구축해야 할 필요성에 의해 탄생했습니다.

이러한 다섯 가지 MLOps 의 필요성은 곧 MLOps 를 통해 우리가 얻을 수 있는 이점을 의미하기도 합니다. 이번 챕터에서는 간단한 머신 러닝 프로젝트 수행하고 Azure 머신 러닝이라는 클라우드 MLOps 서비스를 이용하여 이를 간편하게 관리하고 모니터링해보겠습니다.

1.2. Azure MLOps 두 가지 구축 프로세스

이번 파트에서는 Microsoft Azure 머신 러닝을 사용하여 MLOps 를 구축하기 위한 방법을 크게 'MLOps 구현하기 1', 'MLOps 구현하기 2'로 나누어 설명하겠습니다. 각 방법을 간단히 설명하면 다음과 같습니다.

1. Azure 머신러닝 공식 튜토리얼 따라하기

GitHub 의 "azureml-examples" 리포지토리[18]의 튜토리얼을 통해 MLOps 를 구축합니다. 이 리포지토리는 Azure 머신 러닝 서비스를 사용한 여러 MLOps 예제를 담은 공식 저장소입니다. 그 중 "tutorials"의 "get-started-notebooks" 디렉터리의 예제를 주피터 노트북을 통해 따라가보겠습니다. 여유가 된다면 다른 예제도 스스로 따라해 보길 추천합니다.

우리가 따라할 튜토리얼은 다음과 같은 절차로 이루어져 있습니다.

1. 모델을 학습시킨다.
2. 모델을 배포한다.
3. 데이터 전처리 및 모델 학습 파이프라인을 생성한다.

앞서 머신 러닝 개발 과정을 다뤘습니다. 그 중 '모델 학습 및 테스트'부터 '모델 배포'까지 진행합니다. 그리고 데이터 전처리와 모델 학습을 자동화하는 방법을 살펴봅니다.

2. Azure 의 솔루션 액셀러레이터(Solution Accelerator) 템플릿 따라하기

GitHub 의 "mlops-v2"라는 리포지토리[19]는 Azure 플랫폼에서 머신 러닝 프로젝트를 효율적으로 배포할 수 있도록 도와주는 양식을 제공합니다. 이른바 "솔루션 액셀러레이터"라고 부르는 것인데요. MLOps 의 베스트 프랙티스와 일반적인 패턴을 템플릿을 통해 구현할 수 있도록 도와줍니다. 앞서 DevOps 에서도 활용했던 GitHub Actions 을 함께 사용합니다.

이미 만들어진 템플릿을 활용하는 것이기에 훨씬 간단하다고 느낄 수 있습니다. 자세한 내용은 챕터 5부터 다루겠습니다.

가급적 두 솔루션을 모두 따라해 보길 권합니다. 특히 적어도 첫 번째 솔루션인 Azure 머신 러닝 튜토리얼은 꼭 따라해 보시길 바랍니다. 솔루션 액셀러레이터는 첫 번째 솔루션의

---

[18] "Azureml examples 리포지토리" (https://github.com/Azure/azureml-examples)
[19] "Azure mlops-v2 리포지토리" (https://github.com/Azure/mlops-v2)

과정을 훨씬 간편화한 것이라고 보면 됩니다. 따라서 첫 번째 과정을 먼저 진행하여 MLOps 의 흐름을 익힌 뒤 두 번째 과정을 따라하시면 좀 더 이해가 쉬울 겁니다.

그럼 첫 번째 MLOPs 솔루션부터 시작하겠습니다.

2. MLOps 구현하기 1: Azureml 튜토리얼 따라하기 (모델 학습시키기)

"azureml-examples" 저장소를 기반으로 MLOps 튜토리얼을 진행해보겠습니다. 먼저 모델을 학습시키는 것부터 시작해봅시다.

2.1. Azureml 튜토리얼 실행 환경 구성하기

2.1.1. "azureml-examples" 저장소 포크하기

앞서 소개한 "azureml-examples" 저장소를 포크(fork)합니다. 저장소에 접속하여 우측 상단의 아래와 같은 "fork" 버튼을 누릅니다.

> ⚠ 앞서 소개한 저장소는 원본 저장소입니다. 원본 저장소가 지속적으로 업데이트되므로 이 책에서 다루는 내용과 일부 달라질 수 있습니다. 이 책에서 다루는 내용과 완전히 동일하게 실습을 진행하고 싶다면 Azure 의 원본 저장소가 아닌 mlops-labs 의 저장소[20]를 포크하여 사용하면 됩니다.

> **GitHub 의 포크(Fork)란?**
>
> GitHub 의 포크란 접시에 담긴 음식을 포크로 찍어 내 접시로 옮기듯이, 다른 사용자나 조직이 관리하는 저장소의 전체 복사본을 자신의 GitHub 계정으로 복제하는 기능을 말합니다. 이 복제된 저장소는 원본 저장소로부터 완전히 독립적이므로 원본 저장소에 영향을 주지 않고 사용자가 자유롭게 변경할 수 있습니다.

[20] "mlops-labs/azureml-examples-forked" (https://github.com/mlops-labs/azureml-examples-forked)

그 다음 "Owner"와 저장소 이름을 작성한 뒤 "Create fork" 버튼을 클릭합니다.

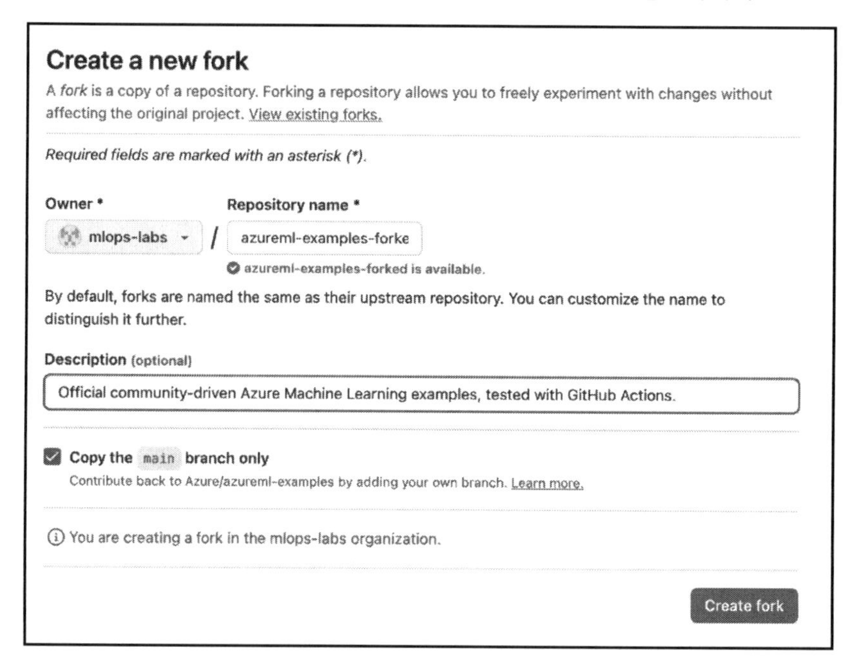

그 결과로 아래처럼 포크 된 저장소를 볼 수 있습니다. 일반적인 저장소와 여러 가지 다른 점이 있다는 걸 눈치채셨을 겁니다. 저장소 이름 아래에 원본 저장소의 링크가 연결되어 있네요. 또한 원본 저장소에 변경 사항이 발생한 경우 동기화 시키는 버튼도 보입니다. "Contribute"라는 기능은 우리의 저장소에 변경 사항을 가한 뒤 원본 저장소에 풀 리퀘스트를 올릴 수 있는 기능입니다.

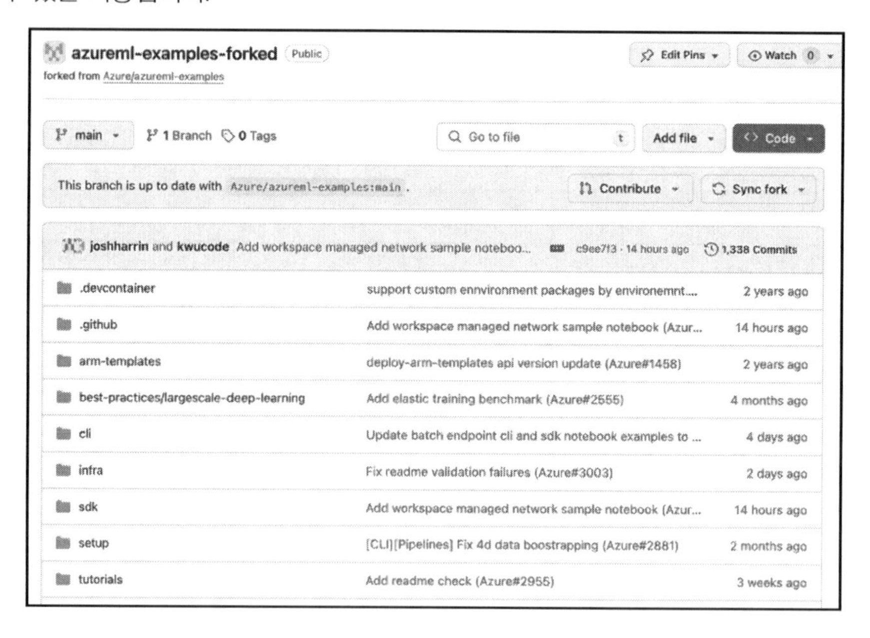

마지막으로 로컬 환경에서 작업하기 위해 "git clone" 명령어로 이 저장소를 사용자의 로컬 환경에 클론하면 됩니다.

2.1.2. 주피터 노트북으로 "train-model.ipynb" 파일 실행하기

로컬 환경에서 "tutorials/get-started-notebooks/train-model.ipynb" 파일을 실행할 것입니다.

그러기에 앞서 해당 파일을 실행하기 위해서 "아나콘다" 패키지 관리 시스템과 "주피터 노트북"을 설치해야 합니다.

아나콘다를 설치하지 않은 경우 파트 1 의 "파이썬 환경 구축하기"를 참조하세요. 아나콘다가 설치되었다면 아나콘다 가상 환경을 생성한 뒤 주피터 노트북을 설치하겠습니다.

> 📌 "주피터 노트북(jupyter notebook)"이란?
>
> 주피터 노트북이란 웹 브라우저에서 코드를 작성하고 실행할 수 있게 하는 컴퓨팅 환경을 말합니다. 주로 데이터 분석, 통계 모델링, 머신 러닝 등에서 사용됩니다. 코드를 셀로 나누어 작성하고 각 셀의 코드를 개별적으로 실행할 수 있으며, 실행 결과가 바로 아래에 표시됩니다. 이러한 특징을 가리켜 "인터랙티브"하다고 말합니다. 파이썬을 주 언어로 사용하지만 다양한 프로그래밍 언어를 지원합니다.
>
> ".ipynb" 확장자를 가지고 있습니다.

1. 아나콘다를 통해 파이썬 가상 환경 만들기

콘다 명령어를 통해 MLOps 튜토리얼을 위한 파이썬 가상 환경을 만들겠습니다. 아래 명령어를 터미널에 입력하여 콘다 가상환경을 만들고 실행합니다.

```
conda create -n <가상환경-이름> python=<숫자>.<숫자>
conda activate <가상환경-이름>
```

아래처럼 입력할 수 있습니다.

```
conda create -n azure-mlops python=3.11
conda activate azure-mlops
```

그러면 아래처럼 기본 환경인 "base"에서 지정한 가상 환경으로 변경된 것이 보입니다.

```
(base) ➜  ~ conda activate azure-mlops
(azure-mlops) ➜  ~
(azure-mlops) ➜  ~
```

2. 주피터 노트북 설치 및 실행하기

아래 명령어를 통해 주피터 노트북을 설치합니다.

```
conda install jupyter
```

"azureml-examples" 프로젝트 폴더로 이동합니다. 그리고 주피터 노트북을 실행합니다.

```
jupyter notebook
```

그러면 아래와 같은 화면이 터미널에 보일 것입니다. 빨간 박스 안의 주소를 클릭하여 접속합니다.

```
    To access the notebook, open this file in a browser:
        file:///home/jamie/.local/share/jupyter/runtime/nb
    Or copy and paste one of these URLs:
        http://localhost:8888/?token=d272f439bb8fbbdd81eb
     or http://127.0.0.1:8888/?token=d272f439bb8fbbdd81eb
gio: file:///home/jamie/.local/share/jupyter/runtime/nbse
```

프로젝트 폴더를 루트로 하는 디렉토리가 보입니다. 이제 여기서 실행하고자 하는 파일을 클릭하여 작업할 수 있습니다.

⚠ conda: error: argument COMMAND: invalid choice: 'activate' 메시지와 함께 activate 명령어가 작동하지 않는다면?

맥 OS의 brew 패키지 관리자로 아나콘다를 설치 환경이라고 가정하여 설명하겠습니다. 콘다 환경을 활성화하는데 문제가 발생한 것으로 보입니다. 아래 명령어를 통해 콘다를 초기화합니다.

```
conda init
```

"no change" 혹은 "modified"라는 표기와 여러 파일 목록이 출력됩니다.

```
(azure-mlops) → ~ conda init
no change     /opt/homebrew/anaconda3/condabin/conda
no change     /opt/homebrew/anaconda3/bin/conda
no change     /opt/homebrew/anaconda3/bin/conda-env
no change     /opt/homebrew/anaconda3/bin/activate
no change     /opt/homebrew/anaconda3/bin/deactivate
no change     /opt/homebrew/anaconda3/etc/profile.d/conda.sh
no change     /opt/homebrew/anaconda3/etc/fish/conf.d/conda.fish
no change     /opt/homebrew/anaconda3/shell/condabin/Conda.psm1
no change     /opt/homebrew/anaconda3/shell/condabin/conda-hook.ps1
no change     /opt/homebrew/anaconda3/lib/python3.11/site-packages/xontrib/conda.xsh
no change     /opt/homebrew/anaconda3/etc/profile.d/conda.csh
no change     /Users/jamie/.bash_profile
No action taken.
```

"conda init" 명령어를 입력하였음에도 "activate" 명령어가 실행되지 않는다면, 위의 빨간 박스의 ".bash_profile" 파일을 편집기로 실행합니다. 만약 "conda" 명령어 자체를 인식하지 않는다면 위의 1-b 과정의 명령어를 한 번 더 입력합니다.

```
# >>> conda initialize >>>
# !! Contents within this block are managed by 'conda init' !!
__conda_setup="$('/opt/homebrew/anaconda3/bin/conda' 'shell.bash' 'hook' 2> /dev/null)"
if [ $? -eq 0 ]; then
    eval "$__conda_setup"
else
    if [ -f "/opt/homebrew/anaconda3/etc/profile.d/conda.sh" ]; then
        . "/opt/homebrew/anaconda3/etc/profile.d/conda.sh"
    else
        export PATH="/opt/homebrew/anaconda3/bin:$PATH"
    fi
fi
unset __conda_setup
# <<< conda initialize <<<
```

"conda initialize"라고 표기 된 코드 부분을 복사하여 동일 디렉토리의 ".zshrc" 혹은 ".bashrc" 파일의 아래에 추가합니다. 그리고 터미널을 재시작합니다.

2.2. 모델 학습시키기

Azure 머신러닝과 주피터 노트북을 이용하여 모델을 학습시키는 방법을 알아보겠습니다. 해결할 문제는 신용 카드 데이터를 이용한 분류 문제입니다. 우리는 고객이 신용 카드 결제금액을 갚지 못할 가능성이 얼마나 되는지 예측하는 모델을 개발하려고 합니다.

이를 위해 학습을 위한 데이터를 준비하고 모델을 학습하고 등록하겠습니다. 이 튜토리얼은 클라우드 기반 트레이닝 작업(커맨드 작업, Command Job)을 이용합니다. 특히 Azure 머신러닝이 제공하는 Python SDK v2 를 활용합니다. 즉, 클라우드의 기능을 파이썬 코드 하나로 조작할 수 있다는 뜻입니다.

📌 Azure 머신러닝 Python SDK 란?

SDK 는 작은 도구 상자에 비유할 수 있습니다. 집을 지을 때 망치, 너트, 볼트, 드릴 등 다양한 도구가 필요하듯이 SDK 는 특정 플랫폼이나 언어를 위한 도구들의 모음입니다. 예를 들어 안드로이드 앱을 개발하고자 한다면 안드로이드 SDK 는 안드로이드 앱 개발에 필요한 모든 도구와 라이브러리, 가이드라인을 제공합니다. SDK 는 개발자로 하여금 쉽고 빠르게 개발할 수 있게 도와줍니다.

Azure 머신러닝 Python SDK v2 는 Azure 클라우드 환경에서 파이썬 언어를 이용해 머신러닝 작업을 손쉽게 수행할 수 있게 해주는 강력한 도구를 제공합니다.

이 튜토리얼의 절차를 요약하면 다음과 같습니다.

1. Azure 머신 러닝 서비스를 조작하기 위한 워크스페이스 핸들을 생성합니다.
2. 컴퓨팅 리소스(또는 간단히 서버리스 컴퓨팅 사용) 및 작업 환경을 생성합니다.
3. 모델 학습을 위한 학습 스크립트를 만듭니다.
4. 적절한 작업 환경 및 데이터 소스로 구성된 컴퓨팅 리소스에서 학습 스크립트를 실행하는 명령 작업(커맨드 작업)을 만들고 학습을 실행합니다.
5. 학습 스크립트의 출력을 확인합니다.
6. 새로 학습된 모델을 엔드포인트로 배포합니다.
7. 추론을 위해 Azure 머신러닝 엔드포인트를 호출하여 모델을 실행시키고 입력 데이터에 상응하는 예측 값을 얻습니다.

> **Azure 머신 러닝의 "작업(Job)"이란?**
>
> Azure 머신러닝에서 모델을 학습시키기 위해서는 "작업(Job)"이라는 것을 제출해야 합니다. 이 튜토리얼에서 우리가 제출할 종류의 작업은 커맨드 작업(Command Job)입니다. 따라서 학습 스크립트를 동작 시키기 위해 어떻게 커맨드 작업을 제출해야 하는지를 배울 것입니다.
>
> Azure 머신러닝은 모델을 학습시키기 위해 여러가지 작업을 제공합니다. 사용자는 해당 모델의 복잡도, 데이터 크기, 학습 속도 요구사항에 따라 모델 학습 방법을 선택할 수 있습니다.
>
> 커맨드 작업이란 사용자가 모델을 학습시키기 위해 작성한 학습 스크립트를 제출할 수 있도록 해주는 기능을 말합니다. "커스텀 학습 작업"이라고도 부르며 특정 환경에서 스크립트나 명령어를 실행시키는 데 사용됩니다. 커맨드 작업을 활용해 모델을 학습시키고, 데이터를 처리하고, 그리고 클라우드에서 실행하고자 하는 다양한 코드 작업을 수행할 수 있습니다.

2.2.1. 워크스페이스 핸들 생성하기

이제부터 주피터 노트북 파일의 파이썬 코드를 통해 Azure 클라우드의 머신러닝 서비스를 조작할 것입니다.

이를 위해 "워크스페이스"라는 개념을 알아야 합니다. 워크스페이스는 Azure 머신러닝 서비스를 사용하여 머신러닝 모델을 개발, 학습, 배포 및 관리하기 위한 중심적인 리소스입니다. 머신러닝 프로젝트의 모든 측면을 관리하고 조정하는 허브 역할을 하며, 이를 통해 사용자는 머신러닝 프로젝트를 보다 효율적이고 조직적으로 진행할 수 있습니다.

코드를 통해 워크스페이스를 핸들링하기 위해서는 ml_client 라는 것을 생성해야 합니다. 이 ml_client 를 이용해 Azure 머신러닝 서비스의 리소스와 작업(Job)을 관리합니다. 이를 위해서는 구독 ID 와 리소스 그룹 이름, 워크스페이스 이름이 필요합니다.

1. 구독 ID 값 얻기

"Azure 포털 > 구독 > 구독 ID"에서 확인할 수 있습니다.

2. 리소스 그룹 생성하기

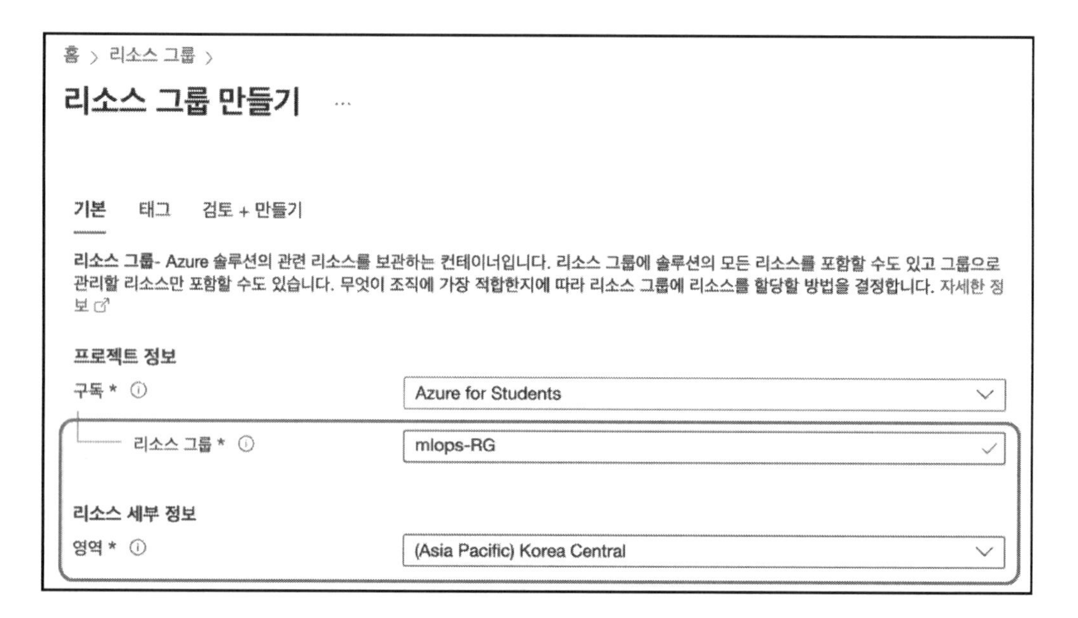

DevOps를 진행했던 리소스 그룹과 구분하기 위해 새로운 리소스 그룹을 만들어 사용할 것을 추천합니다.

3. 워크스페이스 생성하기

"Azure 포털 > Azure Machine Learning > 만들기 > 새 작업 영역(workspace)"에서 워크스페이스를 생성합니다.

방금 만든 리소스 그룹을 선택하고, 컨테이너 레지스트리도 MLOps 를 위해 새로 만듭니다. 레지스트리 이름은 Azure 의 모든 컨테이너 레지스트리 내에서 고유해야 하며 5 ~ 50 자로 영숫자만 포함할 수 있습니다.

홈 > Azure Machine Learning >

Azure Machine Learning ...

기계 학습 작업 영역 만들기

기본 네트워킹 암호화 ID 태그 검토 + 만들기

리소스 세부 정보

모든 작업 영역을 청구가 발생하는 Azure 구독에 할당해야 합니다. 만들려는 작업 영역을 비롯해, 폴더와 같은 리소스 그룹을 사용하여 리소스를 구성하고 관리합니다. Azure 리소스 그룹에 관해 자세히 알아보기

구독 * Azure for Students

리소스 그룹 * mlops-RG
새로 만들기

작업 영역 세부 정보

저장소 연결, 인증, 컨테이너 등과 같은 기본 작업 영역 설정을 구성합니다. 자세한 정보

이름 * mlops-WS

지역 * Korea Central

스토리지 계정 * (신규) mlopsws8630101529
새로 만들기

키 자격 증명 모음 * (신규) mlopsws5890552642
새로 만들기

Application Insights * (신규) mlopsws3566110905
새로 만들기

컨테이너 레지스트리 (신규) mlopsimages1
새로 만들기

새 컨테이너 레지스트리 만들기 ×

이름 * ⓘ mlopsimages1

SKU * ⓘ 기본

나머지는 기본 설정으로 두고 워크스페이스 생성을 마칩니다. 실시간으로 리소스가 생성되는 것을 확인할 수 있습니다.

4. "ml_client" 생성하기

다음은 다시 "tutorials/get-started-notebooks/train-model.ipynb" 주피터 노트북 파일로 돌아가겠습니다.

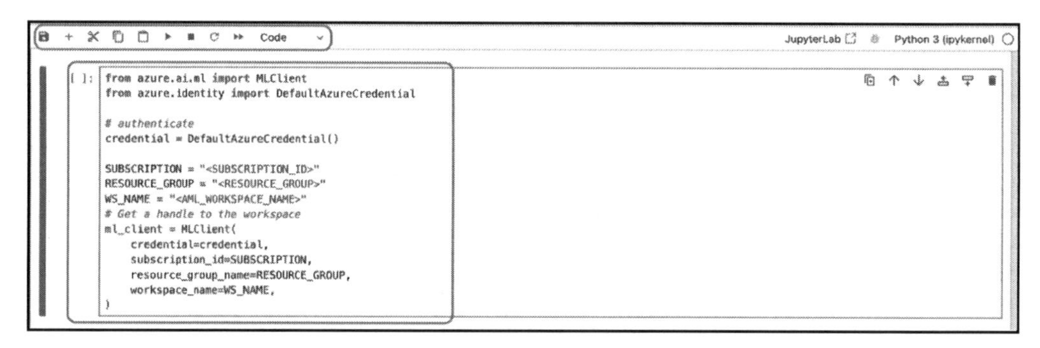

주피터 노트북은 상단에 주피터 노트북을 편집하고 조작할 수 있는 버튼과, 셀 안의 코드 그리고 문서로 이루어져 있습니다. 셀 안의 코드를 실행하려면 셀을 클릭한 뒤 조작 버튼의 "▶" 실행 버튼을 누르면 됩니다. 셀 좌측의 "[ ]:"처럼 생긴 괄호가 보이시나요? 주피터 노트북의 코드 셀의 실행 순서를 나타냅니다. 공백은 한 번도 실행된 적 없는 셀이라는 뜻입니다.

가장 첫 번째 셀의 코드는 다음과 같습니다.

```
from azure.ai.ml import MLClient
from azure.identity import DefaultAzureCredential

# Azure 자격 증명으로 인증 정보를 가져옵니다.
credential = DefaultAzureCredential()
```

```
SUBSCRIPTION = "<SUBSCRIPTION_ID>"
RESOURCE_GROUP = "<RESOURCE_GROUP>"
WS_NAME = "<AML_WORKSPACE_NAME>"

# Azure 머신 러닝의 워크스페이스 핸들러를 생성합니다.
ml_client = MLClient(
    credential=credential,
    subscription_id=SUBSCRIPTION,
    resource_group_name=RESOURCE_GROUP,
    workspace_name=WS_NAME,
)
```

"ml_client"를 생성하기 위해 구독 ID 와 방금 생성한 리소스 그룹 이름, 워크스페이스 이름을 입력합니다. 그리고 실행 버튼을 클릭합니다.

```
ModuleNotFoundError                       Traceback (most recent call last)
Cell In[1], line 1
----> 1 from azure.ai.ml import MLClient
      2 from azure.identity import DefaultAzureCredential
      4 # authenticate

ModuleNotFoundError: No module named 'azure'
```

위 처럼 "ModuleNotFoundError" 결과가 출력된다면 셀을 실행하기 위해 필요한 모듈이 아직 설치되지 않았기 때문입니다. azure 서비스와 관련 된 모듈이 설치되지 않았네요.

새로운 터미널을 세션을 만든 뒤 "conda activate <가상환경-이름>" 명령어로 프로젝트 가상환경으로 변경한 뒤, 아래 명령어를 입력하여 패키지를 설치합니다.

```
pip install azure-ai-ml
pip install azure-identity
```

설치를 완료했다면 "train-model.ipynb" 주피터 파일로 돌아가 에러가 났었던 셀을 다시 실행합니다. 그리고 아래 셀을 실행하여 올바른 정보가 결과로 출력되는지 확인합니다.

```
# 워크스페이스 핸들러가 올바르게 작동하는지 확인합니다.
# 만약 에러가 난다면 위에서 할당한 구독 ID, 리소스 그룹, 워크스페이스 이름을 제대로 작성했는지 확인해주세요.
ws = ml_client.workspaces.get(WS_NAME)
print(ws.location, ":", ws.resource_group)
```

"koreacentral : mlops-RG"와 같은 결과 값이 표기된다면 성공입니다.

2.2.2. 작업(Job) 환경 만들기

Azure 머신러닝 작업을 컴퓨팅 리소스에서 실행시키기 위한 환경 구성을 진행합니다. 학습 작업을 실행할 컴퓨팅 머신에서 필요한 소프트웨어 런타임, 라이브러리 등이 포함됩니다.

conda 환경의 패키지 의존성을 명시한 "conda.yaml" 파일을 이용합니다.

```
import os

dependencies_dir = "./dependencies"
os.makedirs(dependencies_dir, exist_ok=True)
```

위 코드 셀을 실행하면 "./dependencies"라는 디렉토리를 생성합니다.

```
%%writefile {dependencies_dir}/conda.yaml
name: model-env
channels:
  - conda-forge
dependencies:
  - python=3.10
  - numpy
  - pip
  - scikit-learn
  - scipy
  - pandas
  - pip:
    - inference-schema[numpy-support]
    - mlflow
    - azureml-mlflow
    - psutil
    - tqdm
    - ipykernel
    - matplotlib
```

"%" 기호로 시작하는 위 코드는 일반적인 Python 이 아닌 IPython 이라고 불립니다. 이를 실행하면 "conda.yaml" 파일 만들어 방금 파이썬 코드로 생성한 디렉토리에 위치시킵니다. 완료되었다면 생성된 "conda.yaml" 파일을 참조하여 우리의 워크스페이스에 환경 구성을 등록하면 됩니다.

📌 IPython 이란?

IPython 이란 "Interactive Python"의 약자로 파이썬 언어를 대화형으로 사용할 수 있게 하는 명령줄 셸 입니다. 기본 파이썬 인터프리터에 비해 다양한 기능을 제공합니다. 특히 데이터 분석, 과학 계산에서 인기가 많고, 빠르고 효과적으로 코드를 개발하고 실험할 수 있는 환경을 제공합니다.

Jupyter 프로젝트의 일부로 Jupyter 노트북에서 사용되는 기본 커널로 사용됩니다. 이를 통해 웹 기반 인터페이스에서 대화식으로 코드를 작성하고 실행할 수 있습니다.

"%" 기호로 시작하는 매직 커맨드를 이용해 시스템 명령어를 실행하고, 시간을 측정하고, 코드 프로파일링을 하는 등 특별한 동작을 수행할 수 있습니다.

그리고 아래 코드를 실행하면 "사이킷 런(scikit-learn)" 이미지 기반의 환경을 등록할 수 있습니다.

```
from azure.ai.ml.entities import Environment

custom_env_name = "aml-scikit-learn"

custom_job_env = Environment(
   name=custom_env_name,
   description="Custom environment for Credit Card Defaults job",
   tags={"scikit-learn": "1.0.2"},
   conda_file=os.path.join(dependencies_dir, "conda.yaml"), # 방금
생성한 conda 패키지 의존성 명세 파일입니다.
   image="mcr.microsoft.com/azureml/openmpi4.1.0-
ubuntu20.04:latest", # azure 공식 라이브러리입니다.
)
custom_job_env =
ml_client.environments.create_or_update(custom_job_env)

print(
   f"Environment with name {custom_job_env.name} is registered to
workspace, the environment version is {custom_job_env.version}"
)
```

"Environment with name aml-scikit-learn is registered to workspace, the environment version is 1"이라는 문구가 보인다면 성공적으로 환경 구성이 등록된 것입니다.

ⓘ "사이킷 런(Scikit-learn)"이란?

사이킷 런은 Python 프로그래밍 언어로 작성된 오픈 소스 머신 러닝 라이브러리입니다. 간단하고 효율적인 데이터 마이닝과 데이터 분석 도구를 제공하며, 다양한 머신 러닝 모델을 구현하고 실험하기 위한 기능을 제공합니다.

2.2.3 커맨드 기능을 이용해 모델 학습 작업을 구성하고 생성하기

커맨드 작업은 특정한 컴퓨팅 리소스의 특정한 환경에서 모델 학습 스크립트를 실행합니다. 우리는 방금 환경 구성을 생성했고 컴퓨팅 리소스인 클러스터를 만들었습니다. 이제 모델 학습 스크립트를 생성할 차례입니다. 여기서는 "GradientBoostingClassifier" 모델을 이용해 데이터셋을 학습시킬 것입니다.

학습 스크립트는 아래 과정을 다룹니다.

1. 데이터 처리: "train_test_split"은 데이터 세트를 테스트 데이터와 학습 데이터로 나눕니다.
2. 모델 학습
3. 학습된 모델 등록

그럼 이어지는 절차에 따라 모델 학습 스크립트를 작성한 "main.py" 파일을 만들어봅시다. 먼저 모델 학습 스크립트를 저장할 디렉토리를 생성합니다. "/src"라는 폴더를 생성하겠습니다.

```
import os

train_src_dir = "./src"
os.makedirs(train_src_dir, exist_ok=True)
```

그 다음 아래의 IPython 코드가 실질적인 모델 학습 스크립트입니다. 데이터 전처리, 테스트 데이터와 학습 데이터로 나누는 과정을 포함합니다. 그리고나서 이 데이터를 트리 기반 모델을 학습시키는데 사용하고, 출력 값을 반환합니다. MLOps 프로젝트이므로 모델 학습 코드의 상세한 설명은 편의상 생략하겠습니다.

다만 주의 깊게 볼 점은 "MLFlow"[21]라는 로깅 패키지가 쓰였다는 점입니다. 이는 해당 작업의 파라미터와 메트릭 값을 기록하는데 쓰입니다. MLFlow 패키지는 Azure로 하여금 학습시키는

[21] "MLFlow" (https://learn.microsoft.com/articles/machine-learning/concept-mlflow)

각각의 모델의 메트릭 값을 추적할 수 있도록 해줍니다. Azure ML 서비스의 웹 포털에 접속하여 Azure Studio 에서 모델의 메트릭을 확인할 수 있습니다.

```
%%writefile {train_src_dir}/main.py
import os
import argparse
import pandas as pd
import mlflow
import mlflow.sklearn
from sklearn.ensemble import GradientBoostingClassifier
from sklearn.metrics import classification_report
from sklearn.model_selection import train_test_split

def main():
   """Main function of the script."""

   # 인풋 및 아웃풋 인자
   parser = argparse.ArgumentParser()
   parser.add_argument("--data", type=str, help="path to input
data")
   parser.add_argument("--test_train_ratio", type=float,
required=False, default=0.25)
   parser.add_argument("--n_estimators", required=False,
default=100, type=int)
   parser.add_argument("--learning_rate", required=False,
default=0.1, type=float)
   parser.add_argument("--registered_model_name", type=str,
help="model name")
   args = parser.parse_args()

   # 로깅을 시작한다.
   mlflow.start_run()

   # 자동 로깅을 활성화한다.
   mlflow.sklearn.autolog()

   ###################
   #<데이터 준비하기>
   ###################
   print(" ".join(f"{k}={v}" for k, v in vars(args).items()))

   print("input data:", args.data)

   credit_df = pd.read_csv(args.data, header=1, index_col=0)

   mlflow.log_metric("num_samples", credit_df.shape[0])
```

```
    mlflow.log_metric("num_features", credit_df.shape[1] - 1)

    #학습과 학습 데이터셋을 나눈다.
    train_df, test_df = train_test_split(
        credit_df,
        test_size=args.test_train_ratio,
    )
    ####################
    #</데이터 준비하기>
    ####################

    ##################
    #<모델 학습시키기>
    ##################
    # 컬럼의 라벨을 추출한다.
    y_train = train_df.pop("default payment next month")

    # 데이터프레임 값을 배열로 변환한다.
    X_train = train_df.values

    # 컬럼의 라벨을 추출한다.
    y_test = test_df.pop("default payment next month")

    # 데이터프레임 값을 배열로 변환한다.
    X_test = test_df.values

    print(f"Training with data of shape {X_train.shape}")

    clf = GradientBoostingClassifier(
        n_estimators=args.n_estimators,
learning_rate=args.learning_rate
    )
    clf.fit(X_train, y_train)

    y_pred = clf.predict(X_test)

    print(classification_report(y_test, y_pred))
    ###################
    #</모델 학습시키기>
    ###################

    ##########################
    #<모델을 저장하고 등록하기>
    ##########################
```

```
    # 모델을 워크스페이스에 등록한다.
    print("Registering the model via MLFlow")
    mlflow.sklearn.log_model(
        sk_model=clf,
        registered_model_name=args.registered_model_name,
        artifact_path=args.registered_model_name,
    )

    # 모델을 파일로 저장한다.
    mlflow.sklearn.save_model(
        sk_model=clf,
        path=os.path.join(args.registered_model_name,
"trained_model"),
    )
    ###########################
    #</모델을 저장하고 등록시키기>
    ###########################

    # 로깅을 중단한다.
    mlflow.end_run()

if __name__ == "__main__":
    main()
```

"Writing ./src/main.py"라는 문구가 출력되며 모델 학습 스크립트를 담은 "main.py" 파일을 작성했습니다.

이 코드를 통해 학습시킨 모든 모델은 파일로 저장되고 워크스페이스에 등록됩니다. 즉, 모델 자체를 저장할 수 있을 뿐만 아니라 모델의 버전 기록을 Azure 클라우드에 남길 수 있습니다. 그리고 모델 저장소라고 불리는 Azure Studio 에서 지금까지 등록한 모든 다른 모델을 한 곳에서 볼 수 있게 됩니다. 지금까지 학습시킨 모델들의 기록 추적이 용이해질 것입니다

2.2.4 커맨드 작업 생성하기

우리가 바라던 분류 작업을 수행할 수 있는 모델 학습 코드를 생성했으므로 이를 실행하는 파이썬 명령어가 필요할 것입니다. 이러한 파이썬 명령어를 실행하는 코드를 작성하겠습니다. 즉, 커맨드 작업을 생성합니다. 커맨드 작업은 시스템 명령을 바로 호출하거나 스크립트를 실행시킬 수 있습니다.

명령어를 실행하기 위해 필요한 변수들을 생성합니다. 예를 들어 데이터, 테스트 데이터와 학습 데이터의 비율, 학습률, 모델 이름 등입니다. 이 명령어 실행 코드는 다음과 같이 작동합니다.

- 우리가 방금 생성한 컴퓨터 클러스터에서 실행될 것입니다.
- 우리가 방금 생성한 "conda.yaml" 환경 구성하에서 실행될 것입니다.
- 실행하고자 하는 명령어를 포함합니다. 아래 코드의 경우에는 "python main.py"라는 명령이죠. 인풋과 아웃풋은 "${{ ... }}" 표기를 통해 가능합니다.

```
from azure.ai.ml import command
from azure.ai.ml import Input

registered_model_name = "credit_defaults_model"

job = command(
   inputs=dict(
      data=Input(
         type="uri_file",
         path="https://azuremlexamples.blob.core.windows.net/dataset
s/credit_card/default_of_credit_card_clients.csv",
      ),
      test_train_ratio=0.2,
      learning_rate=0.25,
      registered_model_name=registered_model_name,
   ),
   code="./src/", # 소스 코드가 위치한 장소
   command="python main.py --data ${{inputs.data}} --
test_train_ratio ${{inputs.test_train_ratio}} --learning_rate
${{inputs.learning_rate}} --registered_model_name
${{inputs.registered_model_name}}", # 실행하고자 하는 명령어
   environment="aml-scikit-learn@latest",
   compute="cpu-cluster", # 서버리스 컴퓨팅을 사용하는 경우 이 라인을
삭제한다.
   display_name="credit_default_prediction",
)
```

2.2.5. 작업(Job) 제출하기

이제 우리가 실행해야 하는 작업을 Azure 머신러닝 스튜디오에 제출하겠습니다.

> 📌 작업(Job)과 워크스페이스의 관계는?
>
> 워크스페이스가 마치 레고 판이라면 그 위에서 레고 부품을 한 번 실행한 것이 작업(Job)입니다. 작업을 실행하면 로그, 메트릭 등과 같은 출력 값이 생성되며 이를 Azure 포털에서 한 눈에 볼 수 있습니다.

"ml_client"의 "create_or_update"라는 메소드를 이용합니다. "ml_client는 클라이언트 클래스로 파이썬을 이용해 Azure 구독에 접속할 수 있게 해주고, Azure 머신러닝 서비스와 상호작용할 수 있게 도와줍니다. 파이썬 코드를 이용하여 우리의 작업을 간단히 제출할 수 있는 것입니다.

```
ml_client.create_or_update(job)
```

이 코드를 실행하면 업로드 게이지가 진행 상황을 알려줄 것입니다. 100%에 도달하면 아래와 같은 표가 생성됩니다. "Details Page"의 링크를 클릭하면 해당 작업의 결과를 보여줄 Azure Studio로 연결됩니다.

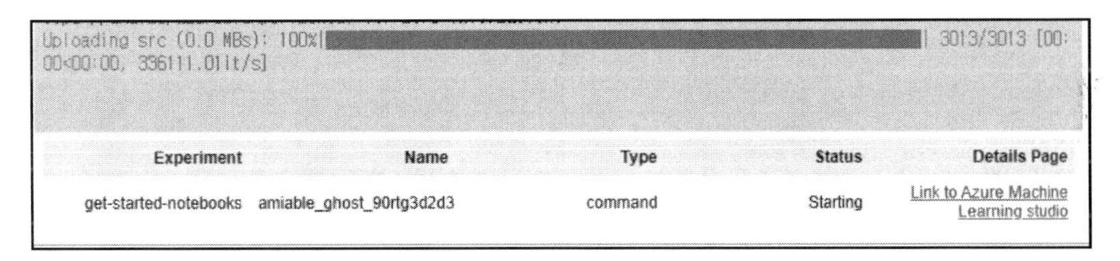

2.3. 작업(Job) 결과 확인 및 완수 기다리기

"Details Page"의 링크를 클릭하면 우리가 실행한 작업의 결과를 볼 수 있습니다. 일단 작업의 수행이 종료되면 모델 학습의 결과로 우리의 워크스페이스에 해당 모델이 등록됩니다.

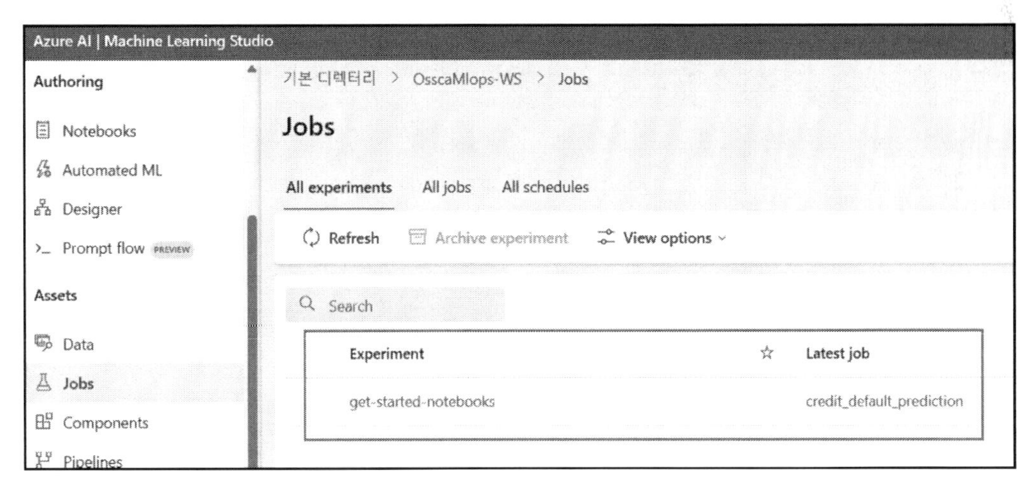

"experiment" 컬럼에 "get-started-notebooks"가 등록되었고 "credit_default_prediction"이라는 작업이 수행되었다는 기록이 보입니다. 해당 작업을 클릭하면 아래처럼 작업의 모든 정보를 한 눈에 파악할 수 있습니다.

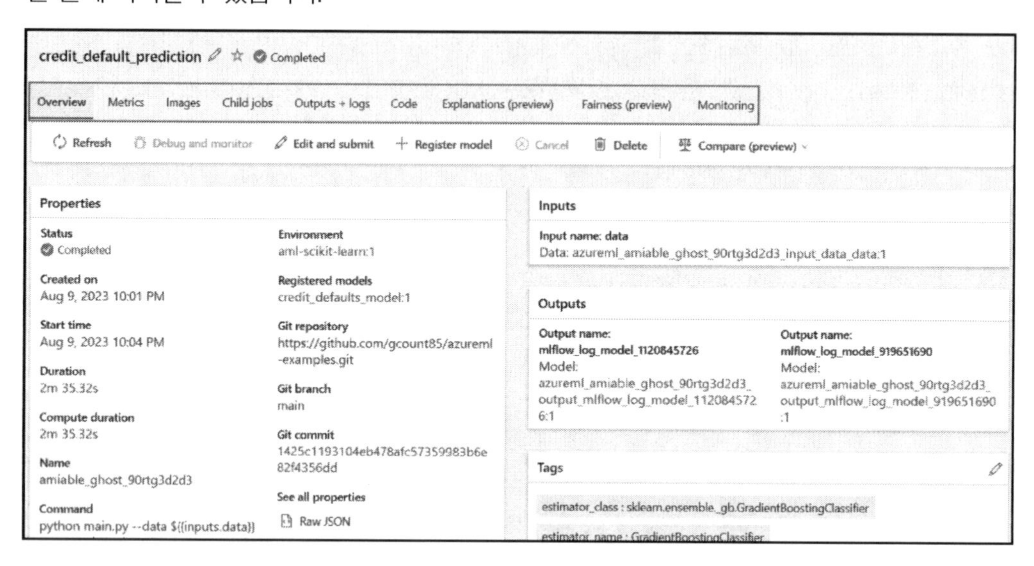

"metrics" 값을 확인하고, 심지어 chart를 만들 수도 있습니다.

"output + logs" 탭을 클릭하면 모델과 결과물을 확인할 수 있습니다.

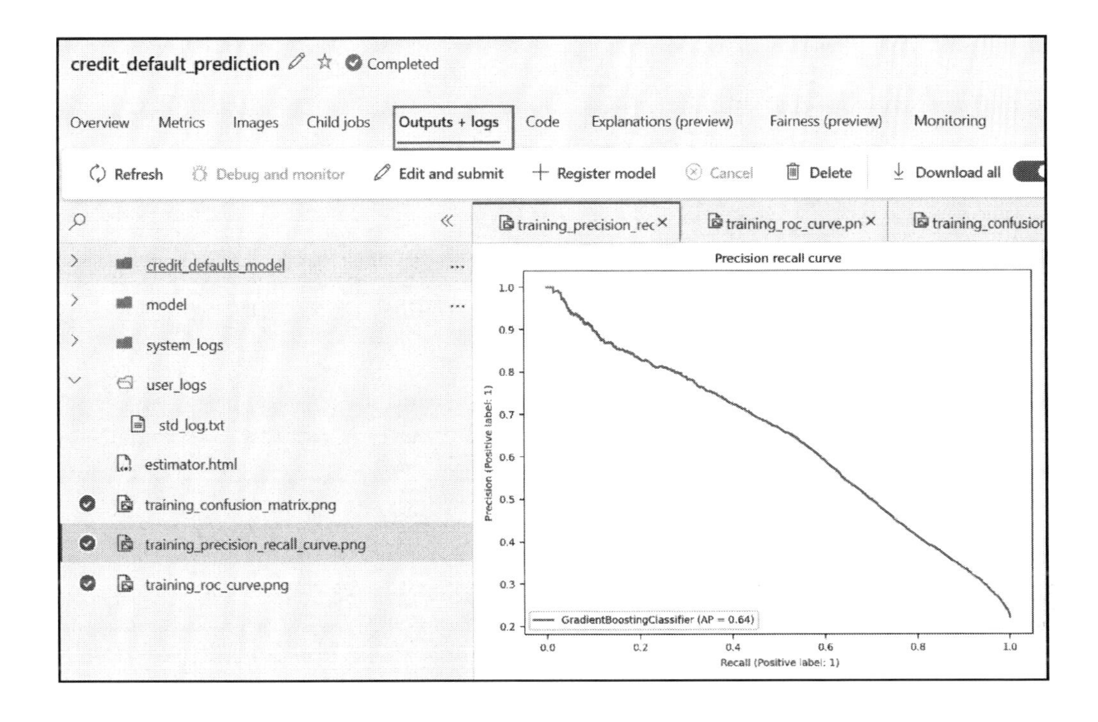

앞서 주피터 노트북으로 클라우드에서 실행할 "main.py" 파일을 생성한 것을 기억하시나요? "Code" 탭에서 아래와 같이 확인 가능합니다.

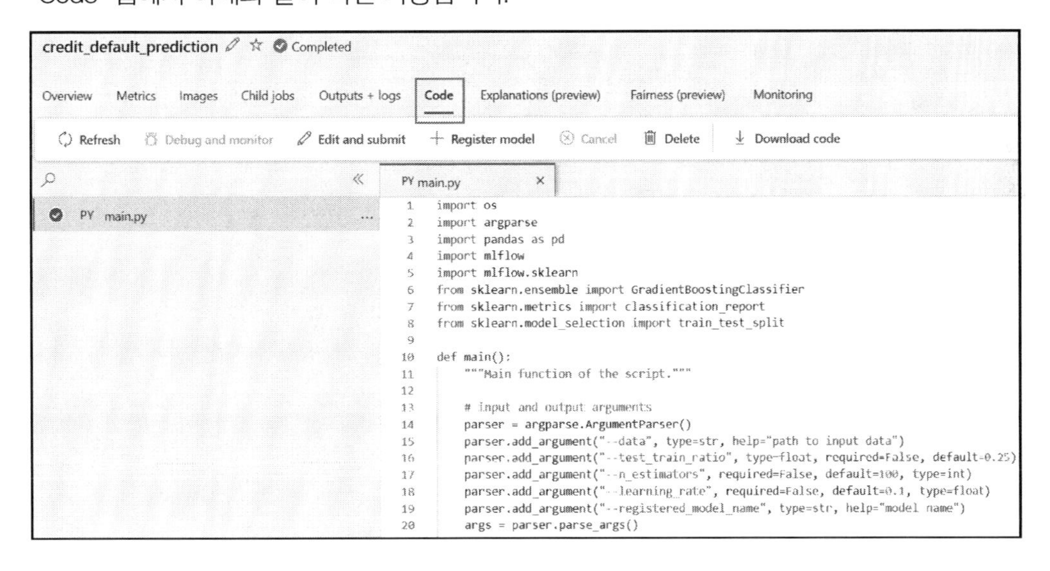

우리가 한 것은 로컬의 주피터 노트북 파일에 파이썬 코드를 작성하고 실행시킨 것뿐이었습니다. 결과적으로 클라우드의 컴퓨팅 리소스를 이용해 머신러닝 모델을 돌리고 해당 모델의 학습 결과 정보를 클라우드 웹 포털을 통해 한 눈에 볼 수 있게 되었습니다.

3. MLOps 구현하기 1: Azureml examples 튜토리얼 따라하기 (모델 배포하기)

지금까지 모델을 클라우드 환경에서 학습시키고 해당 모델의 학습 결과를 클라우드 대시보드에서 확인하는 과정을 알아보았습니다. 이제는 이 모델을 실제로 배포해보도록 하겠습니다.

동일한 저장소에서 "tutorials/get-started-notebooks" 디렉토리의 "deploy-model.ipynb" 노트북을 실행합니다.

3.1. 워크 스페이스 핸들 생성하기

이전 편에서 모델을 학습시키기 위해서 "ml_client"를 생성했었습니다. 이번에도 마찬가지로 모델을 클라우드 환경에서 조작하기 위해서 "ml_client"가 필요합니다.

```
from azure.ai.ml import MLClient
from azure.identity import DefaultAzureCredential

# Azure 자격 증명으로 인증 정보를 가져옵니다.
credential = DefaultAzureCredential()

SUBSCRIPTION = "<SUBSCRIPTION_ID>"
RESOURCE_GROUP = "<RESOURCE_GROUP>"
WS_NAME = "<AML_WORKSPACE_NAME>"

# Azure 머신 러닝의 워크스페이스 핸들러를 생성합니다. (이전 주피터 노트북
파일에서 복사합시다.)
ml_client = MLClient(
    credential=credential,
    subscription_id=SUBSCRIPTION,
    resource_group_name=RESOURCE_GROUP,
    workspace_name=WS_NAME,
)
```

3.2. 모델 등록하기

"train-model.ipynb" 주피터 노트북 튜토리얼을 완료했다면 앞서 "MLOps 구현하기 1" 모델 학습 튜토리얼의 "2.2.3. 커맨드 기능을 이용해 학습 작업을 구성하고 생성하기" 내용에서 학습 모델이 워크스페이스에 이미 등록된 상태입니다. 따라서 이 과정을 건너뛰어도 무방합니다.

만약 그 과정을 거치지 않았다면 아래 코드를 통해 모델 등록을 진행합니다. 배포하기 전에 모델을 등록하는 것이 권장되는 모범 사례라고 합니다. 자세한 설명은 "2.2.3. 커맨드 기능을 이용해 학습 작업을 구성하고 생성하기"을 확인합니다.

```
# 필수 라이브러리를 불러옵니다.
from azure.ai.ml.entities import Model
from azure.ai.ml.constants import AssetTypes

# 모델 파일 경로를 포함하여 모델 상세 정보를 입력합니다.
mlflow_model = Model(
    path="./deploy/credit_defaults_model/",
    type=AssetTypes.MLFLOW_MODEL,
    name="credit_defaults_model",
    description="MLflow Model created from local files.",
)

# 모델을 등록합니다.
ml_client.models.create_or_update(mlflow_model)
```

위 코드는 자동으로 모델 파일을 업로드하고 모델을 워크스페이스에 등록합니다.

3.3. 모델 등록 확인하기

Azure 머신러닝 스튜디오의 "Models" 탭에서 등록한 모델과 그의 버전 정보를 확인할 수 있습니다. 특히 버전 정보를 자동으로 매핑해 줌으로써 모델 관리가 더욱 쉬워집니다.

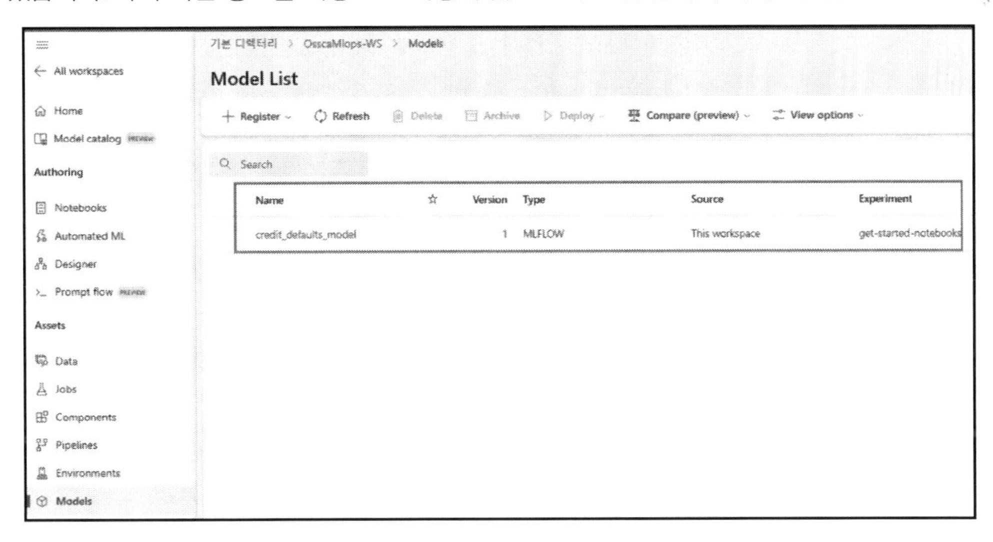

코드를 통해 모델의 가장 최신 버전 넘버를 출력해볼 수도 있습니다. 위 이미지의 경우는 1이 출력되겠죠.

```
registered_model_name = "credit_defaults_model"

# 모델의 가장 최신 버전을 고릅니다.
latest_model_version = max(
   [int(m.version) for m in
ml_client.models.list(name=registered_model_name)]
)

print(latest_model_version) # 버전 정보를 출력한다.
```

⚠ 윈도우 WSL2 환경에서 "ClientAuthenticationError" 에러가 난다면?

간혹 윈도우 WSL2 환경에서 주피터 노트북을 실행하는 경우 아래와 같은 에러가 발생하는 경우가 있습니다.

```
DefaultAzureCredential failed to retrieve a token from the included
credentials.

...

ClientAuthenticationError                 Traceback (most recent call
last)
Cell In[3], line 5
      1 registered_model_name = "credit_defaults_model"
      3 # 모델의 가장 최신 버전을 고릅니다.
      4 latest_model_version = max(
----> 5     [int(m.version) for m in
ml_client.models.list(name=registered_model_name)]
      6 )
      8 print(latest_model_version)

...

ClientAuthenticationError: DefaultAzureCredential failed to
retrieve a token from the included credentials.
Attempted credentials:
        EnvironmentCredential: EnvironmentCredential authentication
unavailable. Environment variables are not fully configured.

...
```

```
        ManagedIdentityCredential: ManagedIdentityCredential
authentication unavailable, no response from the IMDS endpoint.
        SharedTokenCacheCredential: SharedTokenCacheCredential
authentication unavailable. No accounts were found in the cache.
        AzureCliCredential: Azure CLI not found on path
        AzurePowerShellCredential: PowerShell is not installed
        AzureDeveloperCliCredential: Azure Developer CLI could not
be found. Please visit [https://aka.ms/azure-
dev](https://aka.ms/azure-dev) for installation instructions and
then,once installed, authenticate to your Azure account using 'azd
auth login'.
To mitigate this issue, please refer to the troubleshooting
guidelines here at
[https://aka.ms/azsdk/python/identity/defaultazurecredential/troubl
eshoot.](https://aka.ms/azsdk/python/identity/defaultazurecredentia
l/troubleshoot.)
```

"ml_client"를 호출하는 과정에서 발생한 인증 관련 오류입니다. 앞서 "3.1. 워크스페이스 핸들 생성하기"에서 머신 러닝 클라이언트 초기화를 진행하며 "credential" 값을 넘겨주었는데 이 부분에서 문제가 발생하여 토큰 정보를 가져올 수 없다는 문구입니다. 참고로 워크스페이스 핸들을 생성하며 에러가 발생하지 않는 이유는 "ml_client"를 최초로 호출할 때가 되서야 실제 워크스페이스와의 연결이 이루어지기 때문입니다.

이와 같은 오류가 발생하는 경우 아래의 절차를 통해 확인해 나가도록 합니다.

1. Azure CLI가 설치되어 있는지 확인합니다.
2. "az login" 명령어를 입력하여 인증 절차가 정상적으로 진행되는지 확인합니다.

이때 2번 절차에서 아래와 같은 오류가 나는 경우가 있습니다.

```
The command failed with an unexpected error. Here is the traceback:
0. The ID token is not yet valid. Make sure your computer's time
and time zone are both correct. Current epoch = 1692078285.
```

토큰이 아직 유효하지 않으니 컴퓨터의 시간과 타임 존이 올바른 지 확인하라는 메시지입니다. 이는 윈도우 WSL2 환경의 유저에게 발생할 수 있는 오류 중 하나입니다.

이 경우, 아래와 같이 시도하면 됩니다.

1. "sudo hwclock -s" 입력하여, 리눅스 시스템에서 하드웨어 시계와 시스템 시계 간 동기화를 수행합니다.
2. "az login"을 다시 입력합니다.

무사히 로그인에 성공했다면 앞서 에러가 났던 파이썬 코드를 재실행하면 됩니다.

참고로 이 오류의 원인은 시스템 시계와 하드웨어 시계가 서로 일치하지 않아 생긴다고 알려져 있습니다. WSL2 의 우분투 배포판을 사용할 때 종종 발생합니다. 특히 절전 모드에서 컴퓨터 시계가 꺼지기 때문에 절전 모드에서 시스템을 깨울 때 발생할 수 있습니다. 더 궁금하다면 "azure-cli" 저장소의 다음 이슈를 참고합니다.[22]

3.4. 엔드포인트와 디플로이먼트

모델 등록도 마쳤으니 이제 배포하여 다른 사람들이 사용할 수 있게 해봅시다. 이를 위해 Azure 머신러닝은 엔드포인트를 생성하고 그것들에 디플로이먼트를 추가할 수 있습니다.

엔드포인트란 HTTPS 패스로써 클라이언트가 학습된 모델에 요청(입력 데이터)을 보낼 수 있는 인터페이스를 제공합니다. 클라이언트는 모델에 입력 값을 넣고 돌린 예측(scoring) 결과를 받을 수 있습니다.

엔드포인트는 다음과 같은 것을 제공해줍니다.

- key 혹은 token 기반 인증
- TSL(SSL) 터미네이션
- 안정적인 URI ("<endpoint-name>.region.inference.ml.azure.com" 형식)

디플로이먼트란 입력 데이터에 상응하는 예측 결과를 제공해 줄 모델을 호스팅하기 위해 필요한 리소스 집합을 말합니다.

하나의 엔드포인트는 여러 개의 디플로이먼트를 포함할 수 있다는 점에 주목해야 합니다. 엔드포인트와 디플로이먼트는 Azure 포털에서 독립적인 Azure Resource Manager 리소스로 표기됩니다.

Azure 머신러닝은 클라이언트 데이터에 대해 실시간 예측을 위한 온라인 엔드포인트를 구현할 수 있게 해줍니다. 또한 일정 기간 동안 대량의 데이터 예측을 위해 배치(batch) 엔드포인트도 구현할 수 있게 합니다. 이 튜토리얼에서는 관리형 온라인 엔드포인트(managed online endpoint)를 구현합니다. 확장 가능하고 Azure 의 CPU 와 GPU 머신과 함께 작동하므로, 기본 배포 인프라를 설정하고 관리하는 어려움이 줄어듭니다.

[22] https://github.com/Azure/azure-cli/issues/20388

3.5. 온라인 엔드포인트 생성하기

다음은 앞서 등록한 모델에 대한 온라인 엔드포인트를 생성하는 코드입니다. 엔드포인트 이름은 Azure 리전 안에서 고유해야 합니다. UUID 를 사용하여 고유 값을 생성하겠습니다.

> 더 많은 엔드포인트 네이밍 룰이 궁금하다면 관련 Azure 공식 문서[23]를 참조합니다.

```
import uuid

# 엔드포인트를 위해 고유한 이름을 생성합니다.
online_endpoint_name = "credit-endpoint-" + str(uuid.uuid4())[:8]
```

다음으로는 엔드포인트를 정의내릴 차례입니다. "ManagedOnlineEndpoint"라는 클래스를 이용합니다.

```
from azure.ai.ml.entities import ManagedOnlineEndpoint

# 온라인 엔드포인트를 정의한다.
endpoint = ManagedOnlineEndpoint(
    name=online_endpoint_name,
    description="this is an online endpoint",
    auth_mode="key", # key 기반 인증을 뜻합니다. 토큰 기반 인증은
`aml_token`을 입력합니다.
    tags={
        "training_dataset": "credit_defaults",
    },
)
```

"auth_mode"는 인증과 관련된 설정을 지정합니다. "key "인증은 만료 기간이 없지만 "aml_token"은 만료 기간이 존재한다는 차이점이 있습니다.

---

23 "Manage resources and quotas - Azure Machine Learning | Microsoft Learn" (https://learn.microsoft.com/en-us/azure/machine-learning/how-to-manage-quotas?view=azureml-api-2#azure-machine-learning-managed-online-endpoints)

"tags"를 이용해 태그를 지정할 수도 있습니다.

다음 코드를 실행하면 이전에 생성한 "ml_client "객체를 이용해 워크페이스에 엔드포인트를 생성하고 확인 응답을 받습니다. 이 부분은 수행 완료까지 시간이 조금 소요됩니다.

```
# 온라인 엔드포인트를 생성합니다.
# 대략 2 분 정도 소요됩니다.

endpoint =
ml_client.online_endpoints.begin_create_or_update(endpoint).result(
)
```

엔드포인트가 잘 생성되었는지 다음 코드를 이용해 확인해봅시다.

```
endpoint =
ml_client.online_endpoints.get(name=online_endpoint_name)

print(
   f'Endpoint "{endpoint.name}" with provisioning state
"{endpoint.provisioning_state}" is retrieved'
)
```

"Endpoint "credit-endpoint-9c6ca031" with provisioning state "Succeeded" is retrieved"와 같은 문구가 출력되고 우리의 생성 된 엔드포인트 이름과 상태 정보를 확인할 수 있습니다.

3.6. 온라인 디플로이먼트 이해하기

디플로이먼트에는 다음과 같은 주요 키워드가 있습니다.

- name: 디플로이먼트의 이름
- endpoint_name: 디플로이먼트를 포함하는 엔드포인트 이름
- model: 디플로이먼트를 위해 사용할 모델. 이는 워크스페이스에 이미 존재하는 모델일 수도 있고, 인라인으로 특정하는 모델일 수도 있습니다.
- environment: 디플로이먼트를 위해, 혹은 모델을 실행하기 위해 사용할 환경. 이는 이미 워크스페이스에 존재하는 환경일 수도 있고 인라인으로 특정하는 환경일수도 있습니다. 환경은 Conda 디펜던시를 가지고 있는 도커 이미지일수도 있고 도커 파일일수도 있습니다.

- code_configuration: 소스 코드와 결과 예측 스크립트를 위한 구성입니다.
- path: 모델 예측을 위한 소스 코드 디렉터리 경로.
- scoring_script: 소스 코드 디렉토리의 예측 스크립트 파일을 위한 상대 경로. 인풋 요청을 실행합니다. 예측 스크립트의 예시를 참고 하고 싶으면 다음 링크[24]에서 확인 가능합니다.
- instance_type: 디플로이먼트를 위해 사용할 VM 크기. 지원하는 크기 리스트를 알고 싶으면 다음 링크[25]를 참조합니다.
- instance_count: 디플로이먼트를 위해 사용할 인스턴스의 수 (1 개 이상으로 지정)

Azure 머신러닝은 MLflow 를 이용해 생성되고 로깅 되는 모델에 대해 노코드 배포를 지원합니다. 즉, 모델 배포를 위해 채점 스크립트(scoring script)나 environment 를 제공할 필요가 없다는 뜻입니다. MLflow 모델을 학습시킬 때 자동으로 생성되기 때문입니다. 하지만 커스텀 모델을 사용하는 경우는 그에 맞는 scoring_script와 environment를 지정해야 합니다. 커스텀 모델을 배포하면서도 MLflow 모델을 사용하여 동일한 기능을 달성하려면 관련 Azure 공식 문서[26]를 참고할 수 있습니다.

3.7. 모델을 엔드포인트에 배포하기

들어오는 트래픽의 100%를 다루는 단일 디플로이먼트를 "blue"라고 이름 짓고 정의합니다. "ManagedOnlineDeployment"라는 클래스를 이용할 것입니다. (이때 배포할 모델이 MLflow 모델이라면 환경과 채점 스크립트를 지정해줄 필요가 없습니다.)

```
from azure.ai.ml.entities import ManagedOnlineDeployment

# 배포를 위해 가장 최신 버전의 모델을 선택한다.
model = ml_client.models.get(name=registered_model_name,
version=latest_model_version)

# 온라인 배포를 정의한다.
# 만약 Quota 에러를 마주한다면 "instance_type"을 사용 가능한 VM 으로
교체한다.
```

[24] "Understand the scoring script" (https://learn.microsoft.com/azure/machine-learning/how-to-deploy-online-endpoints#understand-the-scoring-script)
[25] "Managed online endpoints SKU list" (https://learn.microsoft.com/azure/machine-learning/reference-managed-online-endpoints-vm-sku-list)
[26] "Using MLflow models for no-code deployment" (https://learn.microsoft.com/azure/machine-learning/how-to-deploy-mlflow-models)

```
# Learn more on https://azure.microsoft.com/en-
us/pricing/details/machine-learning/.
blue_deployment = ManagedOnlineDeployment(
    name="blue", # Blue / Green 배포
    endpoint_name=online_endpoint_name,
    model=model,
    instance_type="Standard_DS2_v2", # 이름에 주의. Korea region 사용
가능 VM 다름. https://learn.microsoft.com/en-us/azure/machine-
learning/reference-managed-online-endpoints-vm-sku-
list?view=azureml-api-2
    instance_count=1,
)
```

📌Quota 에러가 난다면?

Quota 에러는 클라우드에 가용 자원이 부족한 경우에 발생하는 에러입니다. 사용하지 않는 리소스를 삭제하거나, 인스턴스 타입을 바꾸거나, 할당량을 늘려서 해결합니다. 아래에서 자세히 설명하겠습니다.

"ml_client"를 이용해서 워크스페이스에 디플로이먼트를 생성합시다. 다음 코드를 실행하면 디플로이먼트를 생성하고 확인 응답을 받습니다. 이 과정은 약 8~10 분 정도의 시간이 소요됩니다.

```
# 온라인 디플로이먼트를 생성합니다.
blue_deployment =
ml_client.online_deployments.begin_create_or_update(
    blue_deployment
).result()

# 블루 배포가 요청의 100%를 받게 합니다.
# 대략 8-10 분 정도 소요됩니다.
endpoint.traffic = {"blue": 100}
ml_client.online_endpoints.begin_create_or_update(endpoint).result(
)
```

여기서 아래와 같은 경고 메시지가 뜰 수 있습니다. 인스턴스 타입의 성능이 너무 부족하다는 알림입니다. 상황에 맞게 적절히 인스턴스 타입의 교체를 고려할 수 있습니다만, 우리가 진행하는 예제 모델에서는 그대로 진행해도 특별한 문제가 발생하지는 않습니다.

```
Instance type Standard_DS2_v2 may be too small for compute
resources. Minimum recommended compute SKU is Standard_DS3_v2 for
general purpose endpoints. Learn more about SKUs here:
[https://learn.microsoft.com/en-us/azure/machine-
learning/referencemanaged-online-endpoints-vm-sku-
list](https://learn.microsoft.com/en-us/azure/machine-
learning/referencemanaged-online-endpoints-vm-sku-list)
```

아래 내용으로 시작하는 응답 결과를 받으면 성공입니다.

```
ManagedOnlineEndpoint({'public_network_access': 'Enabled',
'provisioning_state': 'Succeeded', 'scoring_uri': 'https://credit-
endpoint-9c6ca031.koreacentral.inference.ml.azure.com/score',
'openapi_uri': 'https://credit-endpoint-
9c6ca031.koreacentral.inference.ml.azure.com/swagger.json', 'name':
'credit-endpoint-9c6ca031', 'description': 'this is an online
endpoint', 'tags': {'training_dataset': 'credit_defaults'},
'properties': .....

...
```

3.8. 엔드포인트 상태 확인하기

이제 모델이 문제없이 배포 되었는지 엔드포인트 상태를 확인해보겠습니다.

```
# 엔드포인트의 메타 데이터 정보를 담은 객체를 반환한다.
endpoint =
ml_client.online_endpoints.get(name=online_endpoint_name)

# 엔드포인트의 메타데이터를 출력해본다.
print(
   f"Name: {endpoint.name}\nStatus:
{endpoint.provisioning_state}\nDescription: {endpoint.description}"
)
```

다음은 출력 결과입니다.

```
Name: credit-endpoint-9c6ca031
Status: Succeeded
Description: this is an online endpoint
```

트래픽 상세 정보와 채점 URI도 출력해봅시다.

```
# 현재 트래픽 상태를 출력한다.
print(endpoint.traffic)

# 모델 추론을 실행할 수 있는 URI 를 출력한다.
print(endpoint.scoring_uri)
```

다음은 출력 결과입니다. "blue"라는 엔드포인트로 100%의 트래픽을 할당함을 알려주고 있네요.

```
{'blue': 100}

[https://credit-endpoint-
9c6ca031.koreacentral.inference.ml.azure.com/score](https://credit-
endpoint-9c6ca031.koreacentral.inference.ml.azure.com/score)
```

"scoring_uri"로 바로 접속한다면 아래와 같은 에러 메시지가 뜰 것입니다.

```
key_auth_bad_header_forbidden
Please check this guide to understand why this error code might
have been returned
https://docs.microsoft.com/en-us/azure/machine-learning/how-to-
troubleshoot-online-endpoints#http-status-codes
```

접근이 금지되었네요. 누구나 우리의 머신러닝 모델에 접근하여 실행하게 하면 안 되겠죠. 확인된 사용자만 모델을 사용할 수 있도록 인증 키가 필요합니다. 이와 관련해서는 아래 포스트맨 테스트에서 다시 설명합니다.

3.9. 샘플 데이터로 엔드포인트 테스트하기

이제 모델이 엔드포인트에 배포되었으므로 입력 데이터를 가지고 모델의 추론 결과를 얻어봅시다. 먼저 요청 파일의 샘플을 생성합니다.

```
import os

# 요청 파일 샘플을 저장할 디렉토리를 생성한다.
deploy_dir = "./deploy"
os.makedirs(deploy_dir, exist_ok=True)
```

"./deploy"라는 디렉토리를 만들었습니다. 아래 코드는 IPython 코드를 이용해 방금 만든 디렉토리에 "sample-request.json" 파일을 생성합니다.

```
%%writefile {deploy_dir}/sample-request.json
{
 "input_data": {
   "columns":
[0,1,2,3,4,5,6,7,8,9,10,11,12,13,14,15,16,17,18,19,20,21,22],
   "index": [0, 1],
   "data": [
      [20000,2,2,1,24,2,2,-1,-1,-2,-
2,3913,3102,689,0,0,0,0,689,0,0,0,0],
      [10,9,8,7,6,5,4,3,2,1,10,9,8,7,6,5,4,3,2,1,10,9,8]]
            }
}
```

"ml_client"를 이용해 엔드포인트를 핸들링 할 수 있습니다. 엔드포인트는 다음과 같은 파라미터로 "invoke" 명령을 통해 호출할 수 있습니다.

- endpoint_name: 엔드포인트 이름.
- request_file: 요청 데이터 파일. 위에서 만든 "sample-request.json" 파일입니다.
- deployment_name: 테스트할 엔드포인트가 속해 있는 디플로이먼트 이름. "blue" 배포를 이용할 것입니다.

```
# 샘플 데이터로 블루 배포를 테스트합니다.
ml_client.online_endpoints.invoke(
   endpoint_name=online_endpoint_name,
   deployment_name="blue",
```

```
    request_file="./deploy/sample-request.json",
)
```

이렇게 코드로도 테스트할 수 있습니다만, Azure 머신러닝 스튜디오의 "Endpoints" 탭의 "Test"에서도 테스트할 수 있습니다.

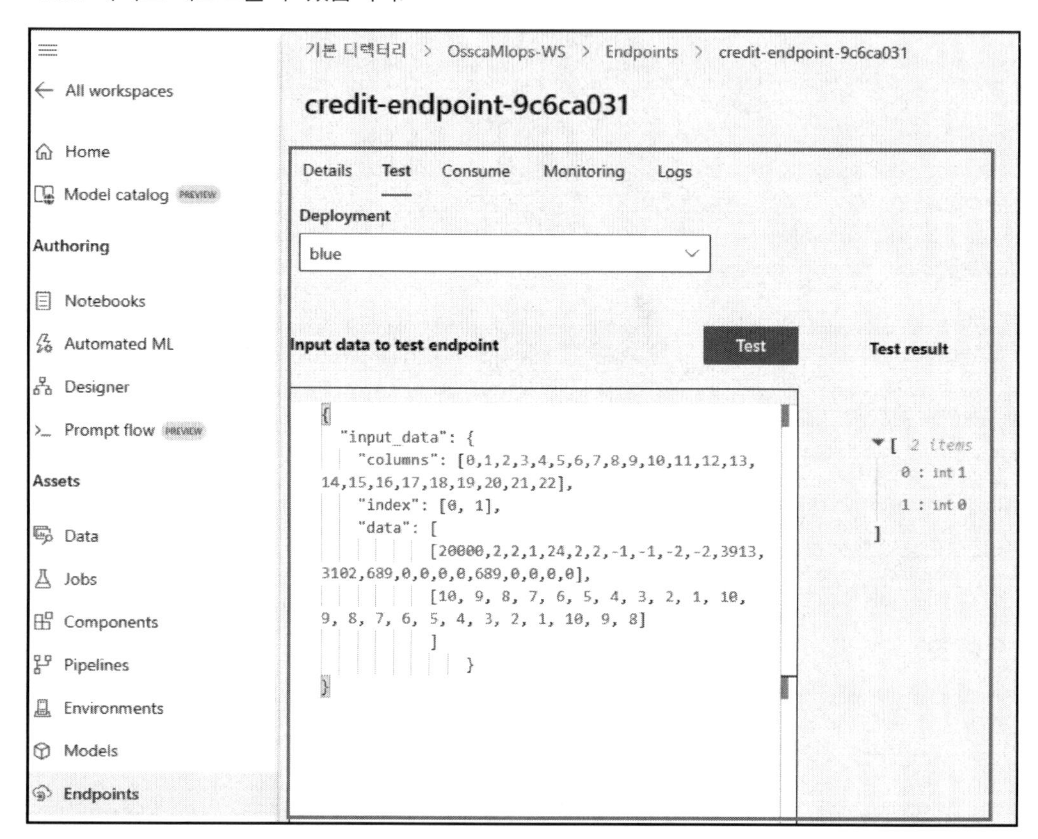

참고로 우리의 머신러닝 모델은 신용카드 사용자의 파산 확률을 예측하는 머신러닝 모델이었습니다. 입력 데이터를 넣고 테스트를 실행한 결과 "1, 0"이라는 값을 얻었네요.

3.10. 디플로이먼트 로그 확인하기

성공적으로 잘 호출됐는지 로그를 확인해봅시다.

```
logs = ml_client.online_deployments.get_logs(
    name="blue", endpoint_name=online_endpoint_name, lines=50
```

```
)
print(logs)
```

50 줄의 로그가 출력됩니다.

```
2023-08-15 08:23:16,703 I [687] azmlinfsrv - POST
/score?verbose=true 200 8.760ms 6
2023-08-15 08:23:16,703 I [687] gunicorn.access - 127.0.0.1 - -
[15/Aug/2023:08:23:16 +0000] "POST /score?verbose=true HTTP/1.0"
200 6 "-" "-"
```

가장 하단에 "/score"라는 path 로 요청 기록이 남은 것을 볼 수 있습니다.

3.11. 포스트맨을 이용해 테스트하기

이번에는 포스트맨을 이용해 테스트합니다. 여기서 주의할 점은 위에서 언급한 것 처럼 Authorization 헤더를 설정해주어야 한다는 점입니다.

POST 메소드로 "scoring_uri"를 경로로 지정합니다. 그리고 Authorization 타입은 Bearer Token 으로 지정합니다.

그리고 "Azure 스튜디오 > Endpoints > consume > Authentication"에서 Primary Key 혹은 Secondary Key 둘 중 아무 값으로 토큰 값을 지정합니다. 그리고 Body 부분은 "raw > JSON" 타입으로 지정하여 위에서 생성한 샘플 요청 JSON 을 그대로 넣어줍니다. 그리고 요청을 보내 보도록 하겠습니다.

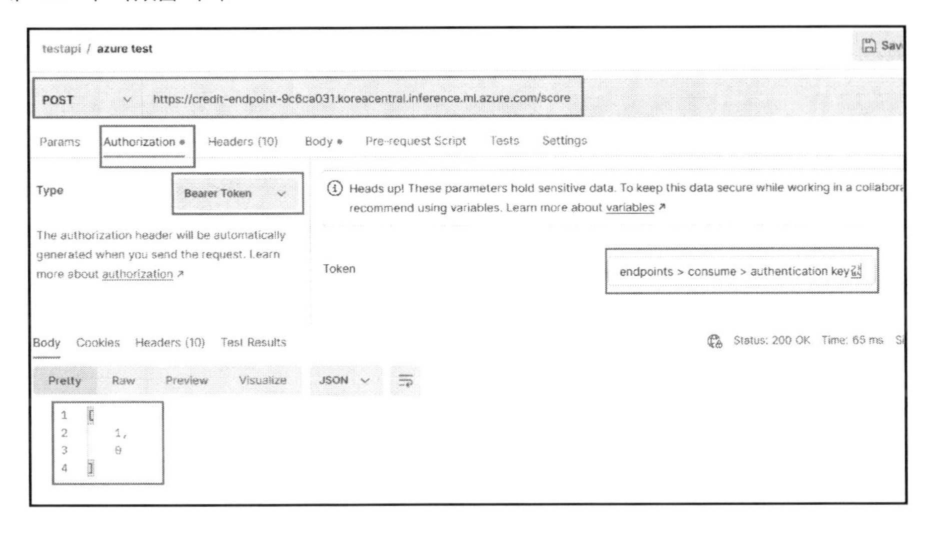

Azure 포털에서의 테스트 결과와 마찬가지로 "1, 0"이라는 결과를 얻었습니다. 대시보드의 Logs 탭에서 로그 확인을 해봅시다. 포스트맨 요청 기록을 확인할 수 있습니다.

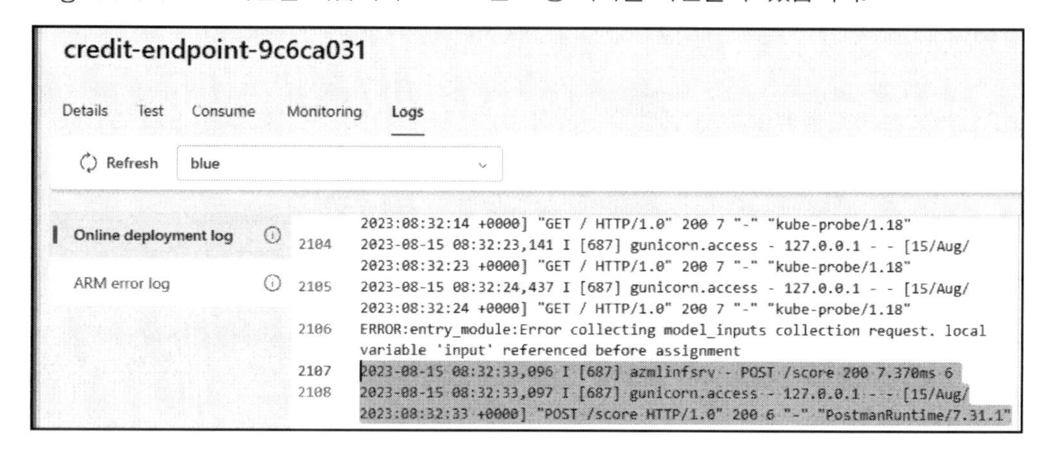

3.12. 두 번째 디플로이먼트 생성하기

이번에는 "green"이라고 하는 두 번째 디플로이먼트를 생성해봅시다. 실제로 여러 개의 디플로이먼트를 생성하고 그들의 퍼포먼스를 비교할 수 있습니다. 이러한 디플로이먼트들은 똑같은 모델의 각각 다른 버전을 사용할 수도 있고, 완전히 다른 모델을 사용할 수도 있고, 혹은 더 강력한 컴퓨팅 인스턴스를 사용하게 만들 수도 있습니다.

우선 이전과 동일한 인스턴스 타입으로 디플로이먼트를 생성해봅시다.

```
# 배포할 모델을 고릅니다. 가장 최근에 등록한 모델의 최근 버전을 고르겠습니다.
model = ml_client.models.get(name=registered_model_name,
version=latest_model_version)

# 좀 더 강력한 인스턴스 타입으로 배포를 정의합니다.
# 만약 Quota Error 가 발생한다면 사용 가능한 다른 인스턴스 타입으로 바꿉니다.
green_deployment = ManagedOnlineDeployment(
    name="green",
    endpoint_name=online_endpoint_name,
    model=model,
    instance_type="Standard_DS2_v2",
    instance_count=1,
)

# 온라인 배포를 생성합니다. 대략 8-10 분 정도 소요됩니다.
green_deployment =
ml_client.online_deployments.begin_create_or_update(
```

```
    green_deployment
).result()
```

⚠ "HttpResponseError: The request is invalid"

```
HttpResponseError                         Traceback (most recent call last)
Cell In[22], line 17
     7 green_deployment = ManagedOnlineDeployment(
     8     name="green",
     9     endpoint_name=online_endpoint_name,
   (...)
    12     instance_count=1,
    13 )
    15 # create the online deployment
    16 # expect the deployment to take approximately 8 to 10 minutes
---> 17 green_deployment =
ml_client.online_deployments.begin_create_or_update(
    18     green_deployment
    19 ).result()

...

HttpResponseError: (BadRequest) The request is invalid.
Code: BadRequest
Message: The request is invalid.
Exception Details:    (InferencingClientCreateDeploymentFailed)
InferencingClient HttpRequest error, error detail:
{"errors":{"VmSize":["Not enough quota available for
Standard_DS2_v2 in SubscriptionId <사용자-구독-ID>. Current
usage/limit: 4/6. Additional needed: 4 Please see troubleshooting
guide, available here: [https://aka.ms/oe-tsg#error-
outofquota"]},"type":"https://tools.ietf.org/html/rfc7231#section-
6.5.1","title":"One](https://aka.ms/oe-tsg#error-
outofquota%22]},%22type%22:%22https://tools.ietf.org/html/rfc7231#s
ection-6.5.1%22,%22title%22:%22One) or more validation errors
occurred.","status":400,"traceId":"00-
ace515331221833c2c9634e11b1c9d83-467c86a4c5791551-01"}

...
```

"Not enough quota available for Standard_DS2_v2 in SubscriptionId <사용자-구독-ID>. Current usage/limit: 4/6. Additional needed: 4"라는 문구가 눈에 띕니다. Quota 가 4 개 더 필요한데 현재 2 개밖에 사용할 수 없다고 합니다.

리소스 현황을 한 눈에 살펴보기 위해 Azure 웹 포털에 접속합니다.

"Azure 포털 > 구독 > 사용량 및 할당량 > Machine Learning"을 선택하고 지역 필터를 "Korea Central"로 선택하면 현 사용량을 확인할 수 있습니다.

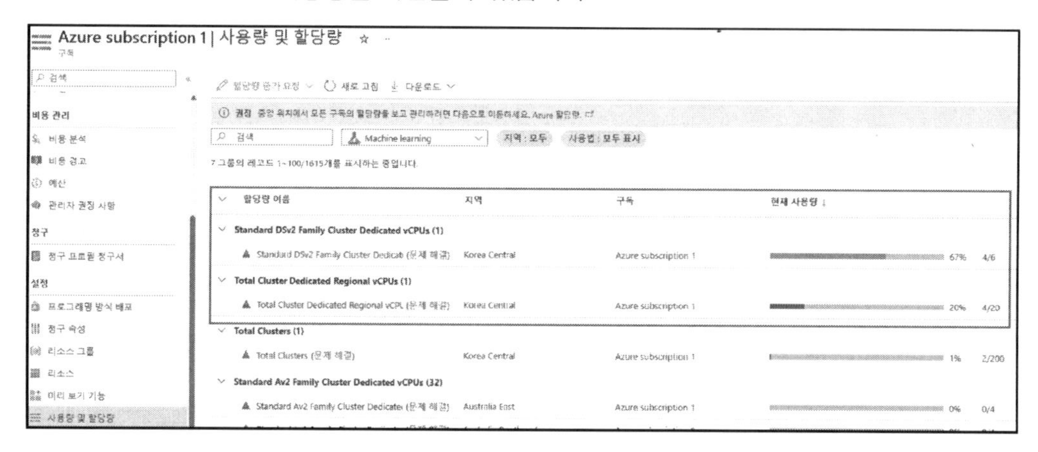

Standard_DS2_v2 인스턴스의 할당량이 모자라다는 걸 알 수 있습니다. 하지만 무료 구독인 경우 할당량을 늘리는 데 제한이 있는 경우가 많습니다. "Standard_DS2_v2"를 대신할 "Standard_D2as_v4" 인스턴스를 선택하여 다시 디플로이먼트를 생성합니다. 혹시 해당 인스턴스도 동일한 오류가 발생한다면 다른 할당 가능한 인스턴스를 확인한 뒤 지정하면 됩니다.

> ℹ 사용 가능한 인스턴스 타입과 종류에 대해서 알고 싶다면 다음 사이트[27]를 참조합니다.

3.13. 더 많은 트래픽 수용을 위해 디플로이먼트 확장하기

"ml_client"를 이용해 "green" 배포를 조작할 수 있습니다. "instance_count"를 증가시키거나 감소시킴으로써 스케일링도 가능합니다.

[27] "Managed online endpoints VM SKU list - Azure Machine Learning | Microsoft Learn" (https://learn.microsoft.com/en-us/azure/machine-learning/reference-managed-online-endpoints-vm-sku-list?view=azureml-api-2)

다음 코드에서는 VM 인스턴스 개수를 직접 정의할 수 있습니다. 아래 코드는 인스턴스 개수를 2 개로 늘린 코드입니다.

온라인 엔드포인트를 오토스케일링 하는 것도 가능합니다. 오토스케일링을 이용하면 앱의 로드를 다루기 위해 필요한 리소스의 양만 사용할 수 있습니다.

> 오토스케일링에 대한 내용은 다음 페이지[28]를 참고합시다.

```
# 디플로이먼트 설정을 업데이트한다.
green_deployment.instance_count = 2 # 기본값는 1 개이나 원하는 크기로 숫자 조절 가능하다.

# update the deployment
# expect the deployment to take approximately 8 to 10 minutes
ml_client.online_deployments.begin_create_or_update(green_deploymen
t).result()
```

하지만 무료 구독 사용자의 경우 인스턴스 개수를 늘리면 Quota 오류가 날 확률이 높습니다. 따라서 자신의 할당량을 확인한 후 가능한 경우에만 테스트를 권장합니다. 혹은 구독을 업그레이드하여 사용할 수도 있습니다.

우선은 이렇게 인스턴스 개수를 조절할 수 있다는 것을 알아 둡시다.

3.14. 디플로이먼트에 트래픽 할당 비율 업데이트하기

우리에게 "블루", "그린"이라는 두 개의 디플로이먼트가 생겼습니다. 기존 배포 방식은 "blue" 디플로이먼트에 100% 트래픽을 할당하고 있었지만, 이제 두 배포에 트래픽 비율을 다르게 지정해볼 것입니다. 이런 배포 방식을 "카나리(Canary) 배포"라고 부릅니다.

> 카나리 배포 방식이란?

[28] "autoscale online endpoints" (https://learn.microsoft.com/en-us/azure/machine-learning/how-to-autoscale-endpoints?tabs=python)

신규 버전의 소프트웨어를 일부 사용자에게 제한적으로 배포하고, 문제가 없을 경우 점차 확대하는 배포 전략을 일컫습니다.

광산에서 카나리아 새를 사용하던 전통에서 유래했습니다. 광산 안의 유독가스를 감지하면 카나리아 새가 먼저 반응하게 된다고 합니다. 마찬가지로 새로운 버전의 문제점을 일찍 감지할 수 있는 방법입니다. 즉, 새로운 소프트웨어에 문제가 있을 경우 즉시 롤백하여 다른 사용자에게 영향을 주지 않습니다.

다음과 같은 주요 특징을 갖습니다.

- 점진적 배포
- 리스크 관리에 용이
- 피드백 수집에 용이

비율은 95 대 5가 일반적이라고 합니다.

"green" 배포에 20%의 트래픽을 부여합니다.

```
endpoint.traffic = {"blue": 80, "green": 20} # Canary 배포
ml_client.online_endpoints.begin_create_or_update(endpoint).result(
)
```

성공하면 endpoint 상태 및 URI를 포함하는 결과를 반환합니다.

Azure 머신러닝 스튜디오에서도 확인할 수 있습니다. Endpoints 대시보드에서 아래와 같이 Deployment traffic allocation 항목이 보입니다.

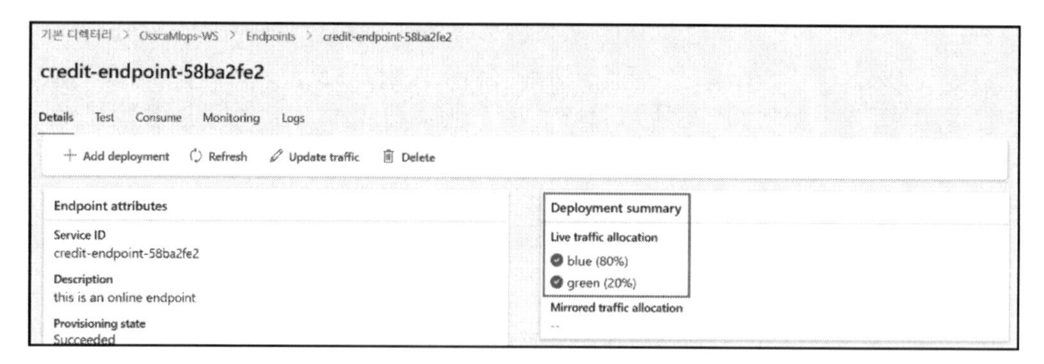

트래픽 배분을 테스트하기 위해 엔드포인트에 10번의 요청을 보내 봅시다.

```python
# 엔드포인트에 여러 번 요청을 보낼 수 있다.
for i in range(10):
    ml_client.online_endpoints.invoke(
        endpoint_name=online_endpoint_name,
        request_file="./deploy/sample-request.json",
    )
```

“green” 배포의 로그를 확인하여 요청이 잘 전달됐는지 확인할 수 있습니다.

```python
logs = ml_client.online_deployments.get_logs(
    name="green", endpoint_name=online_endpoint_name, lines=50
)
print(logs)
```

Azure 대시보드에서 blue, green 배포의 Log 를 확인할 수 있습니다.

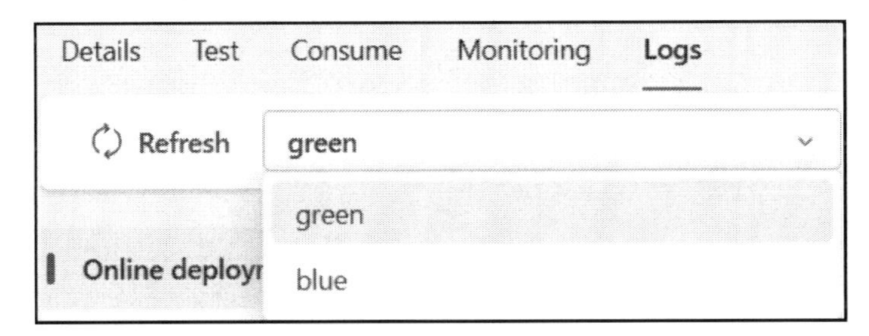

10 번의 요청 중 1 개의 요청만 green 배포에 들어왔음을 확인할 수 있었습니다. 어디까지나 확률이므로 항상 95:5 의 정확한 비율로 요청이 배분되는 것을 보장하기는 어렵습니다. 하지만 많은 요청을 보내면 대략적으로 그 비율에 가까워집니다.

```
1856  2023-08-15 14:31:24,373 I [679] azmlinfsrv - POST /score 200 4.644ms 6
1857  2023-08-15 14:31:24,373 I [679] gunicorn.access - 127.0.0.1 - - [15/Aug/2023:14:31:24 +0000] "POST /score HTTP/1.0" 200
      6 "-" "azure-ai-ml/1.9.0 azsdk-python-core/1.29.2 Python/3.11.4 (Linux-5.15.90.
      1-microsoft-standard-WSL2-x86_64-with-glibc2.35)"
1858  2023-08-15 14:31:26,277 I [679] gunicorn.access - 127.0.0.1 - - [15/Aug/2023:14:31:26 +0000] "GET / HTTP/1.0" 200 7 "-"
      "kube-probe/1.18"
```

3.15. Azure Monitor 로 metrics 확인하기

요청 횟수, 요청 latency, 네트워크 바이트, 리소스 사용량 등 온라인 엔드포인트와 디플로이먼트와 관련된 다양한 수치를 Azure Monitor 에서 확인할 수 있습니다.

“Azure 머신러닝 스튜디오 > Endpoints > Details > View metrics”를 클릭합니다. 먼저 온라인 엔드포인트의 분당 요청 횟수를 확인해보겠습니다.

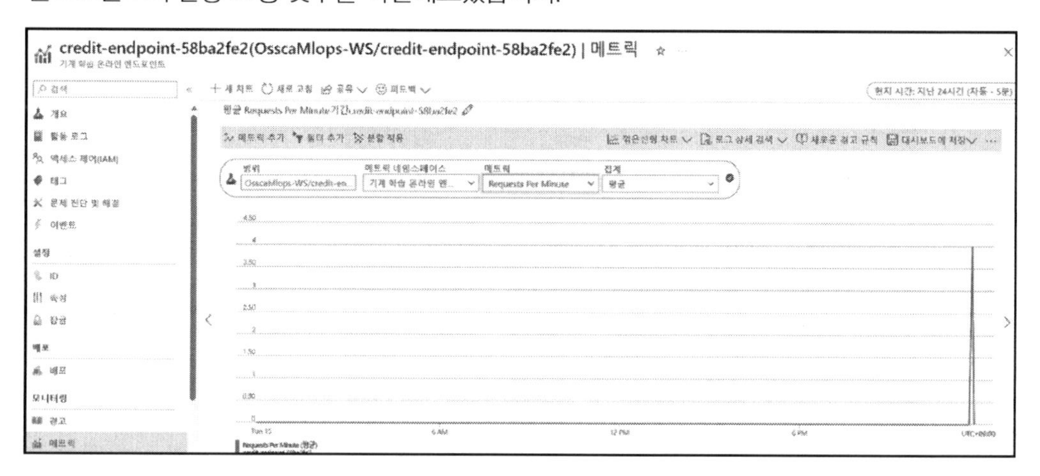

다음은 blue 디플로이먼트의 CPU 평균 사용량도 보겠습니다.

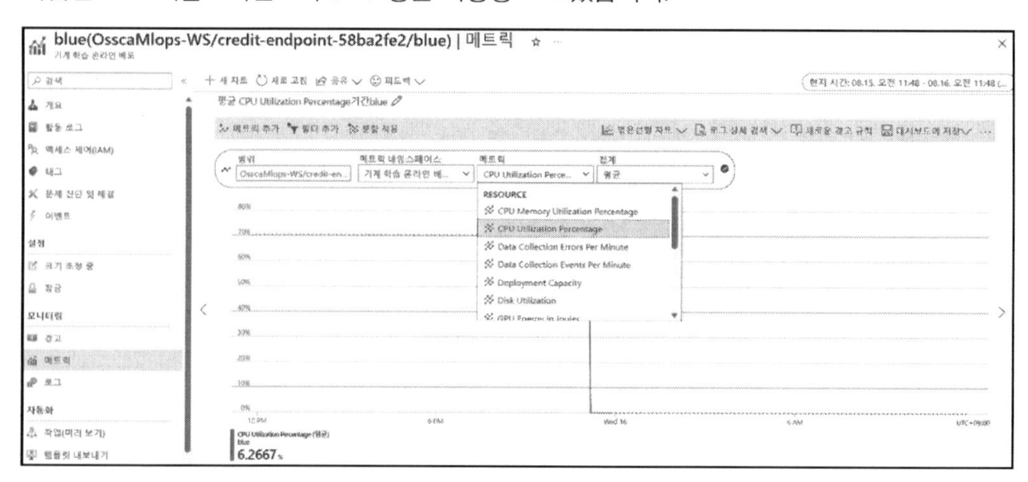

이처럼 사용자의 필요에 따라 다양한 지표를 한 눈에 확인할 수 있습니다.

3.16. 새로운 디플로이먼트에 모든 트래픽 보내기

green 배포 버전의 소프트웨어가 정상적으로 작동함을 확인했으므로 이번에는 green 배포에 100% 트래픽을 할당하겠습니다.

```
endpoint.traffic = {"blue": 0, "green": 100}
ml_client.begin_create_or_update(endpoint).result()
```

디플로이먼트 요약에서 아래처럼 green 배포가 100%로 바뀐 것을 확인할 수 있습니다.

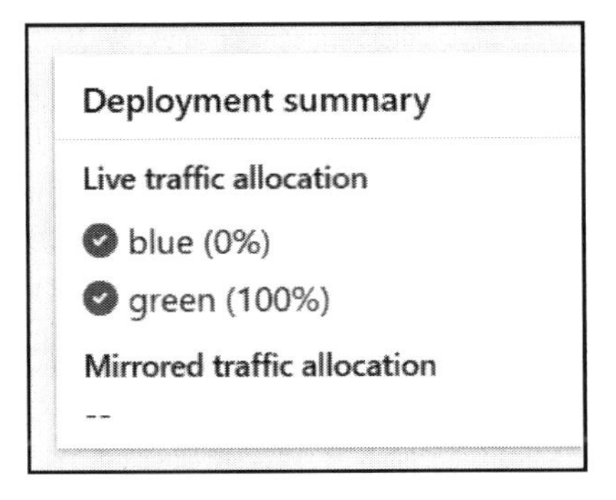

블루 배포는 더 이상 필요 없으므로 삭제합니다.

3.17. 이전 디플로이먼트 삭제하기

아래 코드를 실행하면 처음 생성했던 blue 디플로이먼트를 삭제할 수 있습니다. 이 작업은 꽤 시간이 소요될 수 있습니다.

```
ml_client.online_deployments.begin_delete(
    name="blue", endpoint_name=online_endpoint_name
).result()
```

그러면 아래처럼 그린 배포만 남아 있는 걸 확인할 수 있습니다. 이로서 머신러닝 모델을 블루/그린 카나리 배포하는 과정까지 성공적으로 마쳤습니다.

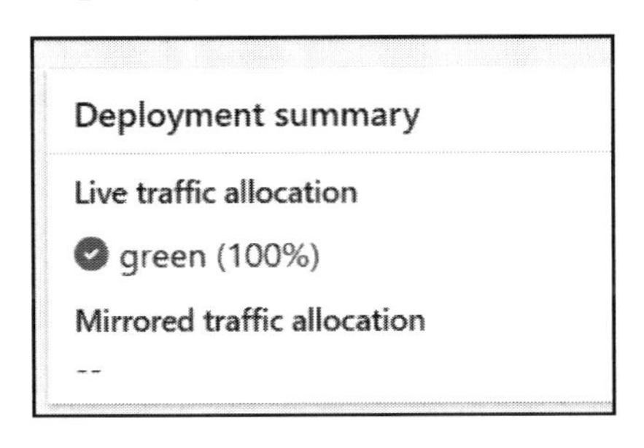

3.18. 리소스 삭제하기

생성한 엔드포인트와 디플로이먼트를 튜토리얼 이후에도 사용할 계획이 없다면 삭제해야 불필요한 과금을 방지할 수 있습니다. 아래 코드를 실행하여 삭제해줍시다. 이 작업은 약 20분 정도 시간이 소요될 수 있습니다.

```
ml_client.online_endpoints.begin_delete(name=online_endpoint_name).
result()
```

혹은 "Azure 포털 > 구독 > 리소스"에서 아래처럼 배포와 엔드포인트 리스트를 확인하고 직접 삭제할 수도 있습니다. 역시 시간이 소요됩니다.

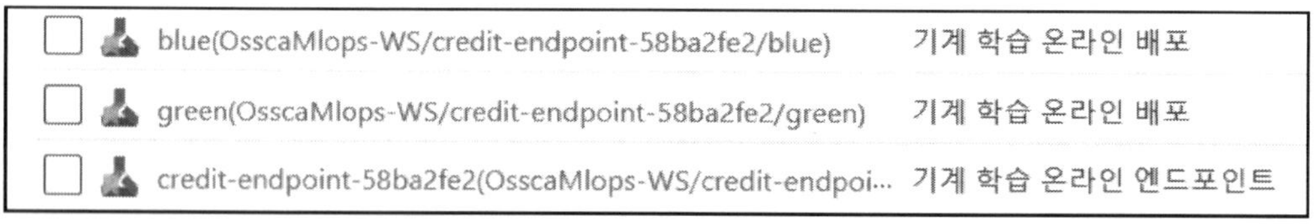

이름	유형
blue(OsscaMlops-WS/credit-endpoint-58ba2fe2/blue)	기계 학습 온라인 배포
green(OsscaMlops-WS/credit-endpoint-58ba2fe2/green)	기계 학습 온라인 배포
credit-endpoint-58ba2fe2(OsscaMlops-WS/credit-endpoi...	기계 학습 온라인 엔드포인트

여러 번 삭제 버튼을 누를 경우 이미 처리 중인 요청이라는 알림이 뜹니다. 삭제를 진행하고 성공 알림이 뜰 때까지 기다립니다.

지금까지 머신러닝 프로젝트를 위한 단계인, 1) 데이터 전처리 2) 모델 학습 3) 배포까지 클라우드 환경에서 실행하고 클라우드에서 대시보드로 확인하는 방법을 다뤘습니다. 다음 편에서는 이런 각 단계를 컴포넌트로 만들어 파이프라인을 만들어보는 과정을 다루겠습니다.

4. MLOps 구현하기 1: Azureml examples 튜토리얼 따라하기 (파이프라인 만들기)

MLOps 첫 편에서 파이썬 코드만을 이용해 모델을 클라우드 환경에서 학습시키고 결과를 확인하는 작업을 수행했습니다. 그리고 모델을 배포하여 테스트도 해보았습니다. 이번 편에서는 Azure 머신러닝과 Azure 머신러닝 Python SDK v2 를 이용해 프로덕션 환경에서 사용할 머신러닝 프로젝트를 만들어보려고 합니다.

이번에는 이전 과정에서 클론한 동일한 저장소의 "explore-data.ipynb", "pipeline.ipynb" 파일을 실행합니다.

파이프라인 튜토리얼에서는 다음을 할 수 있습니다.

1. Azure 머신러닝 워크스페이스에 대한 핸들링 생성하기
2. Azure 머신러닝 데이터 자산 생성하기

3. 재사용 가능한 Azure 머신러닝 컴포넌트 만들기
4. Azure 머신러닝 파이프라인을 만들고, 검증하고, 실행시키기

이번에 우리가 할 것은 이미 이전 편에서 진행해본 것들이 대부분입니다. 그러면 왜 똑같은 걸 다시 수행할까요? 이번 편의 핵심은 각 단계를 "컴포넌트"로 만들어 조합하고 자동화하는 것이 목표입니다.

머신러닝 파이프라인의 핵심은 전체 머신러닝 작업을 여러 단계의 워크플로우로 분할하는 것입니다. 각 단계는 개별적으로 개발, 최적화, 구성, 자동화할 수 있는 관리 가능한 컴포넌트가 될 수 있습니다. 각 단계는 잘 정의된 인터페이스를 통해 연결됩니다.

Azure 머신러닝 파이프라인 서비스는 파이프라인 단계 간의 모든 의존성을 자동으로 조율합니다. 파이프라인을 사용함으로써 MLOps 사례를 표준화 할 수 있고, 팀 협업을 확장 가능하게 만들 수 있고 모델 학습을 더 효율적으로 할 수 있게 됩니다.

우리가 구축할 파이프라인은 다음 두 단계를 컴포넌트로 만들 것입니다.

1. 데이터 준비
2. 머신러닝 모델 학습시키고 워크스페이스에 등록하기

4.1. 파이프라인 리소스 구성하기

Azure 머신러닝 프레임워크는 CLI, 파이썬 SDK 혹은 Azure 스튜디오에서 사용할 수 있습니다. 이 예제에서는 이전 편에서도 그랬듯이 Python SDK v2를 사용하여 파이프라인을 만듭니다.

파이프라인을 만들기 위해서는 다음 리소스가 필요합니다.

- 학습을 위한 데이터 자산
- 파이프라인을 실행할 소프트웨어 환경
- 작업이 실행되는 컴퓨팅 리소스

4.2. 클라우드 저장소에 데이터 업로드하기

"explore-data.ipynb" 파일을 실행합니다. MLOps 첫 편과 두번째 편에서 했듯이 워크스페이스를 참조하고 조작할 수 있는 방법이 필요합니다. "ml_client"를 생성하는 것이 그것입니다.

이미 두 번이나 진행한 단계이므로 설명을 생략하겠습니다.

```
from azure.ai.ml import MLClient
from azure.identity import DefaultAzureCredential

credential = DefaultAzureCredential()
ml_client = MLClient(
    credential=credential,
    subscription_id="your-subscription-id",
    resource_group_name="your-resource_group_name",
    workspace_name="your-aml-workspace_name",
)
```

Azure 머신러닝은 "Data "객체를 이용해 재사용이 가능한 데이터를 등록합니다. 그를 통해 파이프라인 내에서 데이터를 다룰 수 있게 됩니다.

다음 셀은 "./data/default_of_credit_card_clients.xls" 파일을 데이터로 등록합니다. 다른 소스에서의 "Data" 에셋도 물론 사용 가능합니다.

```
from azure.ai.ml.entities import Data
from azure.ai.ml.constants import AssetTypes

# 'my_path' 변수에 데이터 파일 경로를 입력합니다.
web_path = "https://dwstorpersonal.blob.core.windows.net/aml-
temp/default_of_credit_card_clients.xls"
my_path = "./data/default_of_credit_card_clients.csv"
# 데이터의 버전 명을 입력합니다.
v1 = "initial"

my_data = Data(
    name="credit-card",
    version=v1,
    description="Credit card data",
    path=my_path, # 'web_path' 변수를 사용하면 웹에서 데이터를 다운로드
받습니다.
    type=AssetTypes.URI_FILE,
)

## 동일한 데이터 에셋이 존재하지 않는 경우만 새로 생성한 뒤 워크스페이스에
등록합니다.
try:
    data_asset = ml_client.data.get(name="credit-card", version=v1)
    print(
        f"Data asset already exists. Name: {my_data.name}, version:
```

```
{my_data.version}"
    )
except:
    ml_client.data.create_or_update(my_data)
    print(f"Data asset created. Name: {my_data.name}, version:
{my_data.version}")
```

"Data asset created. Name: credit-card, version: initial" 출력문과 함께 Data 에셋을 생성했습니다. 이 데이터 에셋은 차차 빌드해 나갈 파이프라인의 "input" 데이터로 언제든 사용될 수 있습니다. 게다가 데이터를 워크스페이스에 등록했으므로 다른 파이프라인에서도 이 데이터를 재사용할 수 있게 됩니다.

이제 앞으로 똑같은 데이터셋을 워크스페이스로부터 불러오려면 "credit_dataset = ml_client.data.get("<DATA ASSET NAME>", version='<VERSION>')" 코드를 이용하면 됩니다.

Azure 스튜디오에서도 데이터셋이 잘 등록됐는지 살펴봅시다. "Azure 머신러닝 스튜디오 > Data > Data assets"에 방금 등록한 데이터 세트가 뜬다면 성공입니다.

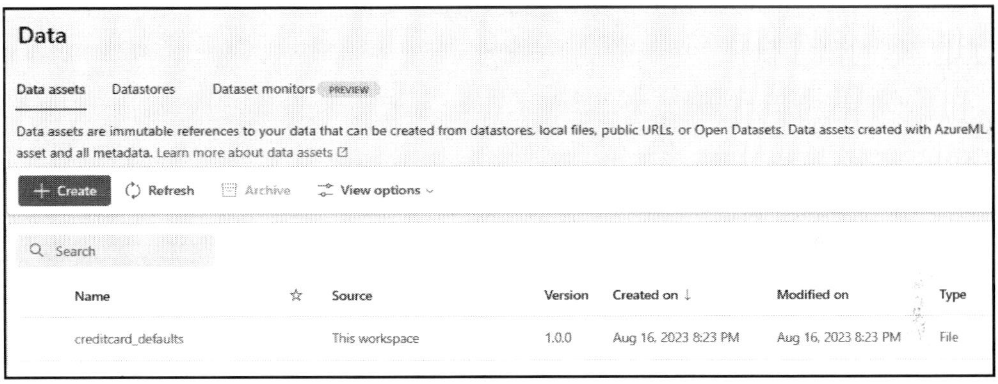

Data

Data assets　Datastores　Dataset monitors PREVIEW

Data assets are immutable references to your data that can be created from datastores, local files, public URLs, or Open Datasets. Data assets created with AzureML asset and all metadata. Learn more about data assets

+ Create　Refresh　Archive　View options

Search

Name	☆	Source	Version	Created on ↓	Modified on	Type
creditcard_defaults		This workspace	1.0.0	Aug 16, 2023 8:23 PM	Aug 16, 2023 8:23 PM	File

"explore-data.ipynb" 파일의 나머지 튜토리얼은 진행하지 않고 "pipeline.ipynb" 튜토리얼로 넘어가겠습니다.

마찬가지로 워크스페이스 핸들러를 생성하는 코드를 실행한 후, 다음 코드 셀을 실행합니다.

```
# 데이터 자산의 핸들러를 생성한 뒤 URI 를 출력합니다.
credit_data = ml_client.data.get(name="credit-card",
version="initial")
print(f"Data asset URI: {credit_data.path}")
```

"Data asset URI: …"처럼 방금 등록한 데이터의 URI가 출력됩니다.

4.3. 파이프라인 각 단계를 위한 작업(Job) 환경 생성하기

지금까지는 개발 머신 용도로 사용하는 컴퓨팅 인스턴스에 개발 환경을 만들어왔습니다. 이제 파이프라인의 각 단계에 사용할 환경 또한 필요합니다. 각 단계마다 고유한 환경을 사용할 수도 있고 여러 단계에서 공통된 환경을 사용할 수도 있습니다.

"conda.yaml" 파일을 이용해 작업을 위한 conda 환경을 만들어봅시다. 먼저 파일을 저장할 디렉터리를 만듭니다.

```
import os

dependencies_dir = "./dependencies"
os.makedirs(dependencies_dir, exist_ok=True)
```

다음으로 해당 디렉토리에 저장할 "conda.yaml" 파일을 생성합니다.

```
%%writefile {dependencies_dir}/conda.yaml
name: model-env
channels:
  - conda-forge
dependencies:
  - python=3.10
  - numpy
  - pip
  - scikit-learn
  - scipy
  - pandas
  - pip:
    - inference-schema[numpy-support]
    - xlrd
    - mlflow
    - azureml-mlflow
```

위 스펙은 파이프라인에서 사용하는 일반적인 패키지("pip", "numpy")와 더불어 Azure 머신러닝 전용 패키지("azureml-mlflow")가 포함되어 있습니다.

Azure 머신러닝 패키지는 필수는 아니지만, 이런 패키지를 이용하면 Azure 머신러닝 작업 내에서 메트릭 로깅이 이루어지고 모델을 등록하기 위해 Azure 머신러닝과 상호작용할 수 있습니다.

다음 코드를 실행하면 위의 conda.yaml 스펙을 워크스페이스에 등록합니다.

```python
from azure.ai.ml.entities import Environment

custom_env_name = "aml-scikit-learn"

pipeline_job_env = Environment(
    name=custom_env_name,
    description="Custom environment for Credit Card Defaults
pipeline",
    tags={"scikit-learn": "0.24.2"},
    conda_file=os.path.join(dependencies_dir, "conda.yaml"),
    image="mcr.microsoft.com/azureml/openmpi4.1.0-
ubuntu20.04:latest",
    version="0.2.0",
)
pipeline_job_env =
ml_client.environments.create_or_update(pipeline_job_env)

print(
    f"Environment with name {pipeline_job_env.name} is registered to
workspace, the environment version is {pipeline_job_env.version}"
)
```

"Environment with name aml-scikit-learn is registered to workspace, the environment version is 0.2.0"와 같은 출력문이 보인다면 성공입니다.

"Azure 스튜디오 > Environments"에서 등록된 환경을 확인할 수 있습니다.

첫 번째 MLOps 편을 진행할 때 환경을 생성하여 등록했다면 버전을 선택할 수 있습니다. 방금 생성한 환경은 "version 0.2.0"으로 등록되었습니다.

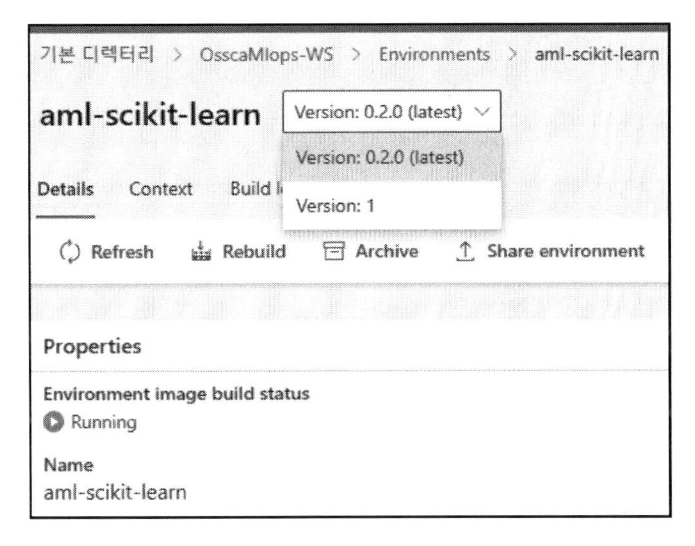

아래처럼 스펙을 확인할 수도 있습니다.

```
Conda
1   channels:
2     - conda-forge
3   dependencies:
4     - python=3.10
5     - numpy
6     - pip
7     - scikit-learn
8     - scipy
9     - pandas
10    - pip:
11        - 'inference-schema[numpy-support]'
12        - xlrd
13        - mlflow
14        - azureml-mlflow
15  name: model-env
16
```

4.4. 학습 파이프라인 빌드하기

이제 파이프라인을 실행하기 위한 모든 리소스를 다 갖췄으니 파이프라인 자체를 빌드할 차례입니다.

Azure 머신러닝 파이프라인은 재사용 가능한 ML 워크플로우로, 주로 여러 개의 컴포넌트로 구성되어 있습니다. 일반적으로 컴포넌트의 주기는 아래와 같습니다.

1. 컴포넌트의 yaml 스펙을 작성합니다. 혹은 "ComponentMethod"를 이용해 프로그래밍 방식으로 생성합니다.
2. 원한다면 컴포넌트를 재사용하고 공유할 수 있도록 이름과 버전을 붙여 워크스페이스에 등록합니다.
3. 파이프라인 코드에서 컴포넌트를 로드합니다.
4. 컴포넌트의 입력, 출력, 매개변수를 사용해 파이프라인을 구축합니다.
5. 파이프라인을 제출합니다.

컴포넌트를 만드는 데는 두 가지 방법이 있습니다. yaml 명세 방식과 프로그래밍 방식입니다. 두 가지 방법 모두 사용하여 컴포넌트를 생성하는 과정을 거칠 예정입니다.

그리고 이 과정에서 모든 컴포넌트에 동일한 컴퓨팅 리소스를 사용할 예정이지만, 앞서 컴퓨팅 리소스를 생성하며 설명했듯이 각기 컴포넌트에 다른 컴퓨팅 리소스를 사용할 수도 있습니다.

더 많은 관련 예시가 궁금하다면 다음 페이지[29]를 참고하세요.

4.4.1. 컴포넌트 만들기 1: 프로그래밍 방식 ("data_prep.py")

첫 번째 컴포넌트를 생성해봅시다. 이 컴포넌트는 데이터의 전처리 작업을 수행합니다. 데이터 전처리 작업은 "data_prep.py" 파이썬 파일에서 이루어집니다.

우선 data_prep 컴포넌트를 위한 소스 폴더를 만듭니다.

```
import os

data_prep_src_dir = "./components/data_prep"
os.makedirs(data_prep_src_dir, exist_ok=True)
```

그 다음 아래 스크립트는 데이터를 학습용, 테스트용으로 나누는 간단한 작업을 합니다. 그리고 MLFlow는 파이프라인이 실행되는 동안 파라미터와 로그를 기록하는 역할을 합니다.

```
%%writefile {data_prep_src_dir}/data_prep.py
import os
import argparse
import pandas as pd
from sklearn.model_selection import train_test_split
import logging
import mlflow


def main():
    """Main function of the script."""

    # 인풋 및 아웃풋 인자
    parser = argparse.ArgumentParser()
    parser.add_argument("--data", type=str, help="path to input
data")
    parser.add_argument("--test_train_ratio", type=float,
required=False, default=0.25)
    parser.add_argument("--train_data", type=str, help="path to train
data")
```

[29] "Basic pipeline job section in the cifar-10 pipeline tutorial" (https://github.com/Azure/azureml-examples/blob/main/sdk/python/jobs/pipelines/2b_train_cifar_10_with_pytorch/train_cifar_10_with_pytorch.ipynb)

```
    parser.add_argument("--test_data", type=str, help="path to test
data")
    args = parser.parse_args()

    # 로깅을 시작합니다.
    mlflow.start_run()

    print(" ".join(f"{k}={v}" for k, v in vars(args).items()))

    print("input data:", args.data)

    credit_df = pd.read_excel(args.data, header=1, index_col=0)

    mlflow.log_metric("num_samples", credit_df.shape[0])
    mlflow.log_metric("num_features", credit_df.shape[1] - 1)

    credit_train_df, credit_test_df = train_test_split(
        credit_df,
        test_size=args.test_train_ratio,
    )

    # 아웃풋 경로는 폴더로 마운트됩니다. 따라서 파일 이름을 경로에 추가하도록
합니다.
    credit_train_df.to_csv(os.path.join(args.train_data, "data.csv"),
index=False)

    credit_test_df.to_csv(os.path.join(args.test_data, "data.csv"),
index=False)

    # 로깅을 중단합니다.
    mlflow.end_run()


if __name__ == "__main__":
    main()
```

이제 우리가 바라고자 하는 작업을 수행하는 스크립트가 생겼습니다. 이제 이것으로 Azure 머신러닝 컴포넌트를 만들 수 있습니다.

커맨드 작업을 수행할 수 있는 "CommandComponent"을 정의합니다. 커맨드 작업은 시스템 명령을 직접 호출하거나 스크립트를 실행할 수 있습니다. 인풋과 아웃풋은 "${{ ... }}" 표기를 통해 가능합니다.

```
from azure.ai.ml import command
from azure.ai.ml import Input, Output

data_prep_component = command(
   name="data_prep_credit_defaults",
   display_name="Data preparation for training",
   description="reads a .xl input, split the input to train and
test",
   inputs={
      "data": Input(type="uri_folder"),
      "test_train_ratio": Input(type="number"),
   },
   outputs=dict(
      train_data=Output(type="uri_folder", mode="rw_mount"),
      test_data=Output(type="uri_folder", mode="rw_mount"),
   ),
   # 컴포넌트의 소스 폴더
   code=data_prep_src_dir,
   command="""python data_prep.py --data ${{inputs.data}} --
test_train_ratio ${{inputs.test_train_ratio}} --train_data
${{outputs.train_data}} --test_data ${{outputs.test_data}} """,
   environment=f"{pipeline_job_env.name}:{pipeline_job_env.version}"
,
)
```

그 다음 재사용성을 위해 워크스페이스에 컴포넌트를 등록합니다.

"Component data_prep_credit_defaults with Version 1 is registered"와 같은 문구가 출력된다면 성공입니다.

```
# 컴포넌트를 워크스페이스에 등록합니다.
data_prep_component =
ml_client.create_or_update(data_prep_component.component)

print(
    f"Component {data_prep_component.name} with Version
{data_prep_component.version} is registered"
)
```

4.4.2. 컴포넌트 만들기 2: yaml 명세 방식 (학습시키기)

두 번째 만들 컴포넌트는 우리가 앞서 전처리 과정에서 분리해둔 학습용과 테스트용 데이터를 소비하여 트리 기반 모델을 학습시킨 뒤, 그 결과로 학습된 모델을 반환합니다.

데이터 전처리를 수행하는 컴포넌트는 "CommandComponent" 클래스를 이용해 만들었습니다. 이번엔 YAML 파일 명세 방식으로 두 번째 컴포넌트를 만들어 보겠습니다. 각각의 방법에는 장단점이 존재합니다. YAML 명세 방식은 코드와 함께 버전을 관리할 수 있고 따라서 히스토리 추적이 가능합니다. "CommandComponent" 프로그래밍 방식을 사용하려면 클래스를 안내하는 공식 문서를 활용하기를 추천합니다.

그러면 이 컴포넌트를 위해 디렉토리를 만들겠습니다.

```
import os

train_src_dir = "./components/train"
os.makedirs(train_src_dir, exist_ok=True)
```

그리고 이 디렉토리에 저장 할 모델 학습 스크립트를 만듭니다. Azure 머신러닝은 데이터셋을 폴더 단위로 마운팅합니다. 따라서 "select_first_file"이라는 보조 함수를 생성하여 마운트 된 폴더의 데이터 파일에 접근할 수 있도록 합시다.

```
%%writefile {train_src_dir}/train.py
import argparse
from sklearn.ensemble import GradientBoostingClassifier
from sklearn.metrics import classification_report
import os
import pandas as pd
import mlflow


def select_first_file(path):
    """Selects first file in folder, use under assumption there is
only one file in folder
    Args:
        path (str): path to directory or file to choose
    Returns:
        str: full path of selected file
    """
    files = os.listdir(path)
    return os.path.join(path, files[0])
```

```
# 로깅을 시작합니다.
mlflow.start_run()

# 자동 로깅 모드로 지정합니다.
mlflow.sklearn.autolog()

os.makedirs("./outputs", exist_ok=True)


def main():
    """Main function of the script."""

    # input and output arguments
    parser = argparse.ArgumentParser()
    parser.add_argument("--train_data", type=str, help="path to train
data")
    parser.add_argument("--test_data", type=str, help="path to test
data")
    parser.add_argument("--n_estimators", required=False,
default=100, type=int)
    parser.add_argument("--learning_rate", required=False,
default=0.1, type=float)
    parser.add_argument("--registered_model_name", type=str,
help="model name")
    parser.add_argument("--model", type=str, help="path to model
file")
    args = parser.parse_args()

    # 경로는 폴더로 마운트되므로 폴더에서 파일을 선택합니다.
    train_df = pd.read_csv(select_first_file(args.train_data))

    # 컬럼의 라벨을 추출합니다.
    y_train = train_df.pop("default payment next month")

    # 데이터프레임의 값을 배열로 변환합니다.
    X_train = train_df.values

    # 경로는 폴더로 마운트되므로 폴더에서 파일을 선택합니다.
    test_df = pd.read_csv(select_first_file(args.test_data))

    # 컬럼의 라벨을 추출합니다.
    y_test = test_df.pop("default payment next month")

    # 데이터프레임의 값을 배열로 변환합니다.
```

```
    X_test = test_df.values

    print(f"Training with data of shape {X_train.shape}")

    clf = GradientBoostingClassifier(
        n_estimators=args.n_estimators,
learning_rate=args.learning_rate
    )
    clf.fit(X_train, y_train)

    y_pred = clf.predict(X_test)

    print(classification_report(y_test, y_pred))

    # 모델을 워크스페이스에 등록하는 중입니다.
    print("Registering the model via MLFlow")
    mlflow.sklearn.log_model(
        sk_model=clf,
        registered_model_name=args.registered_model_name,
        artifact_path=args.registered_model_name,
    )

    # 모델을 파일로 저장합니다.
    mlflow.sklearn.save_model(
        sk_model=clf,
        path=os.path.join(args.model, "trained_model"),
    )

    # 로깅을 중단합니다.
    mlflow.end_run()


if __name__ == "__main__":
    main()
```

이 모델 학습 스크립트에서 보듯이, 일단 모델이 학습되면 모델이 파일로 저장되고 워크스페이스에 등록됩니다. 그러면 예측 결과를 생성하는 엔드포인트에서 이 등록된 모델을 사용할 수 있게 됩니다.

이 단계의 환경 구성을 위해서는 Azure 머신 러닝이 기본으로 제공하는 환경을 이용합니다. "curated environment"라고도 합니다. "azureml"이라는 태그가 붙어있습니다.

우선 컴포넌트를 명세하는 yaml 파일을 만들겠습니다.

```
%%writefile {train_src_dir}/train.yml
# <component>
name: train_credit_defaults_model
display_name: Train Credit Defaults Model
# version: 1 # 컴포넌트의 버전을 명시합니다. 따로 명시하지 않으면 자동으로
버전을 업데이트합니다.
type: command
inputs:
  train_data:
    type: uri_folder
  test_data:
    type: uri_folder
  learning_rate:
    type: number
  registered_model_name:
    type: string
outputs:
  model:
    type: uri_folder
code: .
environment:
  # 여기서 AzureML 의 curated envrionment 를 사용합니다.
  azureml:AzureML-sklearn-1.0-ubuntu20.04-py38-cpu:1
command: >-
  python train.py
  --train_data ${{inputs.train_data}}
  --test_data ${{inputs.test_data}}
  --learning_rate ${{inputs.learning_rate}}
  --registered_model_name ${{inputs.registered_model_name}}
  --model ${{outputs.model}}
# </component>
```

이제 다음 코드에서 컴포넌트를 생성하고 등록합니다. 그러면 다른 파이프라인에서도 이 컴포넌트를 재사용할 수 있습니다. 또한 워크스페이스에 접근이 가능한 어느 누구라도 이 등록된 컴포넌트를 사용할 수 있습니다.

```
# 컴포넌트 패키지를 불러옵니다.
from azure.ai.ml import load_component

# YAML 파일로부터 컴포넌트를 불러옵니다.
train_component = load_component(source=os.path.join(train_src_dir,
"train.yml"))
```

```
# 컴포넌트를 워크스페이스에 등록합니다.
train_component = ml_client.create_or_update(train_component)

print(
    f"Component {train_component.name} with Version
{train_component.version} is registered"
)
```

등록이 완료되면 "Component train_credit_defaults_model with Version 1 is registered"라는 문구가 출력됩니다.

4.4.3. 여러 컴포넌트로 파이프라인 만들기

이제 두 개의 컴포넌트를 정의하고 등록했습니다. "Azure 스튜디오 > Components"에서 만들어진 두 개의 컴포넌트를 확인할 수 있습니다.

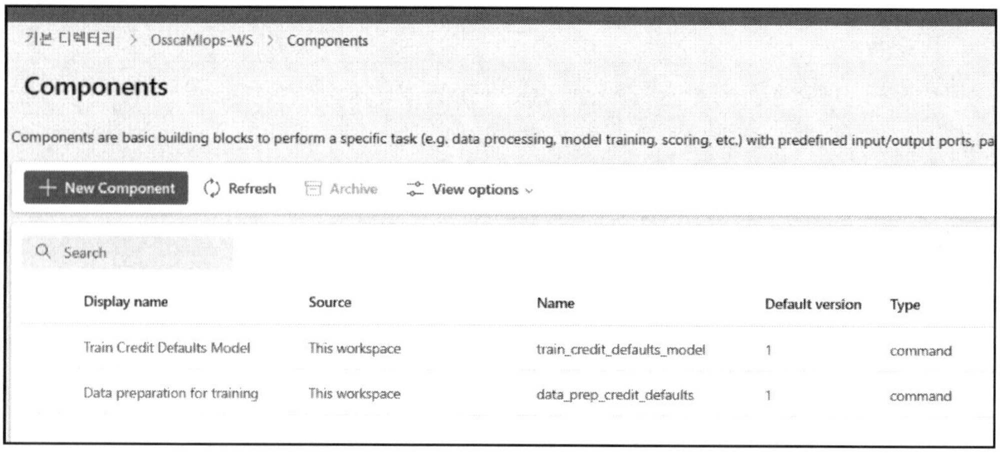

기본 디렉터리 > OsscaMlops-WS > Components

Components

Components are basic building blocks to perform a specific task (e.g. data processing, model training, scoring, etc.) with predefined input/output ports, pa

+ New Component   Refresh   Archive   View options

Search

Display name	Source	Name	Default version	Type
Train Credit Defaults Model	This workspace	train_credit_defaults_model	1	command
Data preparation for training	This workspace	data_prep_credit_defaults	1	command

그러면 이렇게 생성 된 컴포넌트로 파이프라인을 구축할 차례입니다.

이전 단계에서 "load_component()"에 의해 반환된 파이썬 함수는 파이프라인 내에서 각 단계, 즉 컴포넌트를 호출하는데 사용됩니다.

파이프라인을 코딩하려면 Azure 머신러닝 파이프라인을 식별하는 특정 "@dsl.pipeline" 데코레이터를 사용합니다. 이 데코레이터에서 파이프라인 설명과 컴퓨팅 리소스나 저장소 같은 기본 리소스를 지정할 수 있습니다.

일반적인 파이썬 함수처럼 파이프라인은 입력 값을 가질 수 있습니다. 그런 다음 서로 다른 입력으로 하나의 파이프라인의 여러 인스턴스를 생성할 수도 있습니다.

여기서는 "입력 데이터", "split ratio", "학습률", "등록된 모델 이름"이라는 네 가지가 입력 변수로 주어집니다. 그 다음 컴포넌트를 호출하고 그 입력/출력 식별자를 통해서 컴포넌트에 연결합니다. 각 단계의 출력 값은 ".outputs" 속성으로 접근 가능합니다.

```
# dsl 데코레이터는 Azure 머신 러닝 파이프라인을 정의하고 있음을 skd 에
알려줍니다.
from azure.ai.ml import dsl, Input, Output

@dsl.pipeline(
   compute=cpu_compute_target, # 서버리스 환경을에서 구동을 원하는 경우
"serverless"로 대체합니다.
   description="E2E data_perp-train pipeline",
)
def credit_defaults_pipeline(
   pipeline_job_data_input,
   pipeline_job_test_train_ratio,
   pipeline_job_learning_rate,
   pipeline_job_registered_model_name,
):
   # data_prep_function 을 파이썬 함수처럼 사용합니다.
   data_prep_job = data_prep_component(
      data=pipeline_job_data_input,
      test_train_ratio=pipeline_job_test_train_ratio,
   )

   # train_func 을 파이썬 함수처럼 사용합니다.
   train_job = train_component(
      train_data=data_prep_job.outputs.train_data, # note: 이전
단계의 출력값을 사용합니다.
      test_data=data_prep_job.outputs.test_data, # note: 이전 단계의
출력값을 사용합니다.
      learning_rate=pipeline_job_learning_rate, # note: 파이프라인
입력 값을 파라미터로 사용합니다.
      registered_model_name=pipeline_job_registered_model_name,
   )

   # 출력 값을 포함한 딕셔너리를 반환합니다.
   return {
      "pipeline_job_train_data": data_prep_job.outputs.train_data,
      "pipeline_job_test_data": data_prep_job.outputs.test_data,
   }
```

이제 이 파이프라인을 이용해 파이프라인을 인스턴스화 해봅시다. 데이터 셋, 분할 비율, 학습률, 모델 이름을 사용합니다.

```
registered_model_name = "credit_defaults_model"

# 파라미터를 조정해 파이프라인을 인스턴스화 할 수 있습니다.
pipeline = credit_defaults_pipeline(
    pipeline_job_data_input=Input(type="uri_file",
path=credit_data.path),
    pipeline_job_test_train_ratio=0.25,
    pipeline_job_learning_rate=0.05,
    pipeline_job_registered_model_name=registered_model_name,
)
```

4.5. 작업(Job) 제출하기

이제 Azure 머신러닝에서 실행할 작업을 제출할 차례입니다. "ml_client.jobs"의 "create_or_update" 메소드를 사용합니다.

여기서는 또한 실험 이름도 같이 넘겨주는데요. "실험"이란 특정 프로젝트에서 수행하는 모든 반복을 위한 컨테이너를 말합니다. 동일한 실험 이름으로 제출된 모든 작업은 Azure 머신러닝 스튜디오에서 리스트로 볼 수 있습니다.

완료되면 모델 학습 결과로 워크스페이스에 모델을 등록합니다. 이 작업은 시간이 좀 소요됩니다.

```
# 파이프라인 작업을 제출합니다.
pipeline_job = ml_client.jobs.create_or_update(
    pipeline,
    # 프로젝트 이름
    experiment_name="e2e_registered_components",
)
ml_client.jobs.stream(pipeline_job.name)
```

이 코드를 실행하면 출력문에 "Web View" 링크가 제공됩니다. 이 링크를 따라가면 파이프라인의 진행 상황을 눈으로 볼 수 있습니다. 혹은 "Azure 머신러닝 스튜디오 > Pipelines"에 접속하면 아래처럼 생성한 파이프라인을 확인할 수 있습니다.

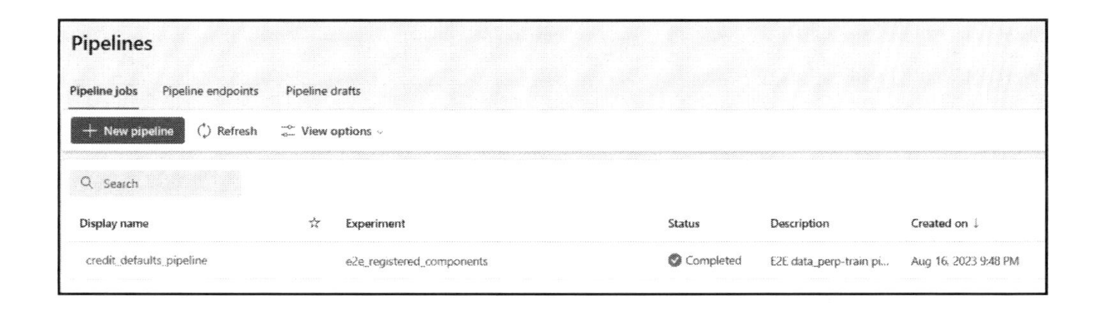

처음에는 "Running" 상태이며, 파이프라인이 완료되면 각각의 컴포넌트의 결과를 볼 수 있습니다. "credit_defaults_pipline" 파이프라인을 클릭하면 아래와 같은 다이어그램이 자동으로 그려진 것이 보입니다.

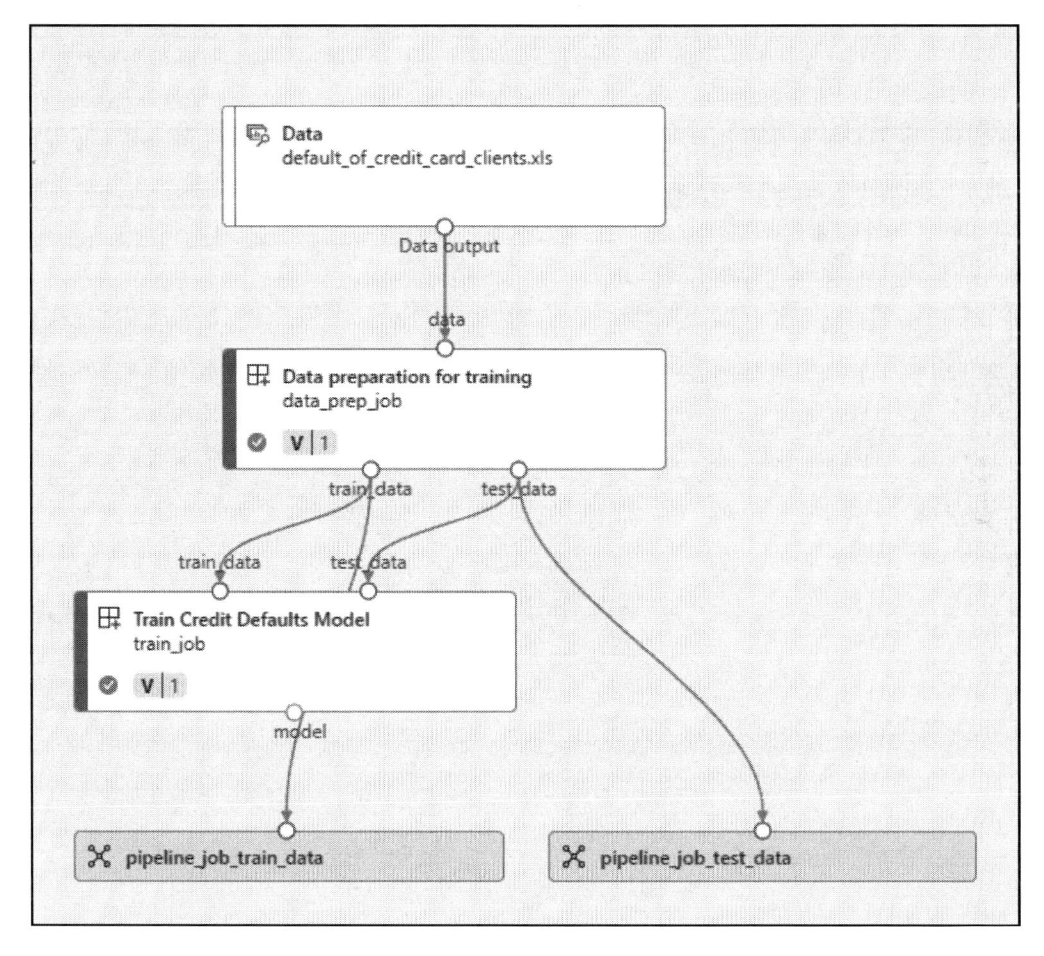

데이터를 준비하고, 두 개의 컴포넌트를 생성했으며 각각의 컴포넌트의 실행 결과를 잘 표시하고 있습니다. 컴포넌트를 클릭하여 "parameters"도 확인할 수 있습니다.

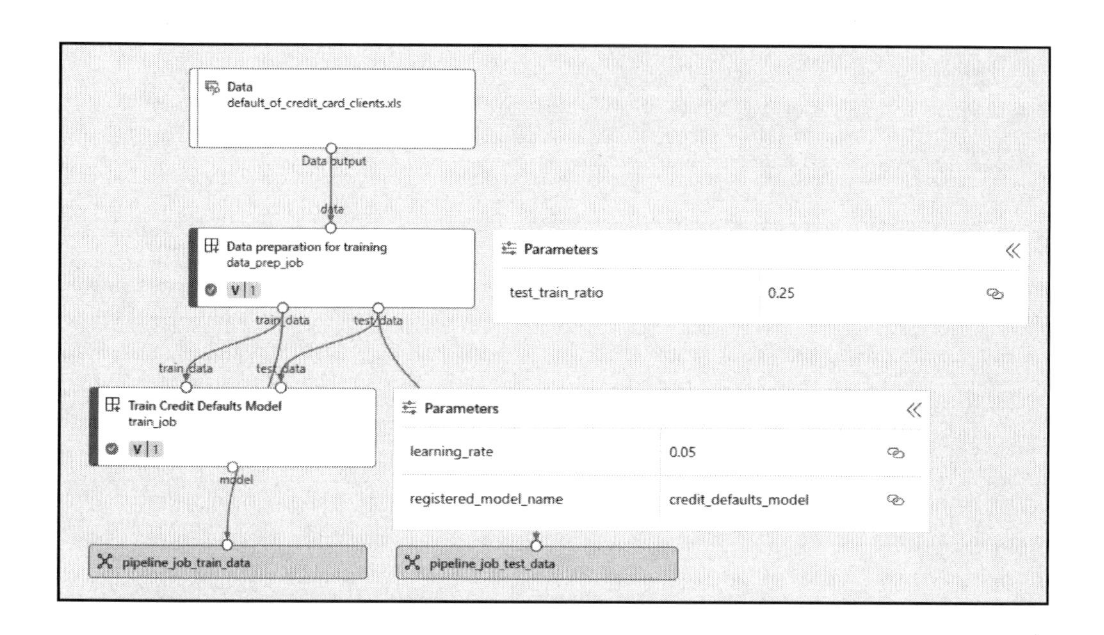

더블 클릭하면 각각의 상세정보를 확인할 수 있습니다. “data_prep_job” 컴포넌트를 더블 클릭하여 확인해봅시다. “Outputs + Logs” 탭을 클릭해 “user_logs/std_log.txt” 파일에서 스크립트 실행 출력을 볼 수 있습니다.

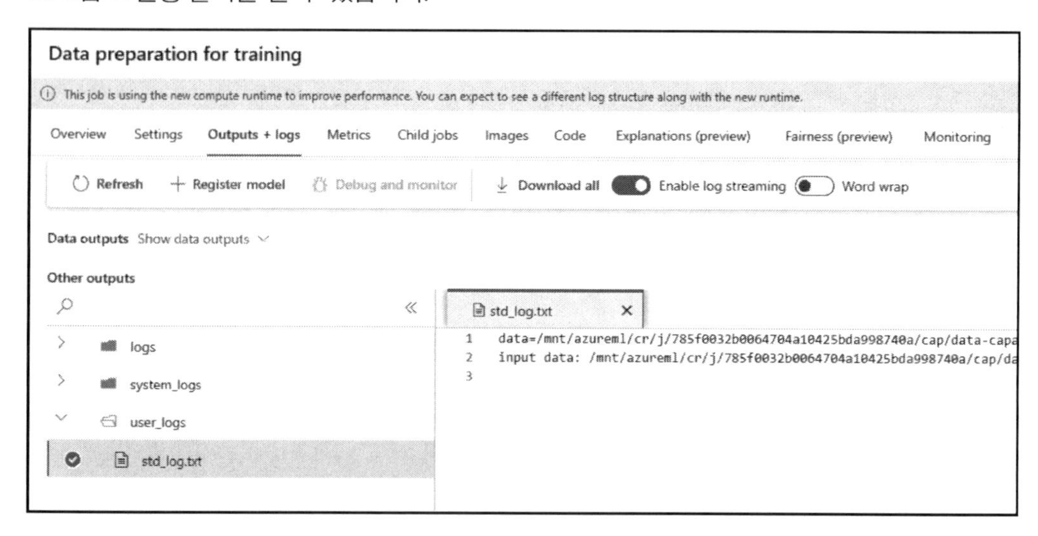

“train_job” 컴포넌트를 클릭해 이번에는 “Metric” 탭에서 메트릭을 확인해봅시다.

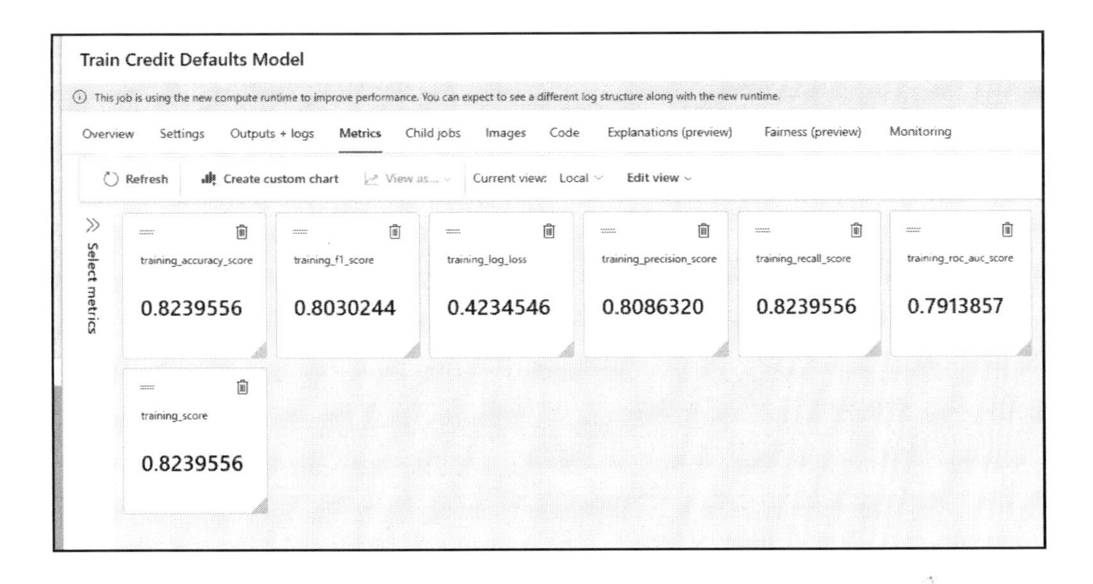

이로써 데이터 전처리 및 모델을 학습시키고 워크스페이스에 등록하는 과정을 자동화하는 파이프라인을 만들었습니다. 파이프라인의 인풋 값을 원하는 대로 조절하여 간편히 여러 번 실행이 가능하며 클라우드에서 각 컴포넌트의 결과를 비교하며 한 눈에 볼 수 있게 되었습니다.

여기까지 Azure 머신 러닝 예제를 통해 MLOps 파이프라인을 구축하는 과정을 성공적으로 마쳤습니다. 이제 다음 편에서는 두 번째 방법으로 MLOps 를 구축하는 방법을 소개하겠습니다.

> ⚠ "Azure 홈 > 구독 > 리소스"에서 사용이 끝난 리소스를 삭제하여 불필요한 과금을 방지합니다.

5. MLOps 구현하기 2: Azure MLOps 솔루션 액셀러레이터 템플릿 사용하기

MLOps 를 구현하기 위한 첫 번째 방법에서는 로컬에서 주피터 노트북을 활용해 파이썬 코드로 모델을 학습시키고 배포하는 파이프라인을 만들었습니다. 이번에는 Azure 가 공식적으로 제공하는 MLOps 템플릿 프로젝트인 "솔루션 액셀러레이터(Solution Accelerator)"[30]를 활용하겠습니다. 이 템플릿을 통해 앞서 DevOps 프로젝트에서 활용했던 GitHub Actions 을 사용하여 사용자의 머신러닝 프로젝트를 자동화할 수 있습니다.

솔루션 엑셀레이터는 MLOps 를 구축하기 위해 하나의 통일된 방식이 아닌 여러 구성 요소를 조합하여 사용하는 모듈식 접근 방식을 제공합니다. 그 이유는 각각의 머신 러닝 프로젝트 상황에 맞게끔 시스템을 구축해야 하는 경우가 많기 때문입니다.

5.1. 솔루션 액셀러레이터를 사용하기 위해 필요한 것

다음은 솔루션 액셀러레이터를 사용하기 위한 필요한 것들입니다.

1. Azure 구독
2. 버전 혹은 그 이상의 Git
3. GitHub 소스 코드 저장소
4. GitHub Actions
5. GitHub Client (GitHub CLI)
6. Azure CLI
7. GitHub Actions 에서 Azure 리소스로 접근하기 위한 Azure 자격 증명
8. 로컬 머신에서 쉘 스크립트를 실행할 수 있는 Git bash, WSL 또는 다른 쉘 스크립트 실행기

윈도우 사용자이고 WSL 을 사용하는 경우 다음을 유의합니다.

- 모든 작업을 WSL 환경에서 수행하기: 저장소 복제, 파일 경로 설정 등 전체 작업을 유닉스 환경 내에서 수행하도록 합니다.
- (VSCode 사용자의 경우) WSL 환경에서 VSCode 사용하기: "Remote -SSH" 확장 프로그램을 사용하거나, WSL 환경에서 code . 명령어를 사용하여 "Remote - WSL" 확장 프로그램을 사용해 VSCode 와 WSL 을 연결하여 사용할 수 있습니다.

---

[30] "Azure MLOps 솔루션 엑셀러레이터" (https://github.com/Azure/mlops-v2)

- Git 로컬 설정: Git 의 사용자 이메일과 이름을 설정합니다. "git config –global user.email <you@example.com>"와 "git config –global user.name <Your Name>" 명령어로 설정할 수 있습니다.

5.2. GitHub 환경 구성하기

5.2.1. GitHub CLI 설치 및 로그인하기

솔루션 액셀러레이터를 사용하기 위한 필요 조건 중 GitHub CLI 를 설치해보겠습니다. 일반적으로 GitHub 이라 하면 웹 사이트가 떠오르죠. GitHub CLI 는 GitHub 의 기능을 커맨드 라인 인터페이스를 통해 사용할 수 있게 해주는 도구입니다. 웹 사이트를 직접 방문하지 않고도 터미널을 통해 GitHub 기능을 수행할 수 있습니다.

1) GitHub CLI 설치하기

맥 OS Homebrew 를 사용하는 경우 아래 명령어를 실행합니다.

```
brew install gh
```

Homebrew 를 사용하지 않는 경우 및 윈도우 OS WSL2 환경 사용자의 경우는 아래 명령어를 통해 설치가 가능합니다.

```
sudo apt-get install gh
```

2) GitHub CLI 를 통해 로그인하기

GitHub CLI 설치를 마쳤다면 GitHub CLI 를 통해 로그인을 진행하겠습니다. 아래 명령어를 입력합니다.

```
gh auth login
```

그러면 아래처럼 어떤 계정 타입으로 로그인 할 것인지 묻습니다. 화살표를 사용하여 적절한 옵션을 선택합니다. "GitHub.com"을 선택합니다.

```
? What account do you want to log into? [Use arrows to move, type to filter]
> GitHub.com
  GitHub Enterprise Server
```

다음으로 어떤 프로토콜을 이용할 것인지 선택합니다. 이때 반드시 SSH를 선택합니다.

```
? What is your preferred protocol for Git operations on this host? [Use arrows
to move, type to filter]
> HTTPS
  SSH
```

만약 생성해둔 SSH 키가 존재한다면 SSH 퍼블릭 키를 GitHub 계정에 업로드할 것인지 묻기도 합니다. 하지만 SSH 키가 없는 경우 새롭게 생성해야 합니다. GitHub 과 SSH 키 생성에 관한 내용은 다음 링크[31]를 참조합니다. 업로드하지 않으려면 스킵을 선택하면 됩니다만, 이 경우 스킵하지 않고 진행하도록 하겠습니다. 적절한 이름을 부여한 뒤 업로드합니다.

다음으로 GitHub CLI 인증 절차는 웹 브라우저를 통한 로그인 방식으로 선택합니다.

```
? How would you like to authenticate GitHub CLI? [Use arrows to move, type to f
ilter]
> Login with a web browser
  Paste an authentication token
```

인증 코드 값이 출력 되면 엔터를 눌러 GitHub 웹 브라우저에서 해당 코드로 로그인을 시도합니다. 정상적으로 로그인이 수행되어 "! You were already logged in to this account" 메시지가 터미널에 출력된다면 성공입니다.

5.2.2. Azure MLOps 솔루션 액셀러레이터 저장소 복제하기

이제 본격적으로 소스 코드를 준비하겠습니다. MLOps 템플릿을 포함하는 Azure 의 "mlops-templates"라는 저장소[32]를 포크(fork)하겠습니다. 저장소에 접속하여 상단의 "Fork" 버튼을

---

[31] "Generating a new SSH key and adding it to the ssh-agent - GitHub Docs" (https://docs.github.com/en/authentication/connecting-to-github-with-ssh/generating-a-new-ssh-key-and-adding-it-to-the-ssh-agent)

[32] "Azure의 MLOps 템플릿 원본 저장소" (https://github.com/Azure/mlops-templates)

클릭합니다. 이 저장소는 Azure 플랫폼에 사용자의 머신 러닝 모델을 배포하도록 미리 세팅된 재사용이 가능한 MLOps 코드를 포함합니다.

> ⚠ 앞서 소개한 저장소는 원본 저장소입니다. 원본 저장소가 지속적으로 업데이트되므로 이 책에서 다루는 내용과 일부 달라질 수 있습니다. 이 책에서 다루는 내용과 완전히 동일하게 실습을 진행하고 싶다면 Azure 의 원본 저장소가 아닌 각각의 mlops-labs 의 저장소[33]를 포크하여 사용하면 됩니다.

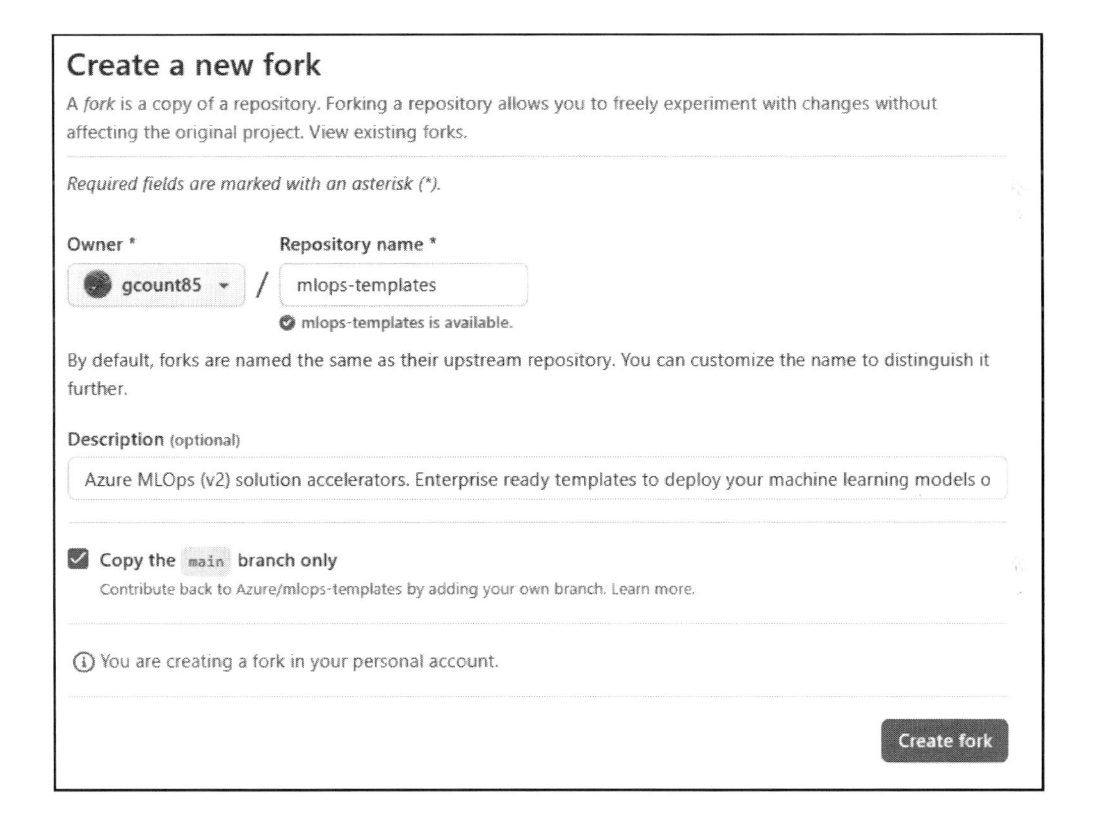

다음은 MLOps 템플릿에 활용할 머신 러닝 프로젝트 코드가 필요합니다. 이 또한 Azure 의 공식 저장소가 제공하는 템플릿으로 해결할 수 있습니다. Azure 의 "MLOps 프로젝트 템플릿" 저장소가 바로 그것입니다. "mlops-project-template" 저장소[34]에 접속하여 아래 이미지처럼 "Use this template" 버튼을 클릭하여 "Create a new repository" 메뉴를 선택합니다.

---

[33] "mlops-labs의 MLOps 프로젝트 템플릿 저장소" (https://github.com/mlops-labs/mlops-project-template)
[34] "Azure의 MLOps 템플릿 원본 저장소" (https://github.com/Azure/mlops-templates)

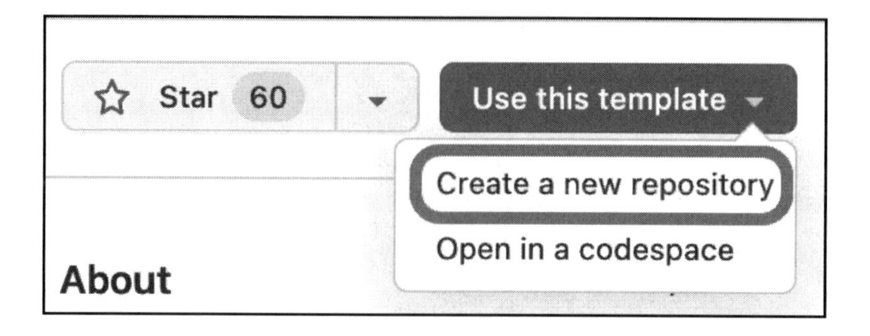

그런 다음에 동일하게 "mlops-project-template"라고 명명한 저장소를 우리의 GitHub 계정 하에 만들겠습니다.

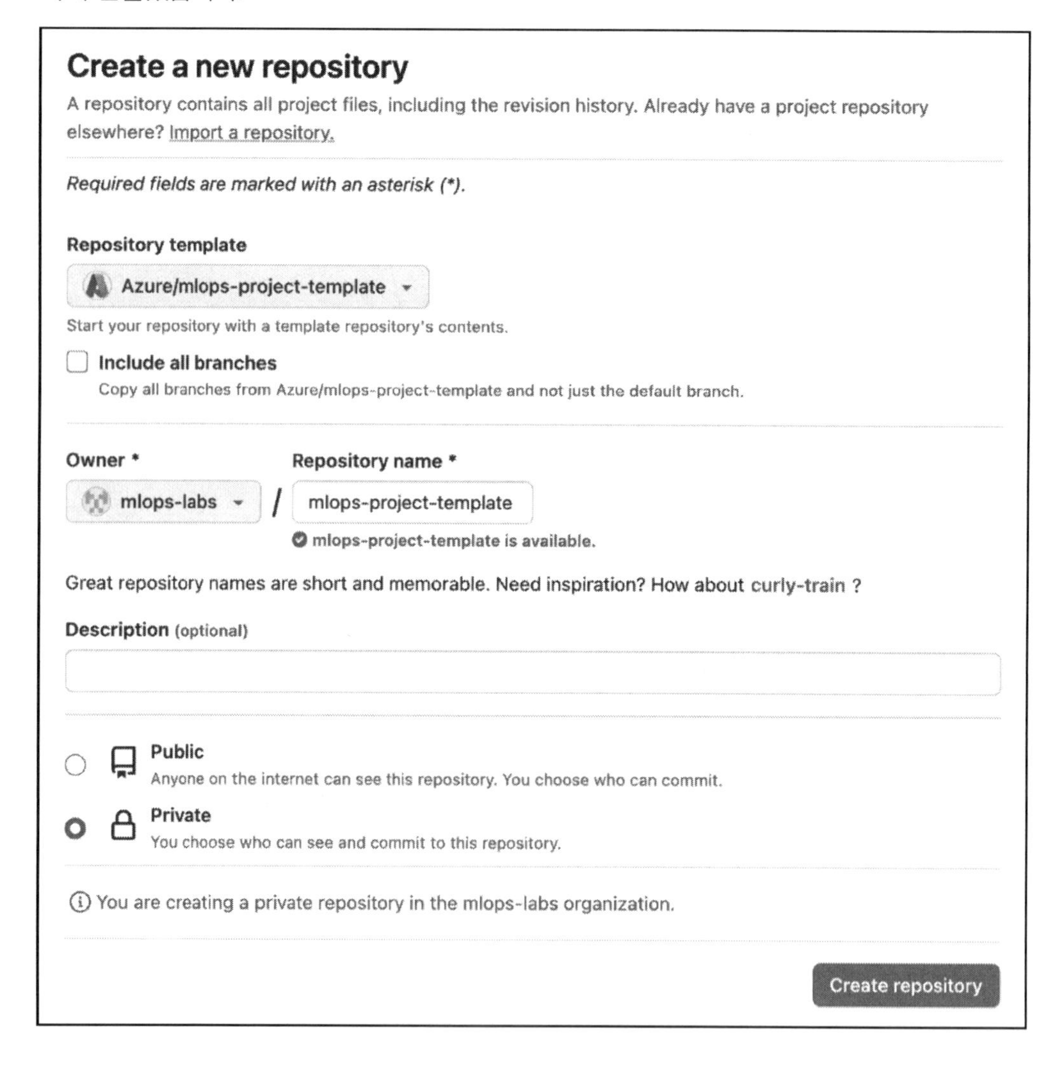

그러면 아래와 같이 새로운 저장소가 우리의 계정 하에 만들어집니다.

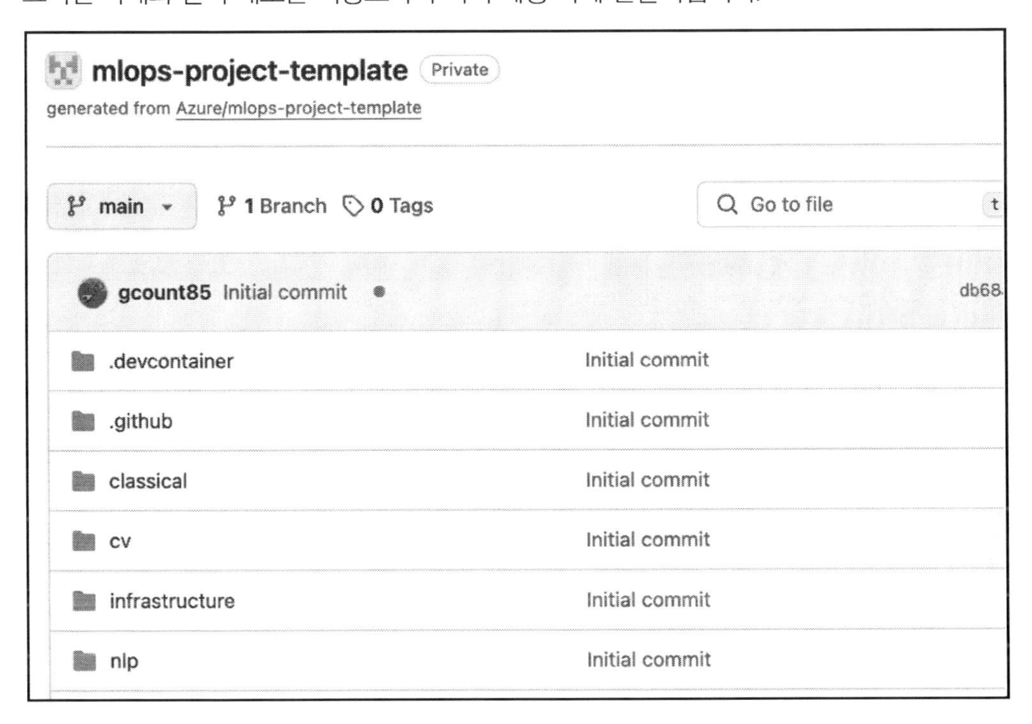

"템플릿 저장소"와 "포크" 기능의 차이는?

"템플릿 저장소(Template Repository)"를 사용하는 것과 저장소를 "포크(Fork)"하는 것은 비슷해 보이지만 조금 다릅니다.

템플릿 저장소는 기존 프로젝트의 구조를 기반으로 새로운 프로젝트를 쉽게 시작하도록 만들어진 저장소입니다. 다른 계정이나 조직에 속한 프로젝트를 사용자의 계정으로 복제한다는 점은 동일하지만, 포크와 달리 템플릿을 사용하여 생성된 저장소는 원본 템플릿 저장소와 직접적인 연결이 없습니다. 즉, 원본 저장소에 변경사항이 발생해도 새 저장소에는 영향을 미치지 않습니다. 반면 포크 된 저장소는 원본 저장소와 연결되어 있어서 원본 저장소에서 업데이트를 가져오거나 반대로 원본 저장소에 풀 리퀘스트를 생성할 수도 있습니다.

따라서 템플릿 저장소는 어떠한 프로젝트를 그대로 복제하여 새로운 프로젝트를 시작하고 싶을 때 주로 사용하는 반면 포크 기능은 기존 프로젝트에 대해 변경 사항을 적용하고 싶거나 기여하고 싶을 때 주로 사용된다고 할 수 있습니다.

5.2.3. 솔루션 액셀러레이터 저장소를 로컬에 클론하기

```
mlprojects
└ mlops-v2
```

필요한 소스 코드를 담은 저장소를 복제했으니, 이제 로컬 환경에 위의 형태로 디렉토리를 구성하겠습니다. 먼저 "mlprojects"라는 디렉토리를 생성하고, 해당 디렉토리에서 아래 명령어를 입력해 저장소를 클론합니다.

```
git clone https://github.com/Azure/mlops-v2.git
```

5.2.4. "sparse_checkout.sh" 파일 구성하기

방금 클론한 저장소의 디렉토리로 들어가서 "sparse_checkout.sh" 파일을 실행하겠습니다. "vi sparse_checkout.sh" 명령어를 통해 편집기를 실행합니다. VSCode 를 사용하는 경우 "code sparse_checkout.sh" 명령어를 통해서도 가능합니다.

이 파일은 GitHub Actions을 이용한 MLOps를 구성하는 스크립트입니다. 파일을 열면 상단에 아래처럼 여러 가지 변수를 지정할 수 있는 것이 보입니다. 사용자의 필요에 따라 사용 환경에 맞게 변수를 편집하여 사용하면 됩니다.

```
#options: terraform / bicep
infrastructure_version=terraform

#options: classical / cv / nlp
project_type=classical

#options: python-sdk / aml-cli-v2
mlops_version=aml-cli-v2

#원하는 로컬 경로를 지정하세요.
git_folder_location='/home/<username>/mlprojects'

#프로젝트 이름을 지정하세요.
project_name=taxi-fare-regression

#깃허브 조직명이나 유저 네임을 입력합니다.
github_org_name=<orgname>
```

```
#5.2.2 단계에서 생성한 프로젝트 템플릿 URL 을 입력합니다.
project_template_github_url=https://github.com/azure/mlops-project-
template

#options: github-actions / azure-devops
orchestration=github-actions
```

어떤 변수가 사용되고 있는지 살펴보겠습니다.

- infrastructure_version: 클라우드 리소스를 배포하는데 사용할 도구입니다. "terraform", "bicep"과 같은 도구가 있습니다. "bicep"은 Azure 전용, "terraform"은 다양한 플랫폼에서 사용이 가능합니다.
- project_type: 프로젝트의 AI 워크로드 유형을 선택합니다. "classical"(일반적인 머신 러닝), "cv"(컴퓨터 비전), "nlp"(자연어 처리) 중에 선택이 가능합니다.
- mlops_version: Azure 머신 러닝과 상호작용할 방식을 선택합니다. "aml-cli-v2", "python-sdk-v1", "python-sdk-v2", "rai-aml-cli-v2"가 있습니다.
- orchestration: 사용할 CI/CD 오케스트레이션입니다. "azure-devops", "github-actions"를 제공합니다.
- git_folder_location: 앞 단계에서 "mlops-v2" 저장소를 복제한 루트 프로젝트 디렉토리입니다.
- project_name: 프로젝트 이름으로 대소문자를 구분합니다. 이 이름으로 GitHub 저장소가 생성됩니다.
- github_org_name: GitHub 조직 이름 혹은 사용자 이름을 말합니다.
- project_template_github_url: 1 단계에서 생성한 "mlops-project-template" 저장소의 원본이나 혹은 생성된 복제본 URL 을 말합니다.

> **Terraform 이란?**
>
> Terraform 은 인프라스트럭처를 코드로 관리하기 위한 오픈 소스 도구입니다. HashiCorp 에서 개발되었으며, AWS, Azure, GCP 등 다양한 클라우드 플랫폼에서 일관된 환경으로 인프라를 코드로 관리할 수 있습니다. Infrastructure as Code (IaC)라는 접근 방식을 사용하여 서버, 데이터베이스, 네트워크, 로드 밸런서 등의 인프라 구성 요소를 자동화하고 관리합니다.

그러면 아래와 같이 변수를 변경하겠습니다. 프로젝트 이름은 "taxi-fare-regression"으로 지정했는데요. 우리가 예제로 사용할 머신 러닝 프로젝트가 뉴욕의 택시 요금과 관련 된 프로젝트이기 때문에 그렇습니다.

```
infrastructure_version=terraform
project_type=classical
mlops_version=aml-cli-v2
orchestration=github-actions
git_folder_location='<사용자-환경에-맞는-경로>/mlprojects'
project_name=taxi-fare-regression
github_org_name=mlops-labs
project_template_github_url=https://github.com/mlops-labs/mlops-
project-template
```

5.2.5. "sparse_checkout.sh" 파일 실행하기

"mlops-v2" 디렉토리로 이동한 뒤 "bash sparse_checkout.sh" 명령어를 입력하면 해당 스크립트 파일을 실행합니다. 그러면 스크립트에서 우리가 구성한 옵션대로 머신 러닝 프로젝트 저장소를 지정한 로컬 환경에 복제합니다. 그리고 github 저장소를 생성하고 프로젝트 코드를 원격 저장소에 푸시합니다.

예시 스크립트를 실행하면 사용자가 지정한 프로젝트 이름을 가진 저장소가 로컬 환경에 복사됩니다. 예제의 경우 "taxi-fare-regression"라는 이름으로 복제됩니다. 혹시 이 과정에서 문제가 생겼다면 "rm -rf" 명령어를 이용하여 프로젝트 폴더를 지운 후 스크립트를 재실행하여야 에러가 발생하지 않습니다.

⚠ "github Permission denied" (publickey) 에러가 발생한다면?

앞에서 "gh auth login" 명령어를 입력해 로그인을 수행했는데도 불구하고 "faxi-fare-regression" 저장소를 복제하는 도중 권한 에러가 뜨는 경우가 있습니다.

이런 경우 GitHub CLI 로그인 절차에서 "HTTPS 프로토콜 > Web 브라우저 로그인"으로 진행하진 않았는지 확인합니다. "sparse_checkout.sh" 스크립트는 SSH 를 사용한 인증을 필요로 하기 때문에 "HTTPS 프로토콜"이 아닌 "SSH 프로토콜"을 통해 로그인해야 합니다.

따라서 위 경우에 해당한다면 GitHub CLI 인증 파트를 참조하여 해당 단계를 다시 수행하도록 합니다. 그리고 나서 "bash sparse_checkoout.sh" 명령어를 입력하여 동일한 에러 없이 저장소 복제가 완료된다면 성공입니다.

그리고 GitHub 의 계정에 접속하면 아래처럼 새로운 저장소가 생성된 것을 확인할 수 있습니다.

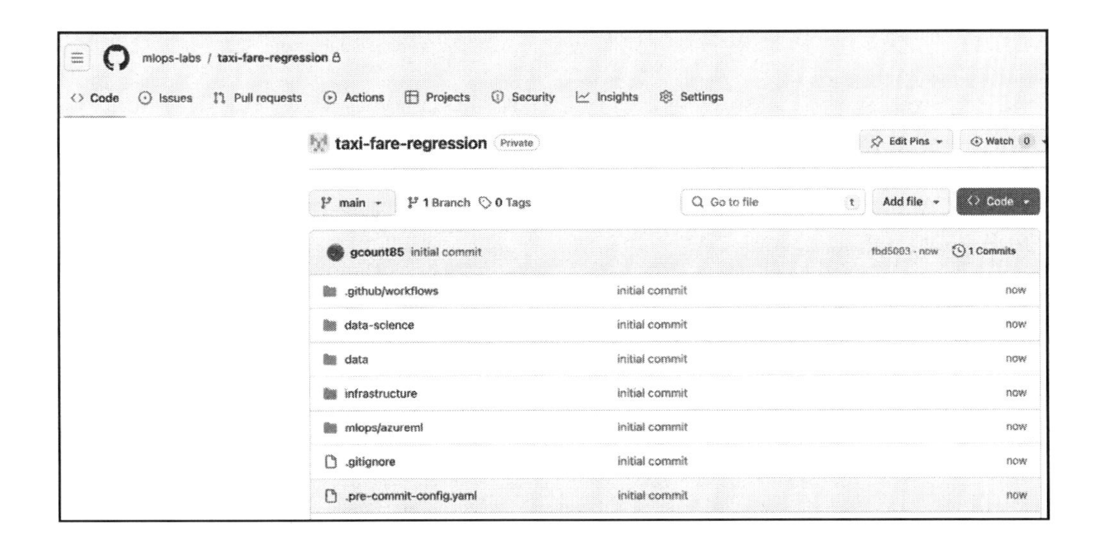

⚠ GitHub 조직 계정으로 "sparse_checkout.sh"을 구성하여 실행했을 때 머신 러닝 예제 저장소 클론을 수행할 수 없다면?

```
ERROR: Repository not found.
fatal: Could not read from remote repository.

Please make sure you have the correct access rights and the
repository exists.
```

만약 위와 같은 오류 메시지와 함께 저장소 클론에 실패한다면 다음 사항을 체크합니다.

1. 사용자의 조직 권한을 확인합니다. 읽기와 쓰기가 모두 가능해야 합니다.
2. GitHub CLI로 로그인 과정에 이상이 없는지 확인합니다.
3. "sparse_checkout.sh" 파일의 "gh repo create" 명령어 부분이 아래처럼 작성되어 있는지 확인합니다.

```
# Upload to custom repo in GitHub
...

gh repo create $github_org_name/$project_name --private
```

```
...
```

"$project_name" 변수 앞에 "$github_org_name/"을 붙여서 작성합니다. 사용자가 속한 조직에 리포지토리를 생성해야 하는 경우 해당 변수가 필요하기 때문입니다.

5.2.6. GitHub Actions 시크릿 구성하기

이 단계에서는 Azure 서비스 주체(Service Principal)와 GitHub 시크릿을 생성하고 GitHub 워크플로우가 Azure 머신러닝 리소스와 상호 작용할 수 있도록 구성해보겠습니다.

이전의 DevOps 과정을 거치며 생성한 서비스 주체가 있다면 그것을 사용해도 됩니다. 만약 없다면 원하는 서비스 주체 이름과 함께 아래 명령어를 입력하여 생성합니다. 서비스 주체와 관련된 Azure CLI 명령어의 정보는 다음 링크[35]에서 확인할 수 있습니다.

```
az ad sp create-for-rbac \
        --name <service_principal_name> \
        --role contributor \
        --scope /subscriptions/<subscription_id> \
        --sdk-auth
```

서비스 주체가 생성됐다면 아래와 같은 JSON 값을 응답으로 받습니다. 이를 복사하거나 저장해 두었다가 원격 저장소의 시크릿으로 등록합니다.

```
{
  "clientId": "xxxx6ddc-xxxx-xxxx-xxx-ef78a99dxxxx",
  "clientSecret": "xxxx79dc-xxxx-xxxx-xxxx-aaaaaec5xxxx",
  "subscriptionId": "xxxx251c-xxxx-xxxx-xxxx-bf99a306xxxx",
  "tenantId": "xxxx88bf-xxxx-xxxx-xxxx-2d7cd011xxxx",
  "activeDirectoryEndpointUrl":
"https://login.microsoftonline.com",
  "resourceManagerEndpointUrl": "https://management.azure.com/",
  "activeDirectoryGraphResourceId": "https://graph.windows.net/",
  "sqlManagementEndpointUrl":
"https://management.core.windows.net:8443/",
  "galleryEndpointUrl": "https://gallery.azure.com/",
```

[35] "az ad sp | Microsoft Learn" (https://learn.microsoft.com/en-US/cli/azure/ad/sp?view=azure-cli-latest#az_ad_sp_list)

```
  "managementEndpointUrl": "https://management.core.windows.net/"
}
```

"taxi-fare-regression" 프로젝트의 원격 저장소로 가서 "Settings > Secrets and variables > Actions" 탭으로 이동합니다. 그리고 아래와 같은 시크릿 변수를 만듭니다.

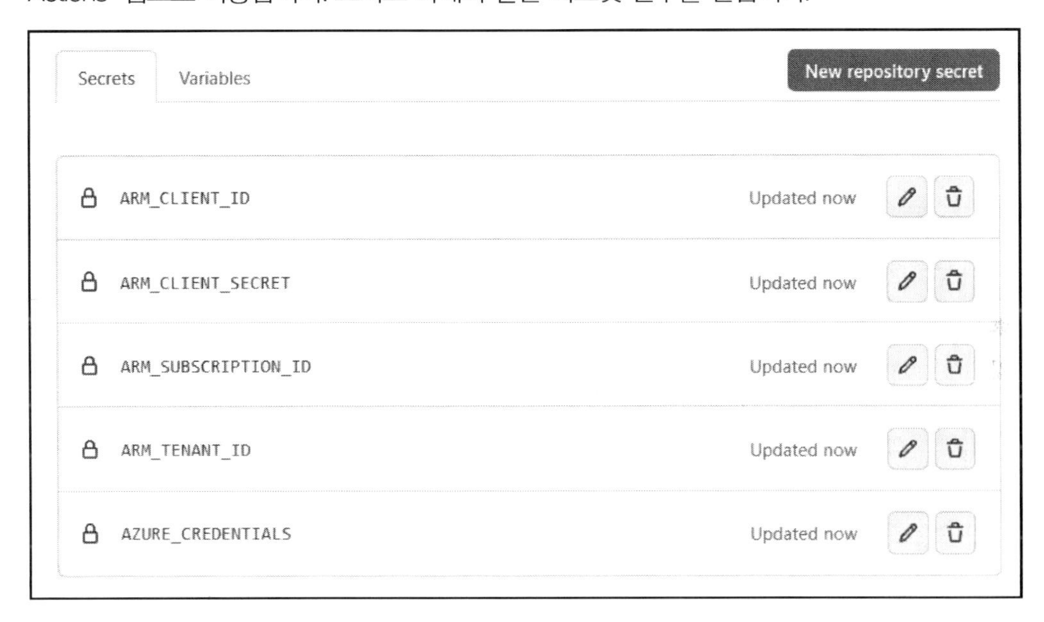

여기서 "AZURE_CREDENTIALS"는 위의 JSON 값을 그대로 괄호까지 복사해서 붙여 넣으면 됩니다. 나머지 시크릿 변수는 "sparse_checkout.sh" 파일에서 "infrastructure_version" 변수를 "terraform"으로 선택한 경우에 한해 추가해주어야 합니다.

이상으로 GitHub 구성을 마쳤습니다.

5.3. GitHub Actions를 이용해 머신러닝 프로젝트 인프라 배포하기

5.3.1. Azure 머신러닝 환경 매개변수 구성하기

다시 "taxi-fare-regression" 프로젝트 로컬 저장소로 돌아갑시다. 루트 폴더에 두 가지 구성 파일이 존재할 것입니다. "config-infra-dev.yml" 파일과 "config-infra-prod.yml" 파일이 그것입니다. 이 파일은 Azure 머신러닝의 개발 환경과 프로덕션 환경을 배포하고 정의하기 위해 사용됩니다.

기본 배포 구성은 다음과 같습니다.

1. main 브랜치에서 작업할 때는 "config-infra-prod.yml"을 참조합니다.
2. main 이 아닌 브랜치에서 작업할 때는 "config-infra-dev.yml" 파일이 참조됩니다.

main 브랜치에서 작업을 진행하기 전에 main 브랜치로부터 "dev" 브랜치를 생성한 다음, dev 환경을 먼저 배포하는 것이 권장됩니다.

보통 인프라를 배포하는 것은 한번 실행하고 끝나는 경우가 많습니다. 하지만 나중에 다른 환경을 구축할 수도 있기 때문에 파일을 삭제하지 않고 남겨둡니다. 예를 들어 dev, main 브랜치가 아닌 "release" 브랜치를 추후에 생성할 수도 있으니까요.

각각의 파일을 수정하여 "namespace", "postfix", "location", "environment" 값을 구성합니다. 기본 값은 아래와 같이 작성되어 있습니다.

```
namespace: mlopsv2 #Note: A namespace with many characters will
cause storage account creation to fail due to storage account names
having a limit of 24 characters.
postfix: 0001
location: eastus
environment: dev
enable_aml_computecluster: true
enable_monitoring: false
```

"namespace"부터 "environment"까지는 Azure 환경과 그것이 포함하는 리소스를 위해 전역적으로 고유한 이름을 생성하기 위해 사용됩니다.

만약 컴퓨터 비전이나 자연어 처리와 같은 딥 러닝 워크로드를 실행하고 있다면, Azure 의 구독 정보와 Azure 의 로케이션이 가용한 GPU 리소스를 가지고 있는지 확인해야 합니다.

> **"enable_monitoring" 플래그**
>
> "enable_monitoring" 변수는 "false"로 기본 지정되어 있습니다. 이를 "true"로 설정할 경우 Azure 머신 러닝 모니터링 서비스를 지원하기 위한 추가적인 요소가 필요하므로 비용이 더 발생할 수도 있다는 점을 주의합시다.

그러면 아래처럼 YAML 구성을 변경해보겠습니다. (※ "namespace"는 알파벳 소문자, 숫자만 가능하며 추후 발생할 수도 있는 오류를 방지하기 위해 11 자 이내의 고유한 이름으로 지어야 합니다.)

```
namespace: mlopslabs
postfix: 0001
location: koreacentral
environment: dev
enable_aml_computecluster: true
enable_monitoring: false
```

파일을 수정한 뒤에 저장하고 커밋, 푸시(혹은 풀 리퀘스트)까지 진행합니다.

5.3.2. Azure 머신러닝 인프라 배포

다시 "taxi-fare-regression" 프로젝트의 원격 저장소로 돌아가서 "Actions" 탭을 클릭하여 미리 정의한 워크플로우를 살펴봅시다. 아래와 같은 워크플로우가 정의되어 있을 것입니다.

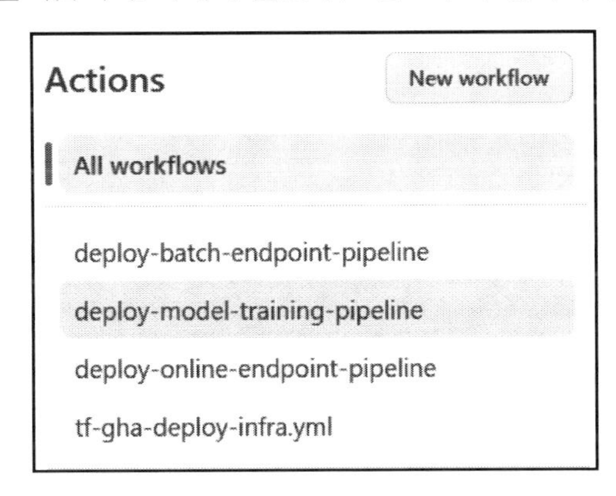

파이프라인을 배포하는 워크플로우들이 정의되어 있습니다. 이 중 "tf-gha-deploy-infra.yml" 워크플로우를 선택합니다. 이는 Azure 머신 러닝 인프라를 GitHub Actions 와 Terraform 을 이용해 배포하는 워크플로우입니다.

오른쪽에서 "run workflow"를 선택해 배포하고자 하는 브랜치를 선택합니다. dev 브랜치를 먼저 배포하겠습니다.

워크플로우 실행이 성공적으로 마무리 되었다면 Azure 포털에서 생성된 인프라를 확인해볼 차례입니다.

리소스 그룹 목록에서 새롭게 생성 된 두 개의 리소스 그룹을 확인할 수 있습니다. 끝에 terraform 의 약자인 "tf"가 붙은 리소스 그룹이 하나 더 있습니다.

rg-mlopslabs-0001dev
rg-mlopslabs-0001dev-tf

첫 번째 리소스 그룹으로 들어가면 다음과 같은 리소스가 생성된 것을 볼 수 있습니다.

이름 ↑↓	형식 ↑↓
appi-mlopslabs-0001dev	Application Insights
Application Insights Smart Detection	작업 그룹
crmlopslabs0001dev	컨테이너 레지스트리
Failure Anomalies - appi-mlopslabs-0001dev	스마트 탐지기 경고 규칙
kv-mlopslabs-0001dev	키 자격 증명 모음
mlw-mlopslabs-0001dev	Azure Machine Learning 작업 영역
stmlopslabs0001dev	스토리지 계정

컨테이너 레지스트리, Azure ML 워크스페이스를 포함하여 MLOps 파이프라인 구축을 위한 여러 리소스가 생성된 것을 알 수 있습니다.

다음 단계에서는 모델을 학습시키고 예측 값을 산출하는 과정을 파이프라인으로 빌드한 뒤, 방금 생성 된 새로운 Azure 머신 러닝 환경에 배포하는 과정을 진행하도록 하겠습니다.

⚠ ERROR: AuthorizationFailed

워크플로우를 실행하던 도중 "azure-login" 단계에서 로그인 실패 오류 혹은 "create-tfstate-resource-group" 단계에서 아래와 같은 오류를 마주한다면 서비스 주체의 권한 문제일 수 있습니다.

```
ERROR: (AuthorizationFailed) The client '<sp-object-id>' with
object id '<sp-object-id>' does not have authorization to perform
action 'Microsoft.Resources/subscriptions/resourcegroups/write'
over scope '/subscriptions/***/resourcegroups/rg-mlopsv2-0001dev-
```

```
tf' or the scope is invalid. If access was recently granted, please
refresh your credentials.
```

서비스 주체의 스코프(Scope)가 유효하지 않다고 하는군요. 이는 우리가 적용한 서비스 주체의 스코프가 수행하고자 하는 작업을 포함하고 있지 않기 때문입니다.

먼저 사용한 서비스 주체의 스코프를 확인하기 위해 관련 CLI 를 알아보겠습니다. 다음과 같은 명령어로 입력하면 현재 구독 하의 서비스 주체에 할당된 모든 역할을 알 수 있습니다. (자세한 명령어에 관한 설명은 다음 링크[36]를 참조합니다.)

```
az role assignment list --assignee <sp-object-id> --all
```

에러가 발생한 "sp-object-id"를 집어넣은 후 명령을 실행하면 JSON 타입의 값을 응답으로 받습니다. 이 경우 두 개의 롤을 보여주고 있고 아래처럼 두 개의 스코프가 나와있습니다.

```
{
...
"roleDefinitionName": "Contributor",
"scope": "/subscriptions/<나의-구독-id>/resourceGroups/devops-RG",
...
}
,
{
...
"roleDefinitionName": "AcrPush",
"scope": "/subscriptions/<나의-구독-id>/resourceGroups/devops-
RG/providers/Microsoft.ContainerRegistry/registries/devopsimages"
...
}
```

"devops-RG"라는 리소스 그룹에 대한 스코프와 Azure Container Registry 에 대한 스코프를 가지고 있네요. 여기에 MLOps 워크플로우가 요구하는 스코프를 추가하면 됩니다.

```
az role assignment create \
      --assignee <sp-object-id> \
```

[36] "az role | Microsoft Learn" (https://learn.microsoft.com/en-us/cli/azure/role?view=azure-cli-latest)

```
    --role contributor \
    --scope /subscriptions/<나의-구독-id>
```

위와 같은 명령어를 입력해 스코프를 추가합니다. "GitHub 환경 구성하기" 5 단계에서 서비스 주체를 생성하는 명령어에 포함되어 있는 정보입니다.

구독 단위의 스코프를 다루고 있는 걸 보아 기존의 서비스 주체보다 더 넓은 스코프를 다루고 있음을 알 수 있습니다. 그래서 권한 에러가 발생한 것이죠. 추후에 직접 확인해보겠지만 이는 여러 리소스 그룹에 접근해야 하기 때문입니다.

다시 "az role assignment list –assignee <sp-object-id> –all" 명령어를 입력하면 이번엔 3 개의 JSON 값을 받을 수 있습니다. 마지막 JSON 값이 가장 최근에 업데이트 된 방금 추가한 scope 를 담고 있음을 확인할 수 있습니다.

```
{
...
"roleDefinitionName": "Contributor",
"scope": "/subscriptions/<나의-구독-id>",
"updatedOn": "2023-08-18T13:00:05.899745+00:00"
}
```

다시 workflow 화면으로 돌아가 "Re-run all jobs"를 클릭하고 재시도합니다. 아래처럼 "create-tfstate-resource-group" 단계를 잘 통과한다면 성공입니다.

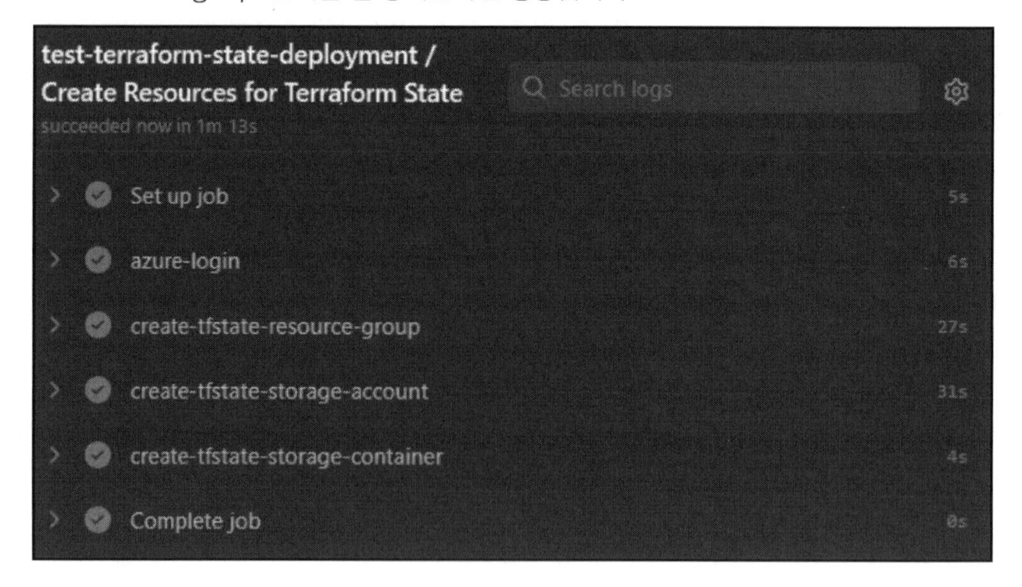

⚠ ERROR: StorageAccountAlreadyTaken

"create-tfstate-storage-account" 단계에서 이런 에러가 난다면, 인프라를 구축하며 필요한 스토리지 계정을 생성하는데 이미 존재하는 계정명이라 더 이상 진행할 수 없음을 나타냅니다.

```
ERROR: (StorageAccountAlreadyTaken) The storage account named
stmlopsv20001devtf is already taken.
Code: StorageAccountAlreadyTaken
Message: The storage account named stmlopsv20001devtf is already
taken.
```

"config-infra-dev.yaml" 파일을 참조하면 스토리지 계정명이 아래처럼 작명 된다는 것을 알 수 있는데요.

```
storage_account: st$(namespace)$(postfix)$(environment)
```

고유한 이름을 가질 수 있도록 "namespace" 혹은 "postfix" 값을 변경한 후 다시 워크플로우를 실행합니다.

5.4. 모델 학습 및 배포 시나리오

솔루션 액셀러레이터에는 뉴욕시의 택시 요금을 예측하는 샘플 머신러닝 프로젝트의 파이프라인을 빌드할 수 있는 코드와 데이터가 포함되어 있습니다. 파이프라인을 빌드하고 활용하는 방법은 이전 MLOps 파트에서도 보았지요. 파이프라인은 각각 다른 기능을 제공하는 컴포넌트로 구성되어 있으며, 워크스페이스에 등록하고 버전을 관리하고 다양한 입출력 값과 함께 재사용이 가능합니다. 한편 이 책에서는 다루지는 않지만, 전통적인 머신러닝이 아닌 컴퓨터 비전이나 자연어 처리 프로젝트의 경우 다른 절차를 밟는다는 것을 기억해두시면 좋습니다.

지금 다루고 있는 뉴욕 택시 요금 예측 머신 러닝 프로젝트 파이프라인을 위해 생성할 컴포넌트에 관한 간략한 설명과 주어지는 인풋과 결과로서의 아웃풋은 다음과 같습니다.

1. 데이터 준비 컴포넌트
    A. 다양한 택시 데이터셋(노란색, 녹색)을 가져와 데이터를 병합하고 필터링합니다.

   B. 학습/검증/평가를 위한 데이터 셋을 준비합니다.

   C. 인풋으로 "/data/" 폴더 내의 여러 ".csv" 파일들이 주어집니다.

   D. 아웃풋으로 하나의 데이터 세트(".csv")와 학습/검증/평가를 위한 데이터 세트가 산출됩니다.

2. 모델 학습 컴포넌트

   A. 학습 데이터에 대해 선형 회귀를 실행합니다.

   B. 인풋으로 학습 데이터셋이 주어집니다.

   C. 아웃풋으로 Pickle 포맷의 학습된 모델이 산출됩니다.

3. 모델 평가 컴포넌트

   A. 학습된 모델이 평가 데이터를 소비하도록 하여 택시 요금을 예측합니다.

   B. 새로운 데이터 세트의 모델 성능을 이전에 배포된 모든 모델과 비교하여 모델을 프로덕션 환경으로 배포할지 말지 여부를 결정합니다. 모델을 프로덕션 환경에 배포하려면 Azure 머신 러닝 워크스페이스에 모델을 등록해야 합니다.

   C. 인풋으로 머신 러닝 모델과 평가 데이터가 주어집니다.

   D. 아웃풋으로 해당 모델의 성능과 배포 여부를 알려주는 플래그가 산출됩니다.

4. 모델 등록 컴포넌트

   A. 평가 데이터 세트에서 예측의 정확도에 따라 모델에 점수를 매깁니다.

   B. 인풋으로 학습된 모델과 배포 플래그가 주어집니다.

   C. 아웃풋으로서 Azure 머신 러닝 워크스페이스에 모델을 등록합니다.

5.5. 모델 학습 파이프라인을 테스트 환경에 배포하기

그러면 먼저 모델 학습 파이프라인을 새로운 Azure 머신러닝 워크스페이스에 배포하겠습니다. 이 파이프라인은 아래 단계를 수행합니다.

1. 컴퓨팅 클러스터 인스턴스를 생성합니다.

2. 필수적인 도커 이미지와 파이썬 패키지를 정의하는 학습 환경을 등록합니다.

3. 학습 데이터셋을 등록합니다.

4. 마지막으로 학습 파이프라인을 시작합니다.

다시 “taxi-fare-regression” 원격 저장소로 돌아가서 Actions을 클릭합니다. 이번에는 “deploy-model-training-pipeline” 워크플로우를 실행하겠습니다. “dev” 브랜치를 선택한 뒤 “Run Workflow”를 클릭합니다.

워크플로우가 모두 수행되는데 약 15 분 정도 소요되며, 작업이 모두 끝나면 학습된 모델은 Azure 머신러닝 워크스페이스에 등록됩니다. 이렇게 등록된 모델은 배포가 가능해집니다.

⚠ERROR: (BadRequest) “deploy model training pipeline” 워크플로우 Quota 이슈

“create-compute-using-tier” 작업에서 발생한 경우입니다.

```
ERROR: (BadRequest)

...

"status":"Failed","startTime":"2023-08-
18T13:44:14.53Z","endTime":"2023-08-
18T13:44:19.889Z","error":***"code":"ClusterMinNodesExceedCoreQuota
","message":"The specified subscription has a total vCPU quota of 0
and cannot accomodate for at least 1 requested managed compute node
which maps to 4 vCPUs.

...
```

“The specified subscription has a total vCPU quota of 0 and cannot accomodate for at least 1 requested managed compute node which maps to 4 vCPUs.”라는 문구를 주목합시다. Quota가 부족하다고 하네요.

이 메시지만 봐서는 어떤 인스턴스 타입을 사용하고 있는지 알 수 없으므로 워크플로우를 정의하고 있는 yml 파일로 가봅시다. 프로젝트 폴더의 “.github/workflows/deploy-model-training-pipeline-classcial.yml”에서 “create-compute” 작업을 살펴보면 아래와 같이 정의되어 있습니다.

```
  create-compute:
    needs: [get-config]
    uses: Azure/mlops-templates/.github/workflows/create-
compute.yml@main
    with:
      cluster_name: cpu-cluster
```

```
    size: Standard_DS3_v2
    min_instances: 0
    max_instances: 4
    cluster_tier: low_priority
    resource_group: ${{ needs.get-config.outputs.resource_group }}
    workspace_name: ${{ needs.get-config.outputs.aml_workspace }}
```

인스턴스 타입으로 "Standard_DS3_v2"을 사용하고 있네요. "Azure 포털 > 구독 > 사용량 및 할당량"에서 머신 러닝, "Korea Central"로 필터링하여 할당량을 확인할 수 있습니다.

할당량 이름	지역	구독	현재 사용량 ↓	
낮은 수준의 사용량 (1)				
Total Clusters (문제 해결)	Korea Central	Azure subscription 1	1%	1/200

할당량은 충분하네요. 그렇다면 무엇이 문제일까요? 좀 더 정보를 얻기 위해 uses 변수에 할당 된 "Azure/mlops-templates/.github/workflows/create-compute.yml@main" 링크를 클릭하여 해당 파일을 확인하겠습니다.

```
...

- name: create-compute-default-tier
  if: ${{ inputs.cluster_tier == ''}}
  run: |
    az ml compute create --name ${{ inputs.cluster_name }} \
              --type AmlCompute \
              --tier "dedicated" \
              --size ${{ inputs.size }} \
              --min-instances ${{ inputs.min_instances }} \
              --max-instances ${{ inputs.max_instances }} \
              --resource-group ${{ inputs.resource_group }} \
              --workspace-name ${{ inputs.workspace_name }}
- name: create-compute-using-tier
  if: ${{ inputs.cluster_tier != ''}}
  run: |
    az ml compute create --name ${{ inputs.cluster_name }} \
              --type AmlCompute \
              --tier ${{ inputs.cluster_tier }} \
              --size ${{ inputs.size }} \
              --min-instances ${{ inputs.min_instances }} \
              --max-instances ${{ inputs.max_instances }} \
              --resource-group ${{ inputs.resource_group }} \
              --workspace-name ${{ inputs.workspace_name }}
```

```
...
```

"create-compute-using-tier" 부분을 살펴보겠습니다. 우리의 작업은 "create-compute-using-tier"로 넘어가고 있었고 그것의 분기 조건은 "cluster_tier" 값이 있느냐 없느냐입니다. 기본값 값은 "dedicated"입니다.

CPU 클러스터는 Azure 지역에 따라 상이한 부분이 많습니다. 따라서 "cluster_tier"를 살펴볼 필요가 있습니다. "deploy-model-training-pipeline-classical.yml"에는 "low_priority" 라는 클러스터 티어가 기본 값으로 지정되어 있을 겁니다.

다시 "사용량 및 할당량" 대시보드에서 클러스터 티어를 확인해봅시다.

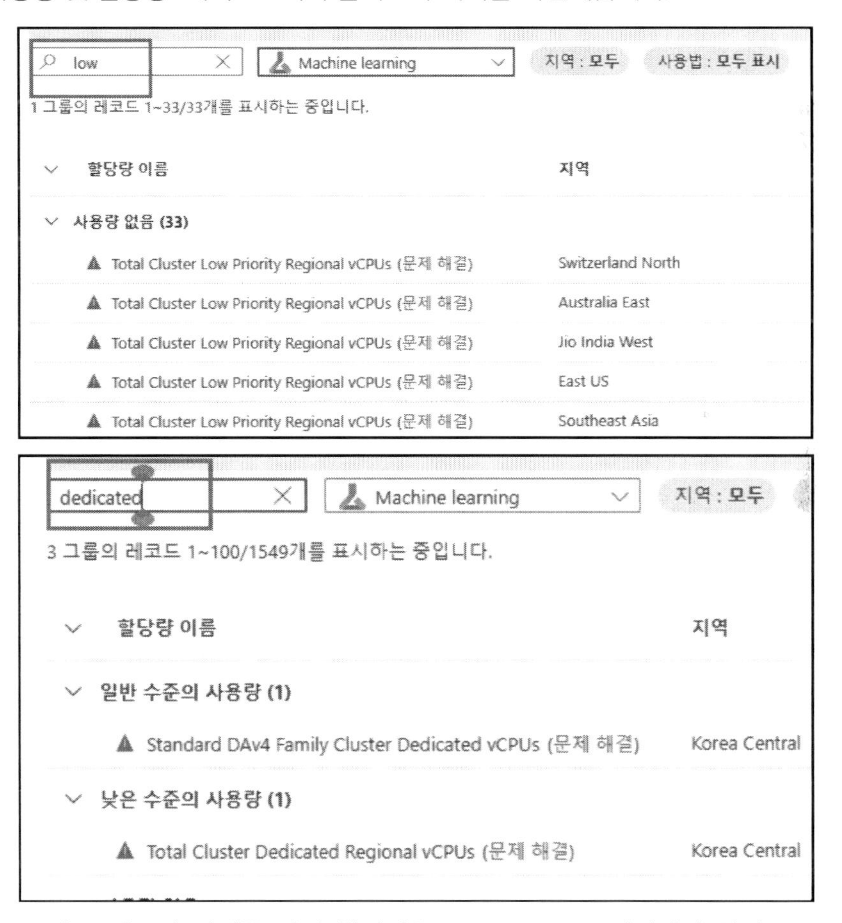

"Low Priority" 클러스터 티어를 가진 할당량은 Korea Central 지역에서 찾아볼 수 없네요. Korea Central 지역은 "Dedicated" 클러스터 티어를 갖는다는 것을 확인할 수 있습니다.

다시 "deploy-model-training-pipeline-classical.yml" 파일로 돌아가 "cluster_tier"의 값을 아래처럼 바꾸겠습니다.

```
create-compute:
...
  cluster_tier: dedicated
...
```

워크플로우를 다시 실행하고 성공적으로 마무리가 되었다면 대시보드에서도 리소스가 할당된 것을 확인할 수 있을 겁니다.

할당량 이름	지역	구독	현재 사용량 ↓	
일반 수준의 사용량 (1)				
▲ Standard DAv4 Family Cluster Dedicated vCPUs (문제 해결)	Korea Central	Azure subscription 1	50%	2/4
낮은 수준의 사용량 (1)				
▲ Total Cluster Dedicated Regional vCPUs (문제 해결)	Korea Central	Azure subscription 1	10%	2/20

5.6. 방금 배포한 모델 학습 파이프라인 Azure 포털에서 확인하기

"Azure 머신러닝 스튜디오"에서 해당하는 워크스페이스에 접속한 뒤, "Pipelines" 메뉴를 확인하면 아래와 같이 방금 만든 파이프라인이 올라간 걸 볼 수 있습니다.

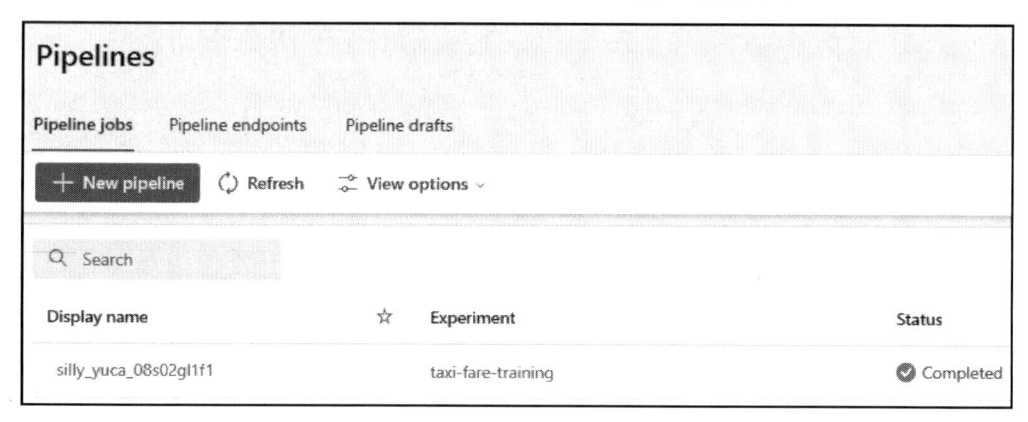

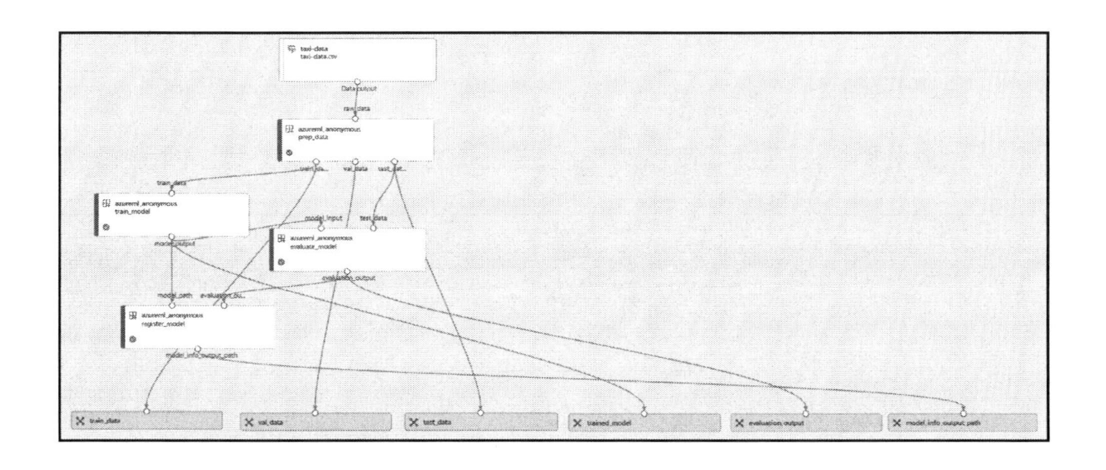

5.7. "dev" 브랜치의 학습된 머신 러닝 모델 배포하기

"dev" 브랜치의 모델을 배포하는 데에는 두 가지 시나리오가 있습니다.

1. 온라인 엔드포인트로 실시간 모델 동작 시키기
2. 배치로 동작 시키기

각각을 수행하기 위한 GitHub Actions 워크플로우가 존재하므로 필요한 워크플로우를 실행하기만 하면 됩니다. 그러면 Azure 머신 러닝 워크스페이스에서 모델 성능을 테스트할 수 있게 되죠. 원격 저장소의 "Actions" 탭으로 다시 가봅시다.

5.7.1. 온라인 엔드포인트에 배포하기

"deploy-online-endpoint-pipeline" 워크플로우를 선택하여 dev 브랜치로 선택하고 "Run Workflow"를 클릭합니다. 이 워크플로우에서는 다음과 같은 스텝을 수행합니다.

1. Azure 머신러닝 워크스페이스에 엔드포인트를 생성합니다.
2. 이 엔드포인트에 모델을 배포합니다.
3. 엔드포인트에 트래픽을 할당합니다.

이전 편에서 파이썬 코드로 수행했던 부분이기도 합니다. 완료되면 Azure 대시보드에서 다음과 같이 엔드포인트를 확인할 수 있습니다.

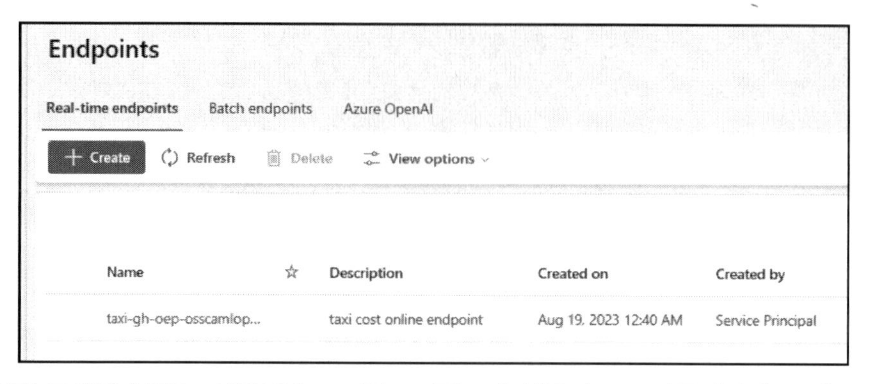

아래처럼 트래픽 할당도 이루어졌고 디플로이먼트가 성공적으로 이루어졌네요. 엔드포인트 테스트도 가능합니다. 이전 챕터에서 실습한 것과 동일하게 진행하면 됩니다.

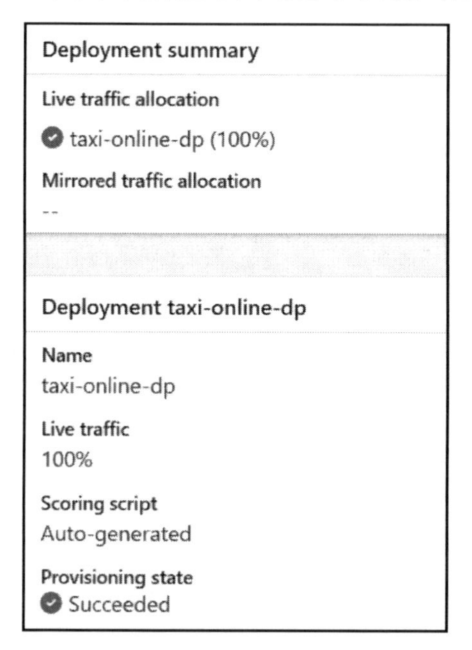

⚠ERROR: UserError 엔드포인트 이름 중복 에러

해당 워크플로우를 여러 번 실행하다 보면 다음과 같은 오류를 만날 수 있습니다.

```
ERROR: (UserError) An endpoint with this name already exists. If
you are trying to create a new endpoint, use a
different name. If you are trying to update an existing endpoint,
use `az ml online-endpoint update` instead.
```

엔드포인트 이름이 고유해야 한다는 뜻입니다. 이전 워크 플로우를 수행하며 생성된 엔드포인트가 남아있기 때문에 그렇습니다. 따라서 이 오류를 방지하기 위해서는 "Azure 머신러닝 스튜디오 > Endpoints"에서 기존 생성된 엔드포인트를 삭제한 뒤 진행하면 됩니다.

⚠ERROR: InferencingClientCreateDeploymentFailed

"create-deployment" 작업에서 Quota 이슈가 발생할 수 있습니다.

```
Exception Details:    (InferencingClientCreateDeploymentFailed)
InferencingClient HttpRequest error, error detail:
***"errors":***"VmSize":["Not enough quota available for
Standard_DS3_v2 in SubscriptionId ***. Current usage/limit: 0/6.
Additional needed: 8
```

8 개의 할당량이 필요한데 최대 6 개까지 할당 가능한 타입이라고 하는 군요. 이런 경우 할당량이 충분한 인스턴스 타입으로 다시 시도합니다. "mlops/azureml/deploy/online/online-deployment.yml"에서 인스턴스 타입을 변경해주세요. 여기서는 "Standard_DS2_v2"로 대체하겠습니다. (혹은 충분한 할당량을 가진 다른 인스턴스 타입을 사용하면 됩니다.)

```
$schema:
https://azuremlschemas.azureedge.net/latest/managedOnlineDeployment
.schema.json
name: blue
endpoint_name: taxi-fare-online
model: azureml:taxi-model@latest
instance_type: Standard_DS2_v2
instance_count: 1
```

5.7.2. Batch 엔드포인트에 배포하기

이번에는 "deploy-batch-endpoint-pipeline" 워크플로우를 "dev" 브랜치에서 수행하겠습니다. 이 워크플로우에서는 아래와 같은 단계를 수행합니다.

1. Batch 예측을 실행할 새로운 Azure 머신러닝 컴퓨팅 클러스터를 만듭니다.
2. 워크스페이스에 배치 엔드포인트를 만듭니다.
3. 모델을 이 엔드포인트에 배포합니다.

클러스터를 만드는 과정은 앞서 "5.5. 모델 학습 파이프라인을 테스트 환경에 배포하기"의 "⚠ERROR: (BadRequest) 'deploy model training pipeline' 워크플로우 Quota 이슈"에서 언급했듯이 "cluster_tier"를 "dedicated"로 바꾸고 "max_instances" 수를 최소한으로 낮추어야 Quota 이슈를 피할 수 있습니다.

워크플로우가 무사히 잘 수행되었다면 "엔드포인트" 메뉴의 "Batch endpoints"에 생성 된 배치 엔드포인트를 아래처럼 확인할 수 있습니다.

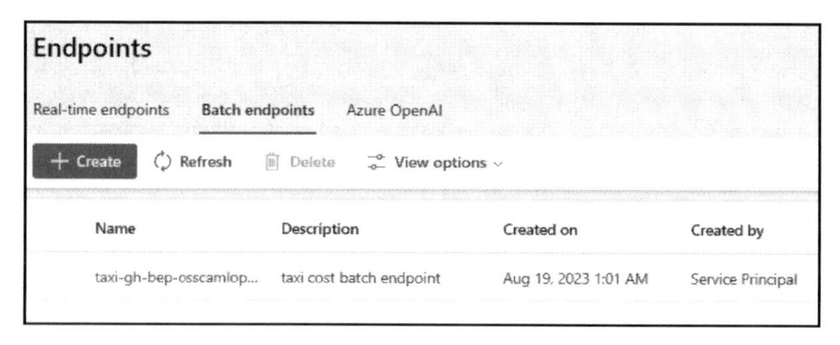

또한 아래처럼 디플로이먼트도 성공적으로 이루어진 것을 확인할 수 있습니다.

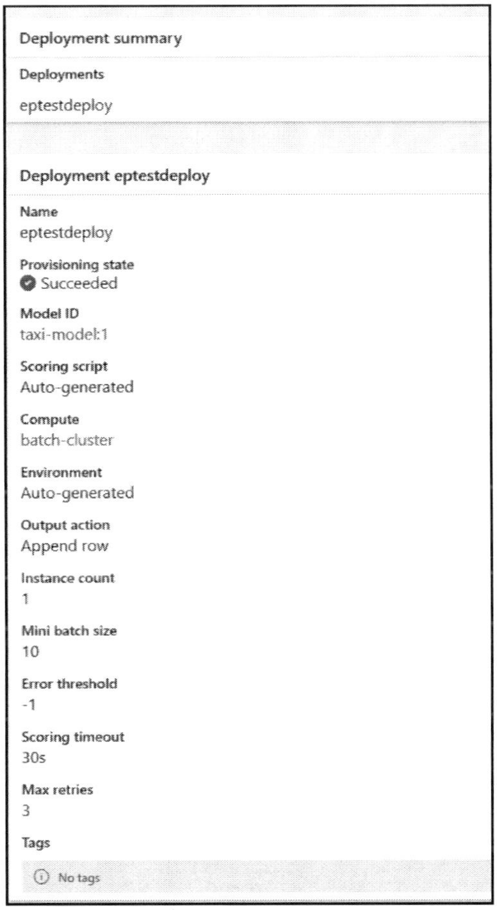

Deployment summary

Deployments
eptestdeploy

Deployment eptestdeploy

Name
eptestdeploy

Provisioning state
Succeeded

Model ID
taxi-model:1

Scoring script
Auto-generated

Compute
batch-cluster

Environment
Auto-generated

Output action
Append row

Instance count
1

Mini batch size
10

Error threshold
-1

Scoring timeout
30s

Max retries
3

Tags
No tags

이로써 컴포넌트를 이용해 파이프라인을 빌드하고 모델을 배포하기까지 두 번째 MLOps 구축 방법의 모든 과정을 마쳤습니다.

> ⚠ 실습이 끝났다면 "Azure 홈 > 구독 > 리소스"에서 사용이 끝난 리소스를 삭제하여 불필요한 과금을 방지합니다.

지금까지 Azure의 MLOps 패턴 템플릿과 GitHub Actions를 활용한 MLOps 구축 방법에 대한 실습 과정을 마무리하겠습니다. 만약 이해가 가지 않는 부분이 있다면 주저하지 말고 더 탐색해보며 자신의 프로젝트에 적용 해보시기를 추천합니다.

Chapter 2. GCP MLOps

구글에서 제공하는 GCP(Google Cloud Platform)의 Vertex AI 는 머신러닝 모델을 쉽게 개발, 배포, 관리할 수 있는 통합 서비스입니다.

이번 과정은 Google Developers Codelab[37] 에서 제공하는 GCP Vertex AI 로 커스텀 학습 모델에서 예측 수행[38] 을 실습 해봅니다. 참고로 Codelab 과 이 책에서의 실습 과정이 Vertex 버전 차이로 인하여 내용과 다른 부분이 많습니다.

그리고 위의 실습은 리전이 us-central(아이오와)로 설정되어 있는데, asia-northeast3(서울) 로 리전을 변경하여 실습을 진행합니다.

1. 환경설정

1.1. API 사용설정

먼저 GCP 메인 화면에서 신규 프로젝트를 생성합니다. 아래 그림에서 프로젝트 선택 콤보박스 선택 후 새 프로젝트 클릭합니다.

이후 원하는 프로젝트명을 입력하면 프로젝트명 뒤에 자동으로 생성되는 고유 식별번호(프로젝트 ID)가 부여되며, 만들기 버튼을 누르면 프로젝트가 생성됩니다. 알림 창에서도 확인 가능합니다.

37 https://codelabs.developers.google.com/

38 https://codelabs.developers.google.com/vertex-p2p-predictions?hl=ko#0

projects 할당량이 21개 남았습니다. 할당량 증가를 요청하거나 프로젝트를 삭제하세요. 자세히 알아보기

MANAGE QUOTAS

프로젝트 이름 *

MLOPS-GCP

프로젝트 ID: mlops-gcp-405114입니다. 나중에 변경할 수 없습니다. 수정

위치 *

조직 없음 찾아보기

상위 조직 또는 폴더

만들기 취소

생성한 프로젝트를 선택하고 아래 3개의 API를 사용 설정합니다.

Compute Engine API[39]

Compute Engine API는 GCP에서 가상머신을 만들고 실행할 수 있는 컴퓨터 서비스입니다.

[39] https://console.cloud.google.com/marketplace/details/google/compute.googleapis.com?utm_source=codelabs&utm_medium=et&utm_campaign=CDR_sar_aiml_vertexio_&utm_content=-&hl=ko

Artifact Registry API[40]

Artifact Registry API 는 Google 인프라에 구축된 확장 가능하고 통합된 저장소 서비스에 빌드 아티팩트(Docker 이미지, Maven 패키지, npm 패키지 등)를 중앙에서 저장하고 관리할 수 있습니다.

Vertex AI API[41]

Vertex AI 는 현 실습에서 사용하려는 전체적인 MLOps 통합 서비스 API 입니다.

Notebooks API[42]

Notebooks API 는 Notebooks API 는 Google Cloud 에서 노트북 리소스를 관리하는 데 사용됩니다. 아래 기술될 Workbench 의 노트북을 생성하고 관리하는데 사용하는 API 입니다.

1.2. Vertex AI Workbench 인스턴스 만들기

Workbench 를 클릭하여, 관리형 노트북을 선택 후 새로 만들기 버튼을 누릅니다.

이름을 설정하고 만들기 버튼을 클릭하면 바로 관리형 노트북이 생성됩니다.

---

[40] https://console.cloud.google.com/apis/library/artifactregistry.googleapis.com?utm_source=codelabs&utm_medium=et&utm_campaign=CDR_sar_aiml_vertexio_&utm_content=-&hl=ko

[41] https://console.cloud.google.com/ai/platform?utm_source=codelabs&utm_medium=et&utm_campaign=CDR_sar_aiml_vertexio_&utm_content=-&hl=ko

[42] https://console.cloud.google.com/marketplace/product/google/notebooks.googleapis.com?q=search&referrer=search&project=mlops-gcp-407708

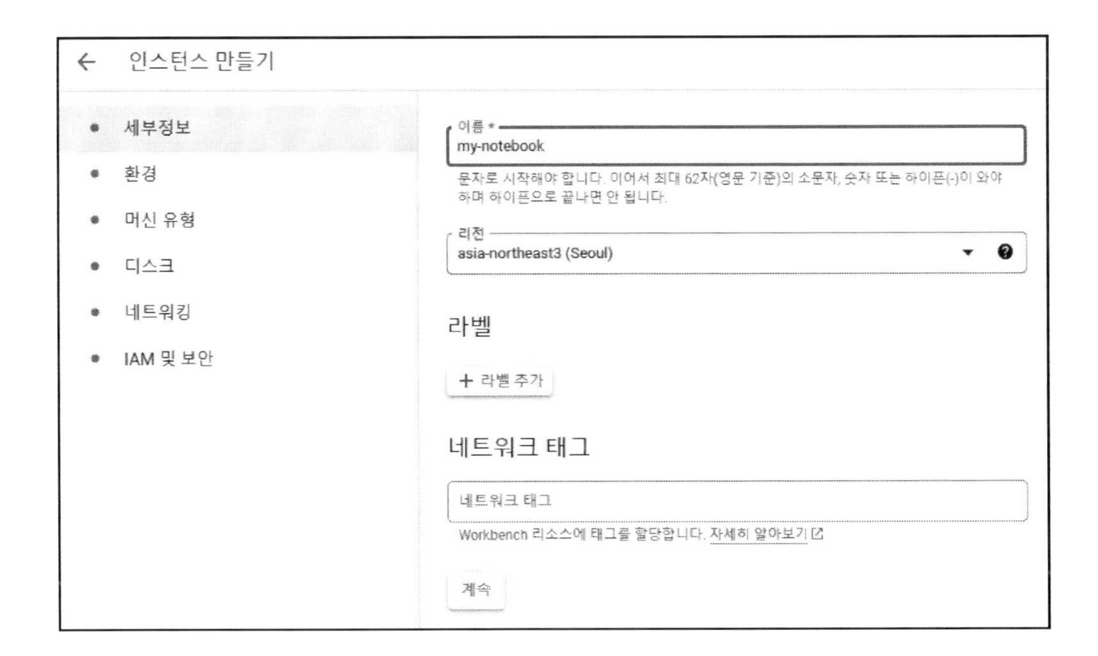

추가적으로 노트북 파이썬 버전을 변경하고 싶다면, 만들기가 아닌 계속 버튼을 클릭하거나 왼쪽 필터의 환경을 클릭하여 변경합니다.

그 외에도 세부적인 사항을 변경하고 싶으면 각각을 선택하여 변경하면 됩니다.

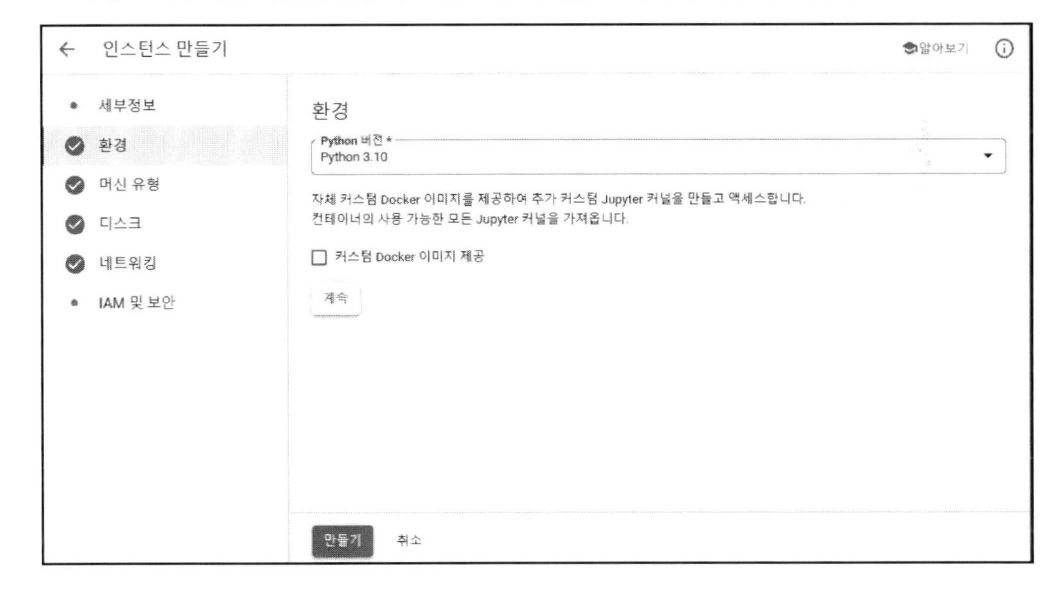

생성된 노트북에서 "JUPYTERLAB 열기" 버튼을 클릭합니다.

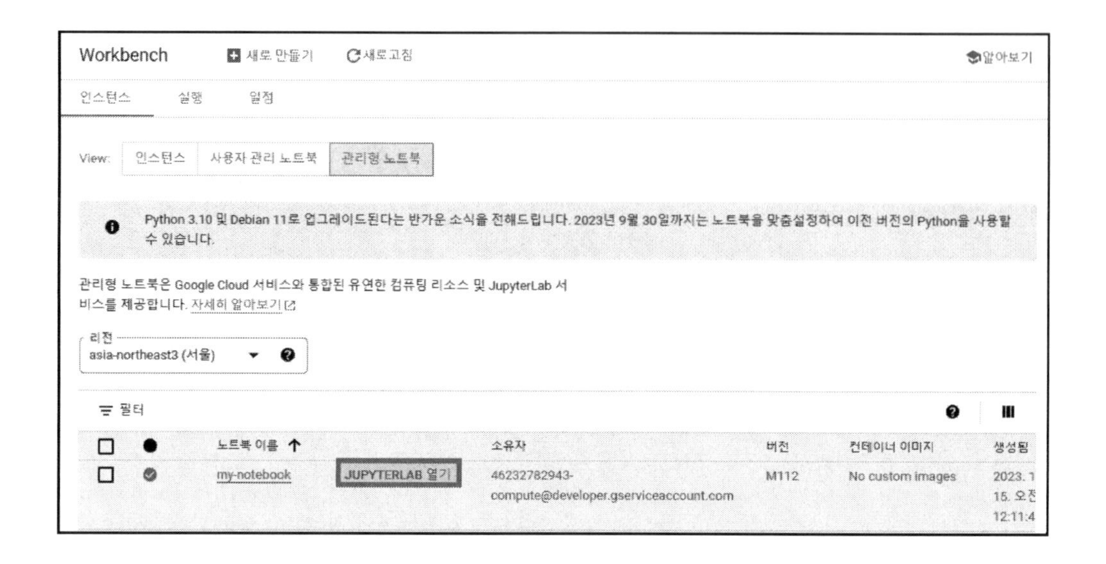

2. 학습 애플리케이션 코드 컨테이너화

이제 학습 애플리케이션 코드를 도커 컨테이너에 넣고 이 컨테이너 Google Artifact Registry로 푸시하여 학습 작업을 Vertex AI 에 제출하는 과정을 진행합니다.

2.1. Cloud Storage 버킷 만들기

런처에서 터미널을 엽니다.

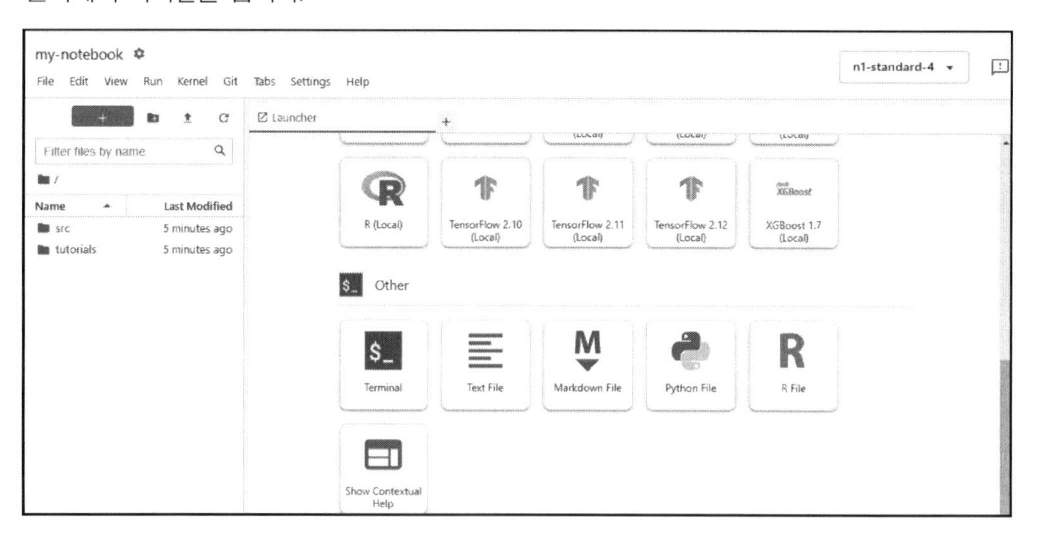

터미널에서 아래 명령어를 실행하여 프로젝트의 env 변수를 정의하고 your-cloud-project 를 프로젝트의 ID 로 바꿉니다.

```
$ gcloud config list --format 'value(core.project)'
```

```
PROJECT_ID='<your-cloud-project>'
```

터미널에서 아래 명령어를 실행하여 프로젝트에 새로운 버킷을 생성합니다. asia-northeast3 을 다른 리전으로 선택하여 변경 할 수 있습니다.

```
$ BUCKET="gs://${PROJECT_ID}-bucket"
$ gsutil mb -l asia-northeast3 $BUCKET
```

2.2. Cloud Storage 버킷에 데이터 복사

학습으로 사용할 Flowers 데이터 셋을 Workbench 인스턴스에 다운로드한 다음 버킷에 복사합니다. 데이터를 다운로드하고 압축을 풉니다.

```
$ wget
https://storage.googleapis.com/download.tensorflow.org/example_imag
es/flower_photos.tgz
$ tar xvzf flower_photos.tgz
```

그런 다음 방금 만든 버킷에 복사합니다.

```
$ gsutil -m cp -r flower_photos $BUCKET
```

2.3. 학습 코드 작성

flowers 라는 새 디렉터리를 만들고, 여기로 디렉터리를 변경합니다.

```
$ mkdir flowers
$ cd flowers
```

학습 코드 디렉터리와 코드를 추가할 Python 파일을 만듭니다.

```
$ mkdir trainer
$ touch trainer/task.py
```

노트북 화면 왼쪽의 폴더목록에서 생성한 trainer/task.py 파일을 열고 아래 코드를 복사합니다. 주의할 점은 코드내에 "{your-gcs-bucket}" 부분은 방금 만든 Cloud Storage 버킷의 이름(= "${PROJECT_ID}-bucket")으로 바꿔야 합니다.

```
import tensorflow as tf
import numpy as np
import os

## {your-gcs-bucket} 부분을 수정하세요!!
BUCKET_ROOT='/gcs/{your-gcs-bucket}'

# Define variables
NUM_CLASSES = 5
EPOCHS=10
BATCH_SIZE = 32

IMG_HEIGHT = 180
IMG_WIDTH = 180

DATA_DIR = f'{BUCKET_ROOT}/flower_photos'

def create_datasets(data_dir, batch_size):
  '''Creates train and validation datasets.'''

  train_dataset = tf.keras.utils.image_dataset_from_directory(
    data_dir,
    validation_split=0.2,
    subset="training",
    seed=123,
    image_size=(IMG_HEIGHT, IMG_WIDTH),
    batch_size=batch_size)

  validation_dataset = tf.keras.utils.image_dataset_from_directory(
```

```
    data_dir,
    validation_split=0.2,
    subset="validation",
    seed=123,
    image_size=(IMG_HEIGHT, IMG_WIDTH),
    batch_size=batch_size)

  train_dataset =
train_dataset.cache().shuffle(1000).prefetch(buffer_size=tf.data.AU
TOTUNE)
  validation_dataset =
validation_dataset.cache().prefetch(buffer_size=tf.data.AUTOTUNE)

  return train_dataset, validation_dataset

def create_model():
  '''Creates model.'''

  model = tf.keras.Sequential([
    tf.keras.layers.Resizing(IMG_HEIGHT, IMG_WIDTH),
    tf.keras.layers.Rescaling(1./255, input_shape=(IMG_HEIGHT,
IMG_WIDTH, 3)),
    tf.keras.layers.Conv2D(16, 3, padding='same', activation='relu'),
    tf.keras.layers.MaxPooling2D(),
    tf.keras.layers.Conv2D(32, 3, padding='same', activation='relu'),
    tf.keras.layers.MaxPooling2D(),
    tf.keras.layers.Conv2D(64, 3, padding='same', activation='relu'),
    tf.keras.layers.MaxPooling2D(),
    tf.keras.layers.Flatten(),
    tf.keras.layers.Dense(128, activation='relu'),
    tf.keras.layers.Dense(NUM_CLASSES, activation='softmax')
  ])
  return model

# DATASETS 생성
train_dataset, validation_dataset = create_datasets(DATA_DIR,
BATCH_SIZE)

# MODEL 생성 및 컴파일
model = create_model()
model.compile(optimizer=tf.keras.optimizers.Adam(),
          loss=tf.keras.losses.SparseCategoricalCrossentropy(),
          metrics=['accuracy'])
```

```
# 학습 모델
history = model.fit(
  train_dataset,
  validation_data=validation_dataset,
  epochs=EPOCHS
)

# 모델 저장
model.save(f'{BUCKET_ROOT}/model_output')
```

2.4. Dockerfile 만들기

코드를 컨테이너화 하기 위해 flowers 디렉터리의 루트에 빈 Dockerfile 을 만듭니다.

```
$ touch Dockerfile
```

Dockerfile 을 열고 아래를 복사하여 저장합니다.

```
FROM gcr.io/deeplearning-platform-release/tf2-gpu.2-8

WORKDIR /

# 트레이너 코드를 도커 이미지로 복사합니다.
COPY trainer /trainer

# 트레이너를 호출하기 위한 엔트리 포인트를 설정합니다.
ENTRYPOINT ["python", "-m", "trainer.task"]
```

Dockerfile 분석[43]

이 파일의 명령을 살펴보겠습니다.

---

[43] 4단계: Dockerfile 만들기 참조 https://codelabs.developers.google.com/vertex-p2p-training?hl=ko#3

- FROM 명령은 생성할 이미지의 기반이 될 상위 이미지인 기본 이미지를 지정합니다. Deep Learning Container TensorFlow Enterprise 2.8 GPU Docker 이미지를 기본 이미지로 사용합니다.
- WORKDIR 명령은 후속 지침이 실행되는 이미지의 디렉터리를 지정합니다.
- COPY 명령은 트레이너 코드를 Docker 이미지에 복사합니다.
- ENTRYPOINT 명령은 트레이너를 호출하기 위한 진입점을 설정합니다. 이는 학습 작업을 시작할 때 실행됩니다. 이 경우에는 task.py 파일을 실행합니다.

2.5. 컨테이너 빌드

이제 컨테이너 빌드를 하기 위해, 프로젝트의 env 변수를 정의합니다.

```
PROJECT_ID='<your-cloud-project>'
```

Artifact Registry 에서 저장소를 만듭니다.

```
$ REPO_NAME='flower-app'

$ gcloud artifacts repositories create $REPO_NAME --repository-
format=docker \
--location=asia-northeast3 --description="Docker repository"
```

Google Artifact Registry 에서 컨테이너 이미지의 URI 로 변수를 정의합니다.

```
$ IMAGE_URI=asia-northeast3-docker.pkg.dev/$PROJECT_ID\

/$REPO_NAME/flower_image:latest
```

Docker 를 구성합니다.

```
$ gcloud auth configure-docker \
  asia-northeast3-docker.pkg.dev
```

그런 다음 flower 디렉터리의 루트에서 아래 명령어를 실행하여 컨테이너를 빌드합니다.

```
$ docker build ./ -t $IMAGE_URI
```

마지막으로 Artifact Registry로 푸시하여 학습 작업을 시작할 준비를 마무리합니다.

```
$ docker push $IMAGE_URI
```

3. Vertex AI에서 커스텀 학습 작업 실행

앞선 과정에서 컨테이너 빌드까지 진행하였습니다. 이번에는 커스텀 학습 작업을 진행하여 모델을 학습합니다.

3.1. 학습 작업구성

Vertex AI 메인 화면에서 학습에서 새 모델 학습을 클릭합니다.

학습 방법을 기본 값으로 두고 계속을 클릭합니다.

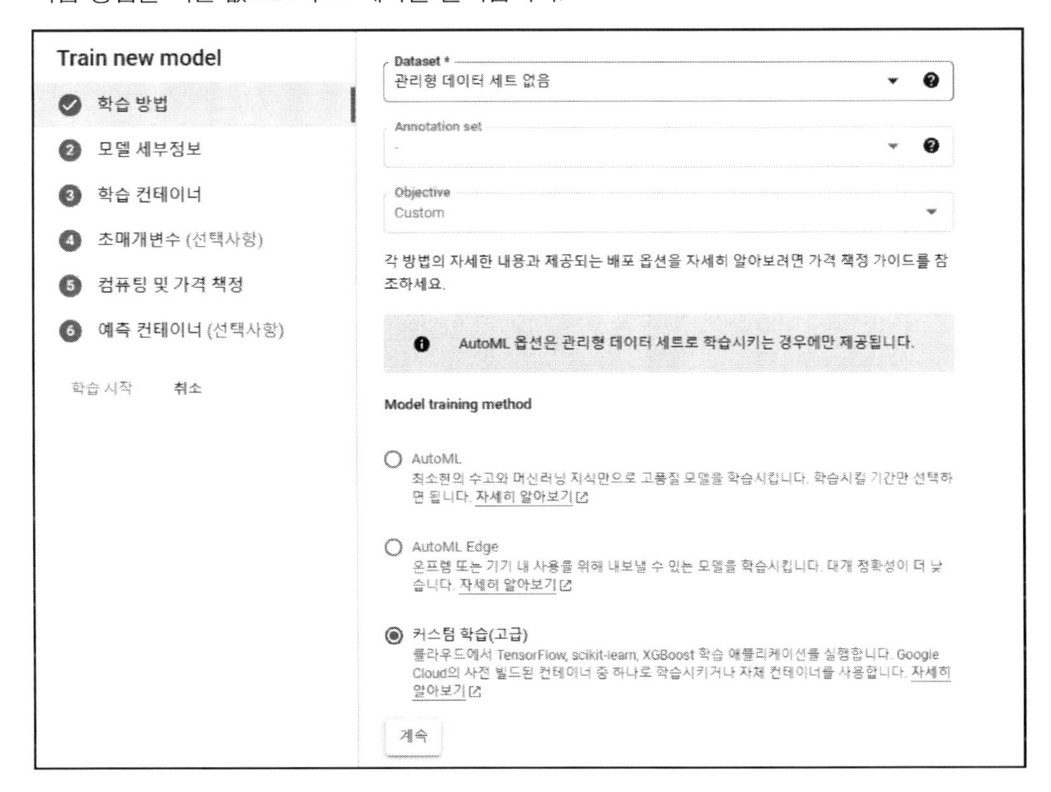

새 모델 학습에서 이름을 설정하고 계속을 클릭합니다.

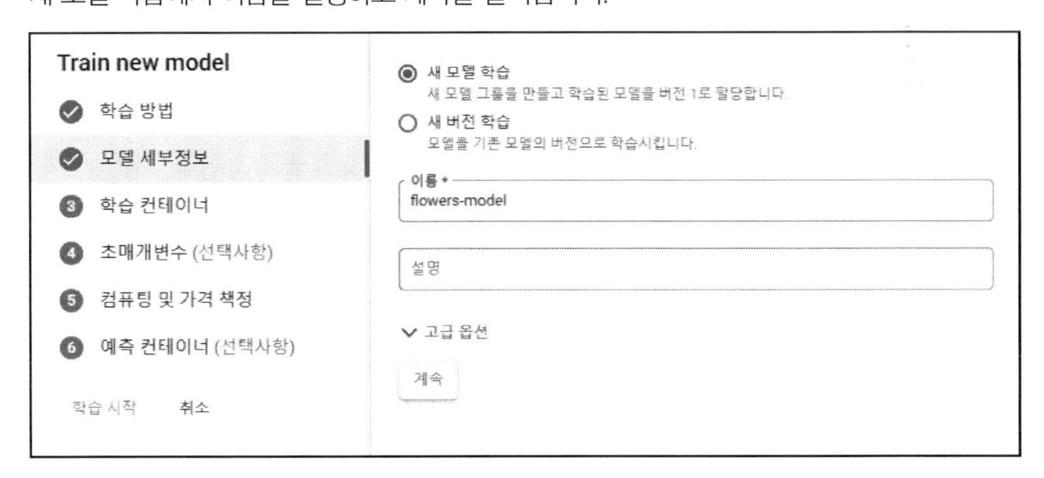

3.2. 학습 컨테이너 설정

학습컨테이너에 커스텀 컨테이너를 선택하고, 커스텀 컨테이너 설정의 컨테이너 이미지의 찾아보기를 클릭하여 컨테이너 이미지를 선택합니다.

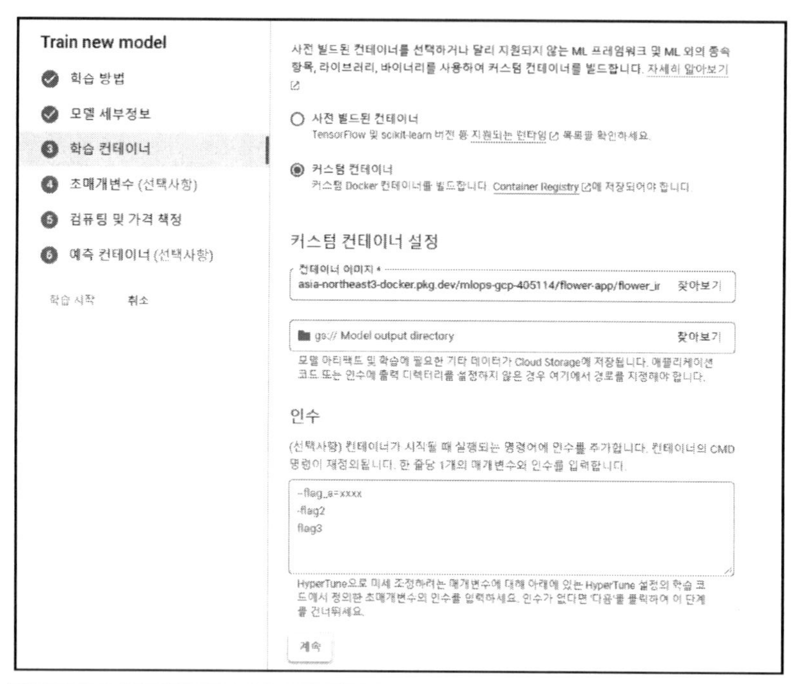

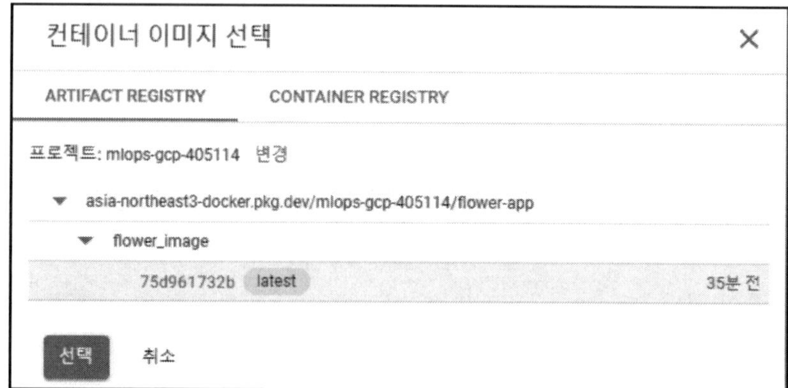

3.3. 컴퓨팅 클러스터 구성

초매개변수는 스킵하고 컴퓨팅 및 가격 책정에서 리전을 선택합니다. 작업자 풀 0 를 아래와 같이 "표준 > n1-standard-4, 4 vCPUs, 15GiB memory"로 설정합니다.

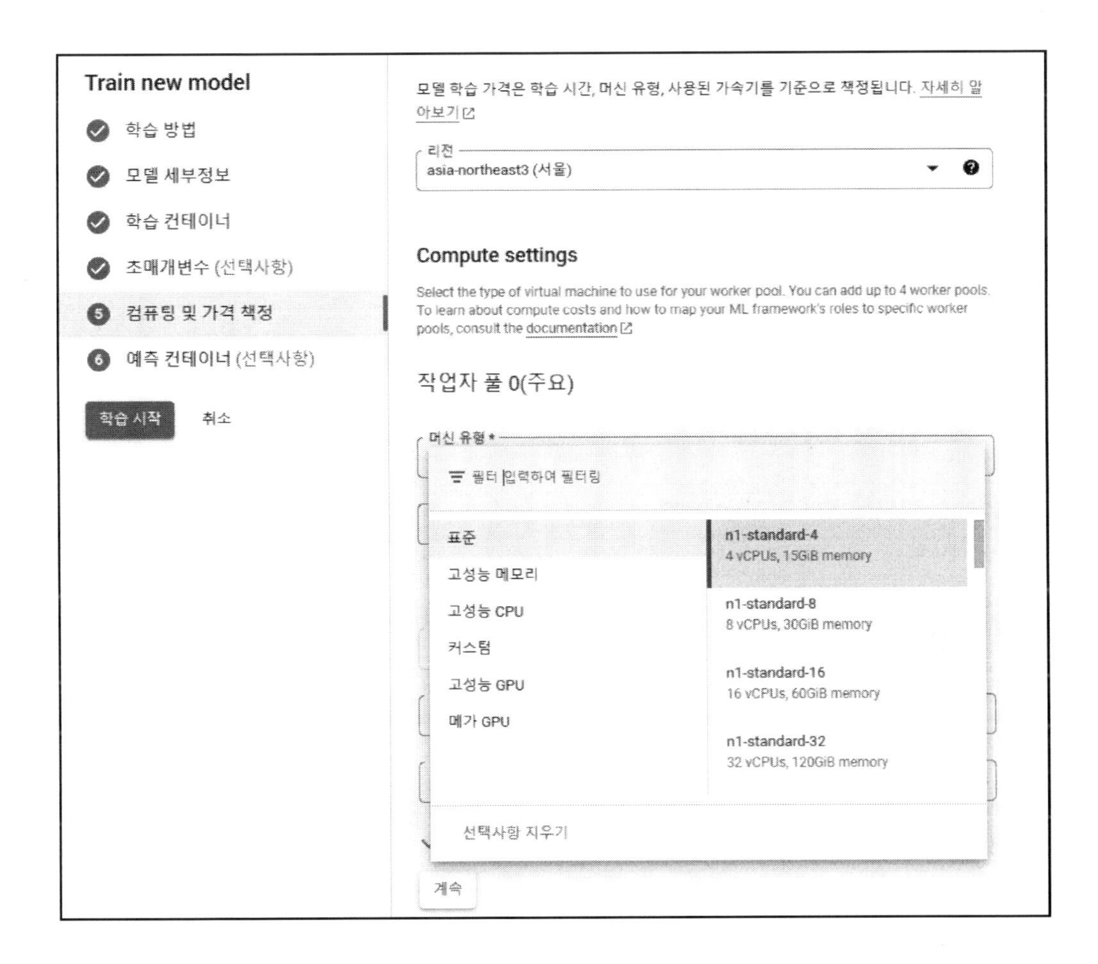

예측 컨테이너도 스킵하고 바로 학습시작 버튼을 누르면 학습이 시작됩니다.

4. 레지스트리에 모델 업로드

앞선 과정에서 모델 학습까지 진행하였습니다. 이번에는 학습한 모델을 엔드포인트에 배포하고 예측까지 수행하는 과정을 진행합니다.

모델을 사용하여 예측을 수행하려면 먼저 ML 모델의 수명 주기를 관리할 수 있는 저장소인 Vertex AI 모델 레지스트리에 모델을 업로드해야 합니다.

4.1. 모델 가져오기 구성

모델 레지스트리에서 가져오기를 클릭합니다.

이름과 리전을 설정하고 계속을 클릭합니다. 여기서 리전은 버킷에 지정한 리전으로 설정합니다.

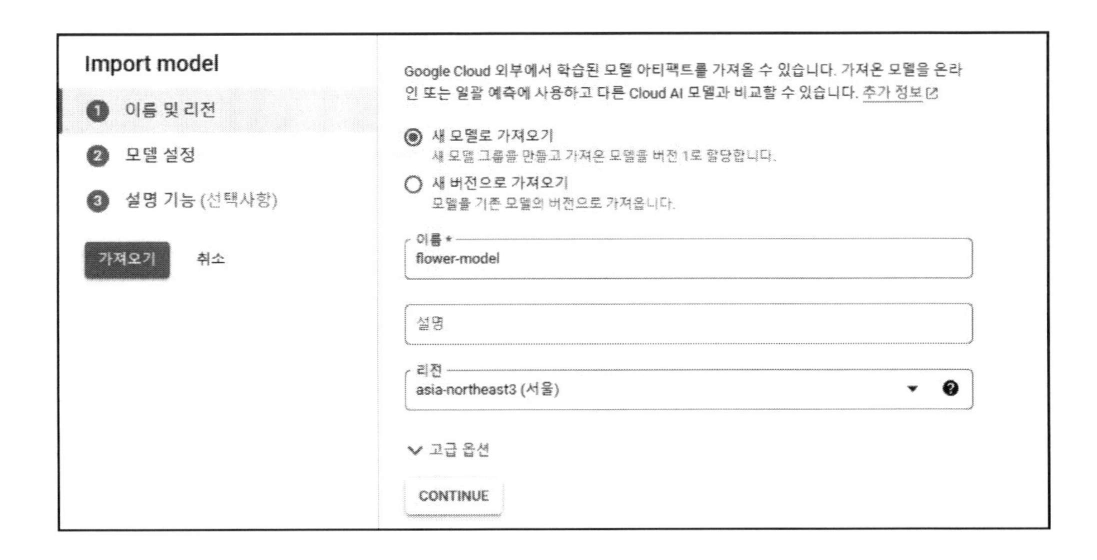

4.2. 모델설정

모델 프레임워크를 TensorFlow / 2.8 로 설정합니다.(Dockerfile 참조)

```
FROM gcr.io/deeplearning-platform-release/tf2-gpu.2-8
```

모델 아티팩트 위치를 버킷 아웃풋 경로로 설정합니다. ("trainer/task.py" 참조)

```
# SAVE MODEL
model.save(f'{BUCKET_ROOT}/model_output')
```

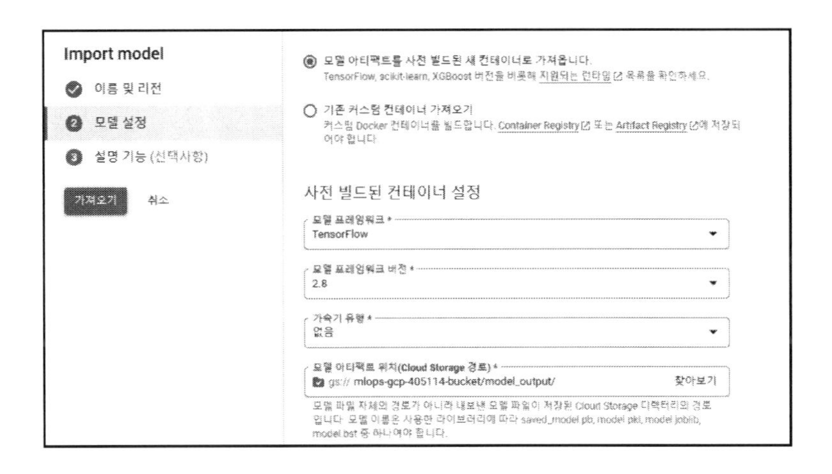

설명 기능은 스킵하고 가져오기를 클릭하면, 알림 창에서 업로드 중 메시지를 확인 할 수 있습니다.

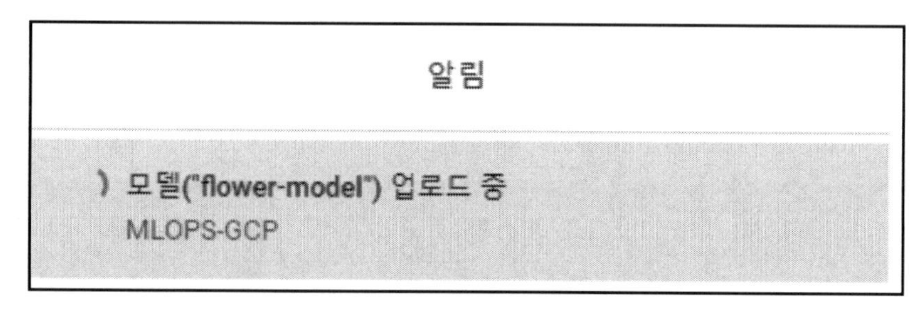

5. 엔드포인트에 모델 배포

이제 모델업 로드가 완료되어, 엔드포인트에 모델을 배포합니다.

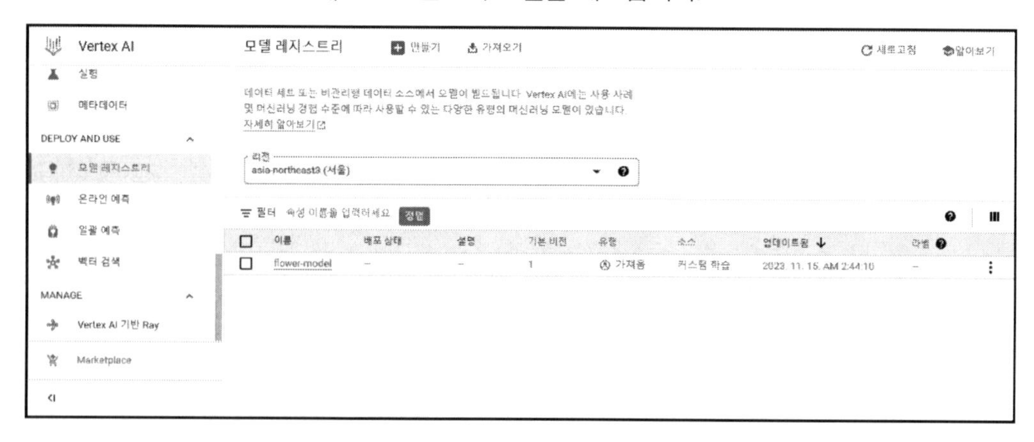

모델의 맨 오른쪽 세 개의 점을 클릭하여 엔드포인트에 배포를 선택합니다.

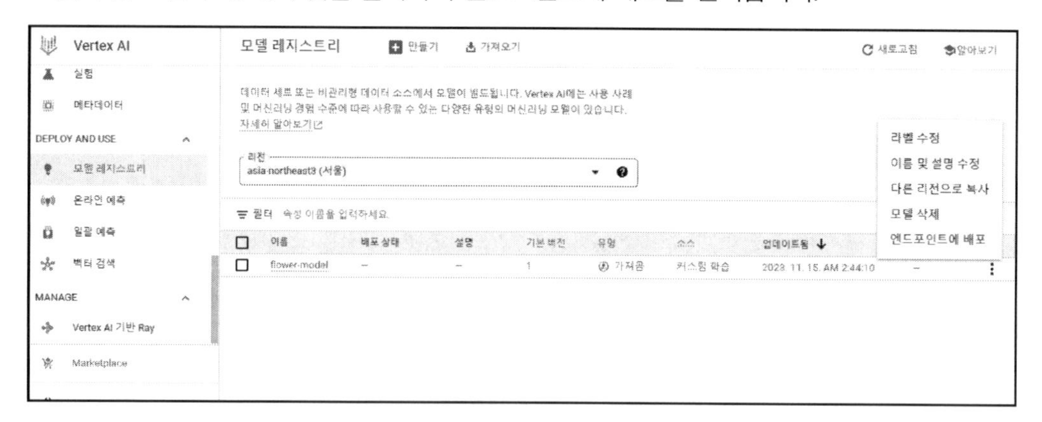

5.1. 엔드포인트 구성

이름을 설정하고 계속을 클릭합니다.

5.2. 모델 설정

엔드포인트는 자동 확장을 지원합니다. 즉, 최소값과 최대값을 설정할 수 있으며 컴퓨팅 노드가 해당 경계 내에서 트래픽 수요에 맞게 확장됩니다.

이 실습은 시연용이므로 최대 컴퓨팅 노드 수를 1 로 설정하고 머신 유형은 n1-standard-4 를 선택합니다.

모델 모니터링은 스킵하고 배포를 클릭합니다.

엔드포인트에 배포
엔드포인트 정의
모델 설정
모델 모니터링
배포
CANCEL
컴퓨팅 리소스
컴퓨팅 리소스가 모델에 예측 트래픽을 제공할 방식을 선택합니다.
Autoscaling: If you set a minimum and maximum, compute nodes will scale to meet traffic demand within those boundaries
No scaling: If you only set a minimum, then that number of compute nodes will always run regardless of traffic demand (the maximum will be set to minimum)
확장 설정이 지정되면 모델을 다시 배포하지 않는 한 설정을 변경할 수 없습니다. 가격 책정 가이드
최소 컴퓨팅 노드 수 *
1
기본값은 1입니다. 1 이상으로 설정하면 트래픽 수요가 없어도 컴퓨팅 리소스가 지속적으로 실행됩니다. 이로 인해 비용이 증가할 수 있지만 노드 초기화로 인해 요청이 삭제되는 것이 방지됩니다.
최대 컴퓨팅 노드 수(선택사항)
1
최소 노드 수 이상의 숫자를 입력하세요. 비용을 절감할 수 있지만 트래픽 증가 시 안정성 문제가 발생할 수도 있습니다.
고급 확장 옵션
머신 유형 *
n1-standard-4, 4 vCPUs, 15GiB memory
서비스 계정
서비스 계정에 따라 서비스 코드로 액세스할 수 있는 Google Cloud 리소스가 결정됩니다. 기본적으로 Google 관리형 서비스 계정은 대부분의 모델에 적합한 권한으로 사용됩니다. 사용자 관리형 서비스 계정을 사용하여 권한을 맞춤설정할 수도 있습니다. 자세히 알아보기
로깅
Logging 설정이 이 엔드포인트에 영구적으로 유지되며 Logging 요금이 적용됩니다. 향후 Logging 환경설정을 변경하려면 새로운 엔드포인트를 만드세요. 자세히 알아보기
이 엔드포인트에 액세스 로깅 사용 설정
이 엔드포인트에 컨테이너 로깅 사용 중지
설명 기능 옵션
설명 기능 없음
특성 기여
예시 기반 설명
엔드포인트 설정이 적용되는 데 몇 분 정도 걸릴 수 있습니다.
완료
모델 추가
계속

배포를 하면 아래와 같이 알림이 뜨고, 온라인 예측에서 모델이 배포되는 것을 확인할 수 있습니다.

6. 예측 수행하기

모델이 엔드포인트에 배포되어 온라인 예측에서 활성상태로 된 것을 확인 할 수 있습니다.

모델이 배포 되면 다른 나머지 엔드포인트처럼 조회할 수 있습니다. 예를 들어 Cloud 함수, 챗봇, 웹 앱 등에서 모델을 호출할 수 있습니다.

Workbench 에서 이 엔드포인트를 호출하여 예측을 수행 해봅니다.

6.1. 온라인 예측

온라인 예측은 예측 서비스 지연을 최소화하도록 최적화되어 있습니다. 이전 실습에서 만든 노트북으로 돌아갑니다. 런처에서 새 TensorFlow 2 노트북을 만듭니다.

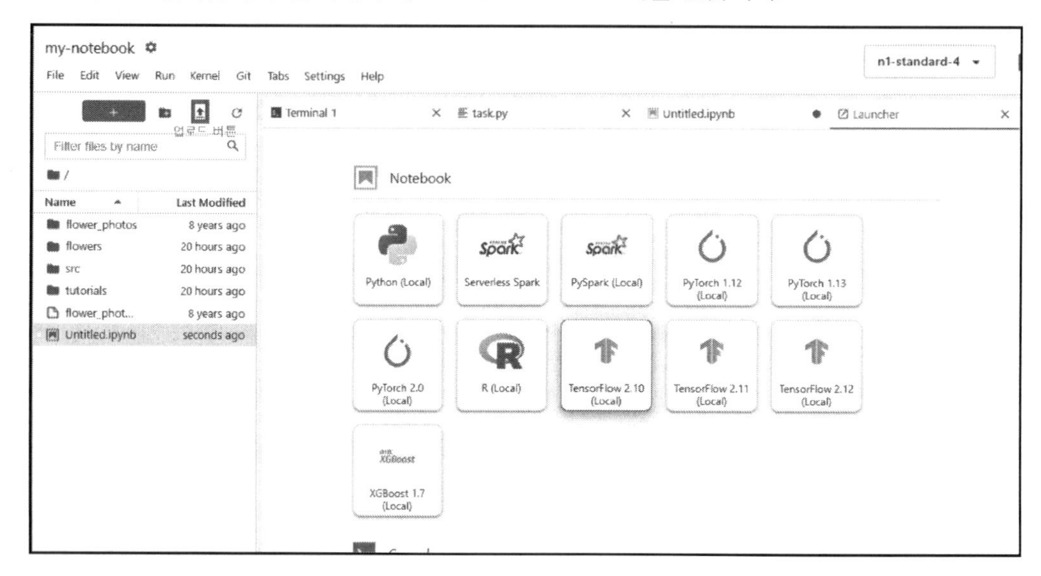

Vertex AI Python SDK, NumPy, PIL 가져오기

```
from google.cloud import aiplatform

import numpy as np
from PIL import Image
```

아래 이미지를 다운로드 후, 업로드 버튼을 클릭하여 Workbench 인스턴스에 업로드합니다. 해당 이미지에 대해 모델을 테스트 합니다.

먼저 엔드포인트를 정의해야 합니다. 아래에서 "{PROJECT_NUMBER}" 및 "{ENDPOINT_ID}"를 바꿔야 합니다.

```
endpoint =
aiplatform.Endpoint(   endpoint_name="projects/{PROJECT_NUMBER}/loca
tions/us-central1/endpoints/{ENDPOINT_ID}")
```

GCP 메인 화면의 "Cloud 개요 > 대시보드"로 들어가면 프로젝트 정보에서 PROJECT_NUMBER 를 확인 할 수 있습니다.

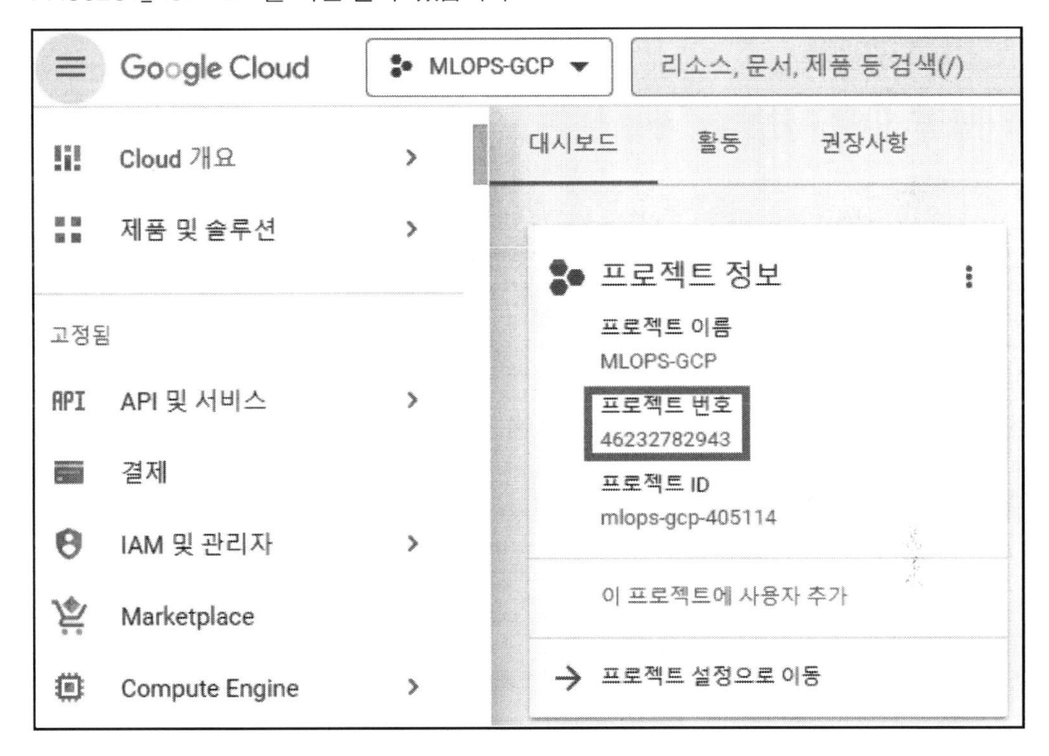

온라인 예측에서 ENDPOINT_ID 를 찾을 수 있습니다.

PIL로 이미지를 열고 크기를 조절합니다.

```
IMAGE_PATH = "test-image.jpg"
im = Image.open(IMAGE_PATH)
```

그런 다음 NumPy 데이터를 float32 유형 및 목록으로 변환합니다. NumPy 데이터는 JSON 직렬화가 가능하지 않으므로 요청 본문에 보낼 수 없어서 목록으로 변환해야 합니다.

```
x_test = np.asarray(im).astype(np.float32).tolist()
```

마지막으로 endpoint.predict를 호출합니다.

```
endpoint.predict(instances=x_test).predictions
```

⚠ endpoint 예측 오류 발생

위의 코드를 실행하면 아래와 같은 입력은 4차원이여야 한다는 오류메시지가 발생합니다.

```
InvalidArgument: 400 {
   "error": "input must be 4-dimensional[240,159,3]\n\t
[[{{function_node __inference__wrapped_model_5919}}{{node
sequential/resizing/resize/ResizeBilinear}}]]" }
```

입력값인 x_test의 차원수를 numpy의 shape로 확인합니다.

```
tmp_x_test = np.array(x_test)
tmp_x_test.shape # (246, 159, 3)
```

오류메시지에서 발생한 246, 159, 3 값이 동일하게 나오면서 3 차원인것을 확인할 수 있습니다. 오류메시지와 numpy 입력에 대하여 검색을 하면 4 차원으로 입력이 필요할 경우 '배치크기' 값이 필요합니다.

보통의 이미지의 경우 3 차원인 [높이, 너비, 채널] 수로 구성 되지만 딥러닝 처리에서 작업단위로 처리하기 위하여 대부분의 프레임워크에서 4 차원인 [배치크기, 높이, 너비, 채널]로 구성합니다.

배치 크기는 모델에 입력되는 이미지의 개수를 나타내는데, 한번에 여러 이미지를 처리하고, 학습의 효율성과 예측 속도를 향상시킬 수 있습니다.

문제를 해결하기 위해서 배치크기 값을 추가합니다. 추가방식은 매우 간단합니다.

x_test 변수를 배열로 한번더 감싸서 값을 확인합니다.

```
tmp_x_test2 = np.array([x_test])
tmp_x_test2.shape # (1, 246, 159, 3)
```

배열의 차원수가 1, 246, 159, 3 로 4 차원으로 나오는 것을 확인하였습니다. 입력값을 [x_test]로 변경하여 다시 실행합니다.

```
endpoint.predict(instances=[x_test]).predictions
```

5 개의 단위가 있는 소프트맥스 레이어인 모델의 출력이 결과로 표시되었습니다.

```
[[0.0014641321, 0.998208165, 0.000280302222, 2.145586e-06,
4.5238954e-05]]
```

6.2. 일괄 예측(배치 예측)

일괄예측은 한 작업에서 대량의 인스턴스를 처리하고 더욱 복잡한 모델을 실행할 수 있도록 최적화되어 있습니다.

일괄예측은 NumPy 데이터를 json 파일로 변환하고, 이 파일을 Cloud Storage 에 저장합니다.

```
import json
with open('test-data.json', 'w') as fp:
   json.dump(x_test, fp)

!gsutil cp test-data.json gs://{YOUR_BUCKET}
```

다음으로 모델을 정의합니다. 주의할 점은 ENDPOINT_ID 대신 MODEL_ID 를 사용해야 합니다.

```
my_model=aiplatform.Model("projects/{PROJECT_NUMBER}/locations/asia
-northeast3/models/{MODEL_ID}")
```

MODEL_ID 는 모델 레지스트리에 배포된 flower-model 을 클릭하고, 버전 세부정보에 들어가서 확인 할 수 있습니다.

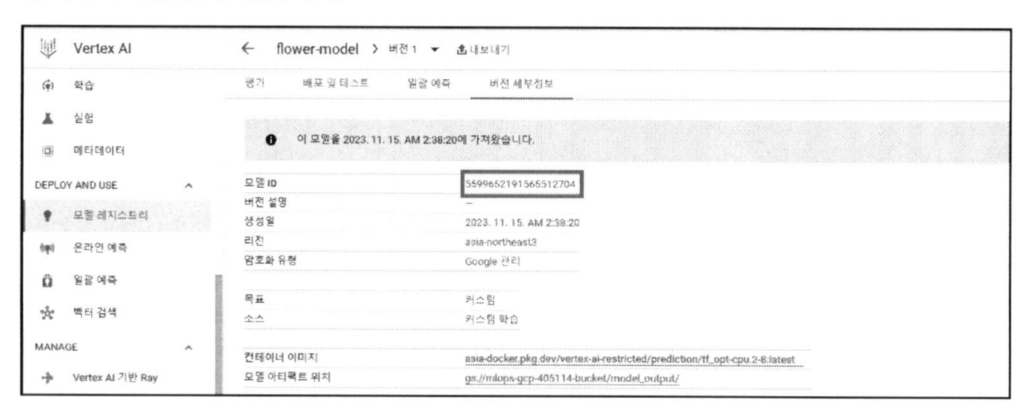

마지막으로 SDK를 사용하여 일괄 예측 작업을 호출하고, json 파일을 저장한 Cloud Storage 경로와 예측 결과를 저장할 Cloud Storage 위치를 설정합니다.

```
batch_prediction_job = my_model.batch_predict(
    job_display_name='flower_batch_predict',
    gcs_source='gs://{YOUR_BUCKET}/test-data.json',
    gcs_destination_prefix='gs://{YOUR_BUCKET}/prediction-results',
    machine_type='n1-standard-4',)
```

일괄 예측에서 작업 진행 상황을 확인 할 수 있습니다.

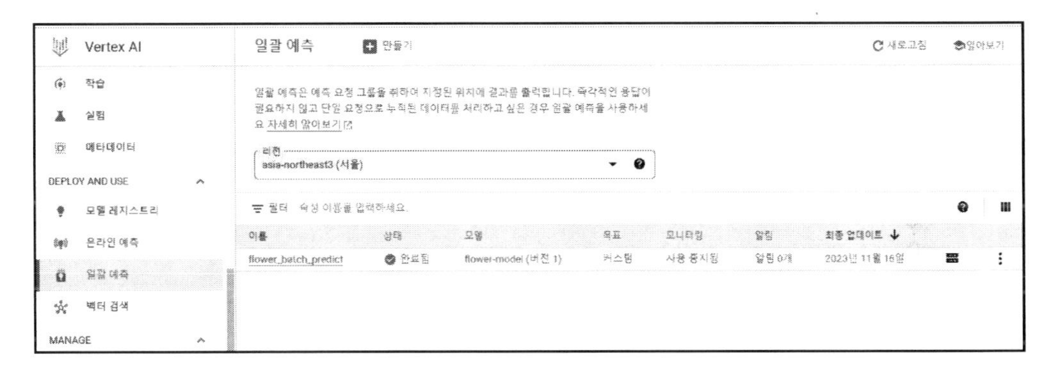

Vetex AI 커스텀 학습 모델 예제를 완료하였습니다.

온라인 예측과 일괄 예측 비교[44]

AI Platform Prediction이 학습된 모델에서 예측을 수행하는 두 가지 방법은 온라인 예측(HTTP 예측이라고도 함)과 일괄 예측입니다. 두 방법 모두 클라우드 호스트 머신러닝 모델에 입력 데이터를 전달하고 각 데이터 인스턴스에 대한 추론을 얻을 수 있습니다. 차이는 다음 표에서 확인할 수 있습니다.

	온라인 예측	일괄 예측
지연 및 최적화	예측 서비스 지연을 최소화하도록 최적화되었습니다.	한 작업에서 대량의 인스턴스를 처리하고 더욱 복잡한 모델을 실행할 수 있도록 최적화되었습니다.
인스턴스 처리	요청당 하나 이상의 인스턴스를 처리할 수 있습니다.	요청당 하나 이상의 인스턴스를 처리할 수 있습니다.

[44]https://cloud.google.com/ai-platform/prediction/docs/online-vs-batch-prediction?hl=ko

응답	응답 메시지에 예측이 반환됩니다.	지정한 Cloud Storage 위치의 출력 파일에 예측이 작성됩니다.
입력 데이터	입력 데이터가 JSON 문자열로 직접 전달됩니다.	입력 데이터는 Cloud Storage 위치에 있는 하나 이상의 파일 URI로 간접 전달됩니다.
응답시간	최대한 빨리 반환됩니다.	비동기 요청입니다.
권한	1) 기존 편집자 또는 뷰어 2) AI Platform Prediction 관리자 또는 개발자	1) 기존 편집자 2) AI Platform Prediction 관리자 또는 개발자
실행 환경	1) 모델을 배포할 때 선택했던 리전에서 해당 런타임 버전으로 실행됩니다. 2) AI Platform Prediction에 배포된 모델을 실행합니다.	1) 런타임 버전 2.1 이하를 사용하여 사용 가능한 모든 리전에서 실행할 수 있습니다. 단, 배포된 모델 버전의 기본값으로 실행해야 합니다. 2) AI Platform Prediction에 배포된 모델 또는 액세스 가능한 Google Cloud Storage 위치에 저장된 모델을 실행합니다.
가격	노드 시간당 $0.045147 ~ $0.151962(미주). 가격은 선택한 머신 유형에 따라 달라집니다.	노드 시간당 $0.0791205(미주).

따라하며 배우는 DevOps | MLOps

Azure, AWS, GCP 가이드

김도경 · 김수현 · 이은민 | 지음

출 간 일	2024년 07월 25일
출판사 등록	2014.07.15.(제2014-16호)
I S B N	979-11-410-9634-2
펴 낸 이	한건희
발 행 처	주식회사 부크크
주 소	서울특별시 금천구 가산디지털1로 119 SK트윈타워 A동 305호
대표전화	1670-8316
이 메 일	info@bookk.co.kr

www.bookk.co.kr